LA POÉSIE MYSTIQUE PEULE DU MALI

Publié avec le concours
du Centre national du Livre

KARTHALA sur Internet : http://www.karthala.com
Paiement sécurisé

Couverture : Première page d'un poème en langue peule du Fouta-Djalon, manuscrit de l'IFAN (Dakar) – Fonds Vieillard – B. Documents littéraires et linguistiques : Cahier 61, document 34.

Auteur anonyme : « Sur la bonté entre parents »
Miɗo yetta o'o ceniiɗo hulɓiniiɗo
Hulɓinɗo jaati mun o watti enɗan...

(Photo remise à Christiane Seydou par Alfâ Ibrâhîm Sow dans les années 1980).

Christiane Seydou (éd.)

La poésie mystique peule du Mali

Introduction de Louis Brenner

Éditions KARTHALA
22-24, boulevard Arago
75013 Paris

Les textes de cet ouvrage
ont été recueillis, retranscrits
et traduits par Christiane Seydou.

à Almâmi Mâliki Yattara

REMERCIEMENTS

Mes profonds remerciements vont à tous ceux et toutes celles sans qui ce travail n'aurait pu voir le jour, mais dont beaucoup, malheureusement, ne sont plus là pour recevoir les marques de ma gratitude.

En effet c'est, tout d'abord, Âmadou Hampâté Bâ qui, dès mon premier projet de mission au Mali, attira mon attention sur ces répertoires de poésie religieuse et m'indiqua auprès de qui je pourrais les obtenir grâce à sa recommandation. Et c'est ainsi que, introduite auprès du maître Amadou Abbas Sinna de Sévaré par le regretté Docteur El-Hadj Sanankoua qui, à chacun de mes passages, m'offrait si généreusement son hospitalité à Mopti, je pus enregistrer l'œuvre poétique de Mouhammadou Abdoullâye Sou'âdou.

C'est ensuite et surtout grâce aux compétences et au dévouement inconditionnel de mon collaborateur et ami, le regretté Almâmi Malîki Yattara, que je pus étendre ma collecte au-delà de ce répertoire, transcrire rapidement tous ces textes et m'assurer de leur juste compréhension ; c'est aussi lui qui, facilitant en tous domaines mes missions de recherche, m'a guidée à travers le pays, de Ténenkou à Dilly ainsi qu'à Bandiagara, auprès des personnes susceptibles de me fournir des renseignements complémentaires ou de vérifier les textes recueillis. Tous les chercheurs qui ont eu Almâmi Malîki Yattara pour compagnon de route savent combien ils lui doivent dans la réussite de leurs entreprises, et tout ce qu'ils ont pu apprendre auprès de lui, autant dans le cadre de leur recherche que dans celui des relations humaines.

Mes remerciements vont aussi à toutes les personnalités en place dans les villes et villages où nous passions et qui nous assuraient notre hébergement, leurs épouses me prenant en charge comme une de leurs sœurs. Ma reconnaissance va tout particulièrement à Oummou, l'épouse d'Almâmi, à Mopti, qui me faisait partager sa vie familiale et chez qui j'ai vécu des veillées de contes inoubliables.

Que soit enfin grandement remercié mon cher collègue Louis Brenner qui, sollicité pour une préface, nous offre ici un véritable essai riche et documenté grâce auquel sont éclairées la place et la valeur de ce répertoire de poésie mystique, dans la culture peule de cette région.

Je n'oublierai pas non plus le CNRS qui, en finançant mes missions, m'a permis de réaliser cette collecte du patrimoine littéraire des Peuls du Mali, auquel a été consacrée toute ma carrière de chercheuse.

Quant aux lecteurs peuls de ces textes, je sollicite leur indulgence pour les erreurs de traduction qu'ils pourront y détecter, les contraintes de la métrique rendant parfois ambiguë l'interprétation de tel ou tel vers.

INTRODUCTION

INTRODUCTION

Fulfulde religious verse:
cultural context and mystical inspiration
by
Louis Brenner*
School of Oriental and African Studies
University of London

The religious verse that is presented in this volume was collected by
Christiane Seydou almost 30 years ago in the Masina region of Mali. The
poems, drawn from the work of four poets, were all composed in the
Fulfulde language[1] and are representative of religious poetry known col-
lectively in Fulfulde as *yimre* (pl. *gime*). *Yimre*[2] is a "performance genre"
of poetry, that is, poetry intended to be recited or chanted in religious or
other more or less formal gatherings. The poems in this collection were
composed over a period of more than a century. They have been preserved precisely because they became part of one or another local repertoire
of chanted religious verse, usually learned and recited by the students of
religious scholars and teachers, but also by "professional" religious bards
and mendicants.

This essay explores three themes that serve to place *yimre* in the broader context of the Islamic religious culture of the Fulfulde-speaking peoples of West Africa: religious verse as part of the oral culture of the region, Fulfulde as a language of religious expression, and the mystical
imagery of the poems translated in this volume.

---

* The author would like to thank Christiane Seydou for her many helpful suggestions in the writing
of this Introduction, and for her translation of the text into French.
[1] The language of the Fulbe peoples is designated by different terms in different regions of West
Africa, *Pulaar* in the west, *Fulfulde* further east, and also by different regional dialects: *fuutankoore, maasinankoore*, etc.
[2] This term, derived from the root *yim-* (to sing), distinguishes this genre of verse from *gimol* (secular or non-religious song), and also denotes the fact that religious verse is usually intoned or chanted.

Muslims first ventured into West Africa over a thousand years ago, and the subsequent appearance and growth of Muslim societies in the region has been a complex historical process. Almost everywhere accompanied by significant social change, and sometimes marked by profound and disjunctive political breaks with the past, the Islamization of a society also evolves through a gradual but complex dynamic of cultural exchange that can include, for example, the appropriation of local cultural institutions to mediate and spread the message of Islam, and the adoption of local languages, such as Fulfulde, for purposes of religious expression and instruction.

Religious verse within a culture of the spoken word.

Religious verse has been an integral part of Muslim culture since the earliest days of Islam. Its classic form in Arabic is the *qaṣīda*, which itself was the product of cultural exchange. The roots of the *qaṣīda* as a form of Muslim verse are located in the pre-Islamic poetry of the Arabian peninsula, the structures and motifs of which were gradually "Islamized" as they were appropriated by Muslim poets. Thus, for example, the yearning of the pre-Islamic poet to be reunited with his beloved was replaced by the yearning of the Muslim poet to be reunited with God, or to journey into the presence of the Prophet Muhammad. From these early beginnings, the *qaṣīda*, as well as other forms of religious verse, have spread throughout the Muslim world both in Arabic and in the indigenous languages of numerous different Muslim societies.[3]

Similarly, when the *qaṣīda* genre was introduced into West Africa in its classical Arabic form, it was not simply imprinted onto a cultural *tabula rasa*, but was everywhere introduced into a rich and complex mosaic of oral cultural expression. Consequently, the composition and recitation of religious verse by Fulfulde-speaking Muslims in their own language was inevitably influenced by their own pre-Islamic cultural and poetic heritage, despite the efforts of some Muslims to suppress all forms of non-Islamic cultural expression.

Much academic attention has been devoted to the literary production of Muslim scholars. Such emphasis is appropriate, of course, because literacy has everywhere been a key factor in the evolution and application of Islamic doctrine and theology. Ideally, Muslim life and the general functioning of all Muslim societies are to be guided by those scholars (*ʿulamāʾ*) who possess a profound knowledge and understanding of Qurʾan, *hadith* and other fundamental Islamic texts. And this knowledge

---

[3] For an extensive analysis of the *qaṣīda* form with examples in different languages, see S. Sperl and C. Shackle, *Qasida: the literary heritage of an Arabic poetic form in Islamic Africa and Asia* (Leiden: Brill, 1996).

has been recorded and transmitted through books, in the form of the written word.

But this emphasis on literacy and the written word should not obscure the very significant place that the "spoken word" occupies in virtually all aspects of Islamic religious practice. Spoken recitations are of course evident in many forms of prayer, not only in the obligatory prayers of *ṣalāt*, but in various forms of supererogatory prayers, such as *duᶜā'* and the special litanies of the Sufi orders, all of which are recited aloud. The most essential of all spoken recitations in Islam is that of the Qur'an itself, a text compiled in the form of a book but which is meant to be recited aloud, to be heard rather than read. And not only recited aloud, but ideally recited from memory and intoned in a highly formalized manner.

The recitation of Qur'an, or of selected verses from the Qur'an, is at the very heart of Islamic religious practice. Such recitations are integral to the performance of *ṣalāt*, and also accompany most other forms of religious expression. And such recitations are instilled in Muslims from childhood. The schooling of all young Muslims begins with the memorization of the Qur'an, or at least of those *suras* that enable them to perform *ṣalāt*. And most children learn to recite Qur'anic verses before they learn to read, a practice that echoes the fact that the Prophet first transmitted the revelations of the Qur'an to his followers orally. Early generations of Muslims knew the Qur'an primarily as an oral text, which was formally arranged and committed to writing in the form of a book only after Muhammad's death. It has been argued that an oral tradition of Qur'anic transmission was thus established that "has had a continuous history ever since, in some ways independent of, and superior to, the written Qur'an", and that in the early period, this oral tradition became accepted "as the standard by which the written text should be judged".[4] It might therefore be argued that in Islam the spoken word enjoys a certain theological precedence over the written word.

The recitation of religious verse is an integral part of this pattern of spoken devotional practice, and although no precise historical evidence exists to document its introduction into West Africa, it seems reasonable to assume that this would have been when Muslims first arrived in the region. Most of this early verse would probably have been drawn from the classical repertoire of Muslim religious poetry, composed and recited in the Arabic language. With time, however, local Muslims also began to compose religious verse, and they did so both in Arabic and eventually in local African languages. Again, we do not know exactly when such religious verse was first composed in African languages, precisely because it was composed, recited and transmitted orally by local religious scholars

---

[4] "al-Kur'an", in *Encyclopaedia of Islam*, New Edition, vol. V (Leiden: Brill, 1986), p. 426.

and teachers. The earliest extant examples that have been reduced to writing in the Fulfulde language (using Arabic script, or ⁽ajami⁾), date from the eighteenth century, but it is almost certain that verse was being composed in Fulfulde much earlier.

We will examine the theme of language more fully below, but first let us explore the broader social and cultural context in which *yimre* has flourished. As suggested above, the evolution of a local Islamic religious culture is a complex process of cultural exchange through which adherence and loyalty to both Muslim and non-Muslim concepts, values, cultural practices, and institutions are juxtaposed and reinterpreted. The changing social and cultural role of the *griots* can provide an illustrative example of this dynamic of cultural exchange in the western Sudan.[5]

Griot is a generic term used in the literature to refer to all *"artisans du verbe et de la musique"*. Historically, the Fulfulde-speaking societies of the western Sudan were highly stratified into classes and caste groups based on descent. Distinctions were drawn between persons of free born (*rimɓe*) and slave (*maccuɓe*) or former slave (*riimaayɓe*) status, and among the free born, between noble and "caste" groups of artisans (*nyeenyɓe*), such as metal workers, leather workers, wood workers, and weavers. The *griots* are also included among the artisan castes.

Among the several categories of *griots* that exist, the *maabuuɓe* (s. *maabo*) are most relevant to this discussion. The *maabuuɓe*, who are also weavers, accompany their recitations with a lute (*hoddu*). Normally attached to noble families, the *maabuuɓe* were guardians of the family history of their patron, whose genealogies and glorious deeds of the past they recited, and whom they accompanied on all occasions, including military campaigns, and whom they advised, supported and encouraged to uphold the duties and responsibilities of their noble status.

The spread of Islam in the region was of course reflected in the oral recitations of *griots*, and the representations and attitudes that they expressed naturally reflected the relationship of their patrons to Islam. Some were therefore critical of Islam, some praised it, and some of course became Muslim themselves. According to Alfâ Ibrâhîm Sow, some *griots* in Futa Jalon not only became Muslim, but became what he called *"intellectuels-griots"* or *"maîtres-griots"* with the title of *farba*. They had pursued Islamic studies to an advanced level and had become literate in Arabic and Fulfulde, and they committed some of their historical knowledge to writing. The patrons of the *farba* were local Muslim leaders, to whom they were related in much the same way as the *maa-*

---

5 The discussion in this essay of the cultural role of the *griots* is drawn primarily from Christiane Seydou, *Silâmaka et Poullôri. Récit épique peul raconté par Tinguidji* (Paris: Classiques africains, 13, 1972), pp. 15ff.

14

buuɓe were to their patrons, although unlike the *maabuuɓe*, they did not accompany their recitations with any musical instrument.[6]

But being an accomplished, literate scholar was by no means a prerequisite either for being Muslim, or for composing historical verse that praised the glorious glorious deeds of past Muslim leaders; nor, for that matter, was literacy a pre-requisite for exploring classical Islamic themes or for the ability to express deep religious feeling. One need only refer to the verse of Mâbal, one of whose poems is included in this collection. Mâbal, whose name means *"grand griot"*, was a *maabo*, or weaver-musician, who became one of Bandiagara's most admired and respected Muslim poets. Mâbal was illiterate and never attended Qur'anic school. He had lived a dissolute life of singing and drinking in the bars of Mopti prior to meeting and falling under the influence of Tierno Bokar Sâlif Tâl.[7] According to Amadou Hampâté Bâ, not long after he joined Tierno Bokar in Bandiagara, Mâbal began to compose religious verse:

> filled with inspiration, he improvised lengthy mystical poems in Fulfulde, whose poetic beauty and subtlety of thought astounded everyone who heard them, not least the *marabouts* of Bandiagara. No sooner were they sung, than his poems were taken up by others and spread about the town.[8]

Unfortunately, we know little about Mâbal, but whatever the nature of his personal life before he began to compose religious verse, it would seem that he had matured within the metier of *griot*. Théodore Monod, who published Hampâté Bâ's French translation of another of Mâbal's poems, entitled *Sorsoreewel*, described him as a "profane poet" prior to his apparent "conversion" under the influence of Tierno Bokar.[9] But regardless of what repertoire he might have performed in the nightspots of Mopti, his trained and sensitive ear would have absorbed all the genres of oral literature that were being performed at the time, including both the "profane" and the religious.

Sorsoreewel is a very personal, mystical poem, described by Hampâté Bâ as "a genuine ode to God and His Prophet, in whose presence he longed to be". Hampâté Bâ translates *Sorsoreewel* as "One who searches". The connotation of the word in Fulfulde is of a puppy endlessly sniffing at and exploring everything that it encounters. According to Monod, the "melody" upon which this poem was based was taken from a song that

---

[6] Alfâ Ibrâhîm Sow, *Chroniques et récits du Foûta-Djalon* (Paris: Klincksieck, 1968), pp. 11.

[7] Mâbal's relationship with Tierno Bokar is recounted in Amadou Hampâté Bâ, *Oui mon commandant! Mémoires (II)* (Paris: Actes Sud, 1994), pp. 371ff.

[8] *Ibid.*, pp. 374-5.

[9] Théodore Monod, "Un poème mystique soudanais : Sorsorewel (Le Fouinard)", du poète Mâbal, traduit du peul en français par Amadou Hampâté Bâ, *Le Monde non chrétien*, n° 2 (avr.-juin 1947), pp. 217-228. "Un poème mystique soudanais", présenté par Théodore Monod, *Présence africaine*, n° 3 (mars-avril 1948), pp. 441-450.

Mâbal heard being sung by a group of Fulbe women, an example of the process of cultural exchange that we are exploring, an example of how the "profane" can be appropriated to serve the "religious".

But Mâbal was also inspired by other religious verse. His poem in praise of al-Hajj 'Umar, which is included in this collection, seems to have been in part influenced by the verse of Âmadoun Fôdiya Moussa, whom Mâbal mentions in his poem, and who lived a century before him. Mâbal might have heard the poetry of Âmadoun Fôdiya being recited by poor or blind mendicants as they begged from house to house or in the markets, or in more formal religious contexts by Muslim scholars and their students, in mosques and during other religious gatherings. Christiane Seydou describes one such communal recitation, known among the Fulbe of Futa Jalon as *jaaroore*:

> the *jaaroore* is a nocturnal gathering dedicated to the recitation of religious poems, mystical odes, and devotional prayers, which continues until daybreak without interruption and which concludes with the participants walking around the structure reserved for these meetings.[10]

Similar gatherings certainly took place in the company of Tierno Bokar, where Mâbal would have heard countless recitations drawn from the local repertoire of religious verse, including no doubt Mohammadou Aliou Tyam's lengthy *qaṣīda* in Fulfulde *(Pulaar)*, that recounts and praises the life and exploits of al-Hajj 'Umar.[11] It is very possible that this poem served as inspiration for Mâbal's own poem in praise of 'Umar.

Tyam's poem is a careful reconstruction of the history of 'Umar's *jihad*, composed by a loyal follower who was fully committed to the Muslim thought and ideology that motivated 'Umar's movement.[12] But considered as a poem of praise and as an epic account of 'Umar's achievements, and leaving aside for a moment it's religious content, Tyam's *qaṣīda* shares many similarities with the non-Muslim oral literature of the region. Whereas the social, cultural and religious values expressed in Muslim and non-Muslim oral texts differ considerably in content, their expressive forms and manner of transmission are quite similar.

Sperl and Shackle in their comparative study of the genre cite three characteristics that they claim are shared by all *qaṣīda*:

---

[10] Christiane Seydou, "Trois poèmes mystiques peuls du Foûta Djalon", *Revue des etudes Islamiques*, 40 (1972), p. 145

[11] See Mohammadou Aliou Tyam, *La vie d'el Hadj Omar. Qacida en Poular.* Traduit par Henri Gaden. Paris: Institut d'Ethnologie, 1935.

[12] For an analysis of the *qaṣīda* as a historical document, see David Robinson, *The Holy War of 'Umar Tal. The Western Sudan in the mid-Nineenth Century* (Oxford: Clarendon Press, 1985), p. 26. According to Robinson, Tyam worked on his *qaṣīda* over of period of twenty years: the original version was composed during Tyam's residence in Segu between 1870 and 1880, and subsequently reworked and completed in its final version in 1890.

- that "most *qasidas* ... are designed to extol, uphold or call for allegiance to a code of moral values, often of a religious nature";
- that "the *qasida* is usually intended to be recited, chanted or even sung in a public setting";
- that "the *qasida* is a cultural commodity often composed for the purpose of gift exchange which constitutes an integral part of its recitation, both secular and religious". [13]

Significantly, each of these characteristics of the *qaṣīda* also applies to the literary production of non-Muslim *griots*, as is convincingly demonstrated in Christiane Seydou's introductory essay to her translation of the epic tale, *Silâmaka et Poullôri*.[14]

The cultural production of the *griots* consists of oral texts that are recited in public and which also function as objects of exchange. Like the artisan groups mentioned above, the *griots* offer their services in exchange for other goods and services, which can be symbolic, material or social. For example, the epic literature of the *maabuuɓe* gives expression to and glorifies the values of their noble patrons, to whom they are bound in a classic relationship of reciprocity that imposes on both client and patron mutual duties and responsibilities and mutual expectations of what each is to give and each is to receive. The relationship between noble and *maabo* is one of the more formal to be found in Fulbe society, but the social interdependence of the various classes and castes that constitute Fulbe society is acknowledged through many less formal, but nonetheless obligatory, forms of exchange. This system of exchange operates under a kind of moral or social imperative, which acts as a glue to hold together a society that is composed of quite separate descent-based classes and castes. Each artisan group "owns" the knowledge and skills, and the secrets, of its particular expertise.

However, the commodity produced by the *griot* is the word, which does not circulate in the market economy in the same was as material objects, like the tool made by a blacksmith or the cloth produced by a weaver which an individual can decide to purchase according to his own needs. By contrast, *griots* can produce texts that they address to persons who have not chosen to "purchase" them, and of which they are unsuspecting recipients. Moreover, the words of the *griot* are perceived as possessing an inherent power; they can "capture" the individual to whom they are addressed, a "captivity" from which one can be released only by proffering an appropriate gift to the *griot*. With this gift, the addressee attests that he is the legitimate recipient of the words of praise addressed

---

[13] Sperl and Shackle, *Qasida*, p. 4.

[14] The following discussion is based on Seydou, *Silâmaka et Poullôri*, pp. 18ff.

to him, and that he will do all in his power to justify and to uphold the image portrayed of him. Thus, the *maabuuɓe* employ the skills of their metier, the power of words and music, to evoke, to exalt, and to enhance the noble qualities of their patrons. But they do this indirectly, through the recitation of epic texts that glorify the deeds of past heroes who incarnate the ethical and social ideals of noble Fulɓe, thus inspiring their patrons to reaffirm and to uphold the putative virtues of their ancestors.

Thus we can see that the recitations of the *griots* share the characteristics that Sperl and Shackle ascribe to the *qaṣīda*: they uphold a code of moral and social values, they are always recited before a public, even if it is a restrained public, and they circulate as cultural commodities through a system of exchange. They also share a further characteristic that Sperl and Shackle do not explore: they are produced, recited and heard in a culture that is deeply imbued with a respect for the power of the spoken word.

For Muslims, as suggested above, respect for the word begins with the Qur'an, the spoken Word of God. Many religious practices are based on the belief that God's words, as revealed in the Qur'an, possess a power that can be used for the benefit of humankind. Healing is the best example of this belief; there are many Muslim practices in which words and verses of the Qur'an are used to protect persons from misfortune, or to assuage their distress or heal their illnesses. Certain *qaṣīda* are also attributed with protective and healing powers, one of the most renown being the *Qaṣīdat al-Burda*, composed in the 7th century AH (13th century AD) by Sharaf ad-Din Muhammad al-Busiri in praise of the Prophet. But all *qaṣīda* that praise and request favours from God and the Prophet are recited in the hope that such pleas will be answered, and in the belief that the power of the words, properly recited, will bring some form of divine or spiritual recompense.

However, if the Muslim and non-Muslim cultures of Fulfulde speakers share much in common in the emphasis that each places on the role and the power of the spoken word, they also differ significantly about how the power of the word is understood to act in its relationship between speaker and addressee. The words of the *griot*, in the form of praise or the recitation of epic texts, are an expression of Fulɓe cultural values. These words act upon the person to whom they are addressed as a call: to remind the addressee of his noble heritage and to reawaken in him his commitment to the cultural values, moral imperatives and social responsibilities that are incumbent upon him as a person of noble status, among which is his obligation of generosity toward his *griot*. By contrast, religious verse is an expression of Islamic values that demonstrates the commitment of the author himself, or of the person who recites the poems, to these values. The words of the religious poet are devoted to the adoration of God and of the Prophet, and to extolling Islam and its most eminent representatives; they are addressed to God and to the Prophet, but not with the expectation of exerting influence upon them. Rather, these words arouse hope in those who compose and recite them that they will prove worthy, through their own meritorious words and deeds, of the sustenance and the blessings that can flow from God and the Prophet.

Even as Islam established its political dominance over parts of West Africa following the eighteenth- and nineteenth-century *jihads*, Islamic value systems and literary forms did not everywhere displace those of non-Muslim Fulbe culture. Many researchers have commented on the cultural transformations that were generated by the confrontation between Fulbe and Muslim values and identities as Fulfulde-speaking peoples became increasingly Islamized. As David Robinson has suggested, these transformations varied from region to region. In Sokoto and Masina, the *jihadi* leaders were successful in establishing a political and religious order based firmly on Islamic law and precepts. However, the religious rigor of the Sokoto leadership resulted in the disappearance of the secular epic, which was replaced by the hagiographic panegyric known in Fulfulde as *madhu* (Ar. *madh*). Further to the west, *griots* continued to recite epics that extolled pre-Islamic Fulbe virtues such as pride, fearlessness and nobility, and according to Chr. Seydou:

> ... no Pullo (s. of Fulbe), no matter how fervent a Muslim he might be, can resist being profoundly moved by the recitation of his glorious deeds or by their musical evocation. If the great religious leaders, like 'Uthman dan Fodio, wished to see this secular literature abolished, it was because they knew to what extent it affected their fellow Muslims, awakening in them their ancestral and pagan inclinations and their propensity toward warlike exploits that are motivated, not by a legitimate desire to bring about the triumph of Truth, but by an excess of sheer pride. [15]

By contrast, Muslims in the Futas attempted to merge their Muslim and Fulbe identities. Thus, alongside the traditional *griot* there appeared the *farba* of Futa Jalon, the "intellectual-*griot*", the historian of the heroes of the *jihad*. And the interrelationship between the two identities was further assured by the development of Fulfulde as a religious language. According to Robinson, the Fulbe of the Futas portrayed themselves as "a chosen people", whose "language had been blessed by the Prophet and was second in value only to Arabic".[16] According to Alfâ

---

[15] *Ibid.*, p. 40. For a similar commentary, see Christiane Seydou, "Panorama de la littérature peule", *Bulletin de l'IFAN*, tome 35, no. 2, série B, 1973, p. 182, where she says, "Although having subsumed all their spiritual and intellectual activities to an Islamic religious ideology, sedentary Muslims can still rediscover their origins, their psychological archetypes and ancient ethical values, in the epic."

[16] David Robinson, *The Holy War of 'Umar Tal*, pp. 81-2.

19

Ibrâhîma Sow, the emergence of Muslim power in Futa Jalon stimulated Muslim clerics to develop Fulfulde as a written language using Arabic script (*ᶜajami*). This innovation, Sow argued, was the assertion of a kind of national self-expression, "of a wish for cultural autonomy".[17]

Fulfulde as a language of religious expression.

Arabic, as the language of Qur'anic revelation, is accorded special pre-eminence by Muslims. It is the essential language of all Islamic learning and scholarship, and Muslim scholars in Africa, as elsewhere in the Muslim world, were (and are) by definition literate in Arabic. However, when addressing local Muslim populations all knowledge of Islam, from the most basic doctrinal religious principles to an understanding of the Qur'an, had to be transmitted orally in local languages, which have therefore served everywhere as languages of instruction for the transmission of Islamic knowledge. Thus, when young children began Qur'anic school they were taught the first basics of Islam in their own language. Students who continued their studies beyond elementary Qur'anic school would also begin to learn Arabic through the medium of their own language. For centuries, this has been done through a system of simultaneous oral translation in which the student would read a passage in Arabic, and the teacher would immediately translate it into the local language.[18] The same pedagogical method was employed for more advanced students reading classical Arabic texts, as well as for *tafsīr*, study of the meaning of the Qur'an. Knowledge of Arabic language and vocabulary was thus built through a process of literal translation accompanied by oral explanation and commentary.[19] The study of *tafsīr*, which was undertaken at an advanced stage of study, may have provided the earliest impetus for Muslims to commit local languages to writing. Qur'anic teaching aids in the form of interlinear, literal, word-for-word translations of the Qur'an exist in a number of West African languages, among them Kanembu, Tamashek, and Fulfulde.

Although many African languages served as languages of religious instruction and explanation, Fulfulde may be something of a unique case. From as early as the seventeenth century (and probably much earlier), Fulfulde-speaking Muslims right across West Africa were teaching Isla-

---

[17] Alfâ Ibrâhîm Sow, *La femme, la vache, la foi. Écrivains et poètes du Fouta-Djalon* (Paris: Classiques africains, 1966), p. 15.

[18] Since the mid-twentieth century, "modernised" Muslim schools have adopted contemporary methods for teaching Arabic as a second language, which are gradually replacing those formerly employed.

[19] For an excellent description and analysis of this form of teaching, see Tal Tamari, "L'exégèse coranique (*tafsīr*) en milieu mandingue", *Islam et sociétés au sud du Sahara*, no. 10 (1996), pp. 43-79.

mic doctrine through the medium of formal religious texts composed in their own language. These texts were known generically as *kabbe*, Fulfulde for the Arabic *ᶜaqā'id* tenets of faith or dogma.[20] Although extant versions of *kabbe* vary considerably in their content, all of them, both oral and written, are ultimately derived from a fifteenth-century Arabic text by Muhammad b. Yusuf al-Sanusi entitled *al-ᶜAqīdat al-ṣuġrā*.[21] This brief text on the subject of *tawḥīd* expounds the attributes of God and the Prophet and was said by its author to contain all the fundamentals of Islamic knowledge that a Muslim should know.

The *kabbe* texts seem to have originated as an alternate curriculum path for Muslims who did not pursue advanced Islamic studies in Arabic. The most common pattern of Muslim schooling in Africa in the past was for most children to attend Qur'anic school for several years in order to learn to recite portions of the Qur'an and also basic religious precepts and practices. Only relatively few continued to more advanced levels when they would begin to study "books", which were written in Arabic and taught in the manner described above. It was now that students were systematically taught the Arabic language, and the first subject they studied at this stage was usually *tawḥīd*.

Kabbe may have been originally developed for pedagogical purposes, but its significance went well beyond the transmission of doctrinal knowledge. *Al-ᶜAqīdat al-ṣuġrā* was highly revered in western Africa as a text of special mystical and devotional value; numerous commentaries were written on it, and in some areas it was memorized and recited in Arabic. Similarly, the various versions of *kabbe* came to play a variety of roles amongst Fulfulde-speaking Muslims. It became the vehicle for transmitting basic elements of Islamic knowledge orally to adult Muslims who did not continue their studies beyond Qur'anic school. It was to be memorized, and in some regions of West Africa only those persons who could recite the text verbatim were considered to be Muslims. The *kabbe* text also formed the basis for further esoteric teachings that were intended to deepen one's spiritual knowledge, and its recitation promised to bring spiritual enlightenment. These various applications of the *kabbe* transformed Fulfulde into a liturgical language.

Whereas in most parts of West Africa, *kabbe* was transmitted entirely as an oral text, in the Futa Jalon it became an integral part of the formal curriculum for students of the Islamic religious sciences known as *firugol*, Fulfulde for translation or commentary. *Firugol* was that stage of

---

[20] For a discussion of the *kabbe*, see Louis Brenner, *West African Sufi: The Religious Heritage and Spiritual Search of Cerno Bokar Saalif Taal* (London: C. Hurst & Co., 1984), pp. 79ff.

[21] This title is usually translated at *The Lesser Dogma*. The text is also known as *Umm al-barāhīn, The Source of Proofs.*

study mentioned above when students have completed their first recitation of Qur'an and begin the study of "books". As explained above, the first subject taught at this stage was *tawḥīd*, thus the *kaɓɓe*. *Firugol*, as described by Paul Marty early in the twentieth century, was more than the study of "books"; it was a stage in the curriculum designed to train students to be literate in the Fulfulde language.[22]

The systematic training of advanced students of the Islamic sciences through the medium of the Fulfulde language had many ramifications. Firstly, it led to the development of a highly specialized form of the language, which evolved over the centuries to meet the demands of religious teaching and scholarship. This register of Fulfulde evolved under the influence of the Muslim educated elite, persons literate in Arabic and well versed in the classics of Islamic literature as well as in Qur'anic studies. It contains a technical religious lexicon consisting of many borrowings from the Arabic language, and also many words in the Fulfulde language the meanings of which have been adapted to denote Islamic concepts and principles (such as, *kaɓɓe*). Although this form of the language was developed primarily for use by scholars, teachers and students, and may not be readily understood by the general population of Fulfulde speakers, it has not been without influence in the evolution of the language more generally; many Fulfulde words in common usage are borrowings from Arabic. The public recitation of religious verse may also have been one of the main conduits for the passage of technical religious vocabulary into more popular usage.

Because language is a primary, perhaps the most fundamental, vehicle for the effective transmission of religion in every cultural milieu, it should not be surprising that the spread of Islam among the members of a particular language group should result in the "Islamization" of their language. At the very least, the need arises to express religious concepts and precepts in the local language. But Fulfulde-speaking Muslims seem to have addressed the question of language in a more systematic manner than those from most other language groups in Africa by translating religious texts from the Arabic as well as authoring them in their own language, and by developing a formal Fulfulde language curriculum, *firugol*.

We do not know when *firugol* was first introduced as part of the Islamic studies curriculum in Futa Jalon, but it may have been in the eighteenth century, when it would seem that the first written texts in Fulfulde began to appear. The eighteenth and nineteenth centuries witnessed a dramatic increase in literary production among West African Muslims

---

[22] Brenner, *op. cit.*, pp. 85-6. On *firugol*, see also Roger Botte, "Pouvoir du Livre, pouvoir des hommes: la religion comme critère de distinction", *Journal des Africanistes*, 60, fascicule 2 (1990), pp. 37-51.

generally, mostly in Arabic but also in Fulfulde and Hausa. This explosion of literary activity was associated with the wave of Islamic renewal that swept the region during this period resulting in a series of *jihads* and the political ascendancy of Muslims in Futa Jalon (Guinée) and Futa Toro (Senegal River valley) in the late eighteenth century, in Sokoto (northern Nigeria) and Hamdallaye (Mali) in the early nineteenth century, and in various regions of what is now Mali where al-Hajj 'Umar Taal established centres of Muslim authority in the mid-nineteenth century (Nioro, Segu, Masina, and Dinguiray).[23]

The religious and political leaders of all these new polities were Fulfulde-speaking Muslims, and as we have seen, it has been argued that their political success gave rise to a nascent Fulbe nationalism, which in turn created a new interest in producing a written religious literature in Fulfulde as a complement to Arabic. Alfâ Ibrâhîm Sow suggested that by committing their language to writing, Fulfulde-speakers were seeking "cultural autonomy" from the Arabic language, and evidence does exist that the initiative to produce written religious texts in Fulfulde was greeted with some criticism. Sow records an account he heard in Futa Jalon that al-Hajj 'Umar counselled no less a scholar than Mouhammadou-Samba Mombéyâ to stop composing texts in Fulfulde lest "the Arabic language disappear".[24]

This alleged exchange between Mouhammadou-Samba Mombéyâ and al-Hajj 'Umar may well be apocryphal, but the existence of the story does suggest that the composition of religious texts in Fulfulde rather than in Arabic was not without its opponents. And given the background of these two men, one can understand how they might have held very different ideas about the issue.

Al-Hajj 'Umar, upon completion of his initial studies in Futa Toro, performed the pilgrimage and remained in the Middle East for some years, where he continued to study. On his return, he visited several of the major Muslim capitals in West Africa, including Sokoto, where he resided for about seven years. By the time he would have met Mouhammadou-Samba, his plans for establishing his own hegemony in the name of Islam were already well advanced. For al-Hajj 'Umar, therefore, Arabic was not only the essential language of Islam, a view that would have been shared by Mouhammadou-Samba, but it was the only language through which all Muslim scholars could communicate. It was an inter-

---

[23] For an overview of these *jihads*, see David Robinson, "Revolutions in the Western Sudan", in Nehemia Levtzion and Randall L. Pouwels, *The History of Islam in Africa* (Oxford: James Currey, 2000), pp. 131-52.

[24] Alfâ Ibrâhîm Sow (ed.), *Le Filon de bonheur éternel* par Tierno Mouhammadou-Samba Mombéyâ, Classiques africains 10 (Paris: Armand Colin, 1971), p. 17 n. 1.

national language, and his ambitions were similarly international; it is therefore not surprising that he might have discouraged Muslim scholars from developing literacy in Fulfulde. But if this is true, it is rather ironic that the lengthiest Fulfulde text to have been preserved in West Africa is the *qaṣīda* composed by Mohammadou Aliou Tyam in praise of al-Hajj 'Umar.

By contrast, Mouhammadou-Samba Mombéyâ (d. ca. 1850) lived all his life in Futa Jalon, where he was a highly respected teacher and scholar, fully integrated into the religious and political hierarchy of the theocratic Muslim state. He devoted his life to teaching and to deepening the Islamic knowledge of the Muslims of Futa Jalon, and he was convinced that these tasks could be more effectively achieved through the medium of the Fulfulde language, a view that he stated explicitly in his major work, *Le Filon de bonheur éternel*:

> I will cite the classical [Islamic] sources in the Fulfulde language
> in order to facilitate your understanding of them. Understanding them, accept them.

> Only through his own language can a person
> grasp what the classical sources say.

> Many Fulbe do not fathom what is taught to them
> in Arabic and they remain in doubt.

> To be unclear about our religious obligations
> does not meet one's need [for guidance] in either words or deeds,

> Whoever seeks clarity, free from any doubt,
> should therefore read in Fulfulde the verses of this humble man![25]

It may well be, as Sow has suggested, that the appearance of the new Muslim states reinforced "nationalist" feelings among Fulfulde-speakers, but such feelings were by no means new. The introduction of written texts in Fulfulde was certainly a significant cultural innovation, but the disputes that allegedly arose in response to this innovation were but another manifestation of the ambiguous interrelationship that had long existed in the region between Fulbe and Muslim values and identities. Whatever Mouhammadou-Samba's personal sense of his own Fulbe identity may have been, he is very clear that his primary motivation for composing verse in local languages was the need to communicate with and to transmit Islamic principles and values to the majority of the local population, who neither spoke nor understood Arabic. As the history of the *kaɓɓe* shows, teaching about Islam in Fulfulde was not an innovation. And it is worth noting that Mouhammadou-Samba was blind; he composed his verse "orally", which he recited to his students who committed his

---

[25] Sow, *Le Filon de bonheur éternel*, p. 43.

words to writing, presumably as an aide-mémoire to assist them in learning the poems.

The role that Fulfulde has played as a "religious language" has changed over time, and its development as a written language seems to have been an adjunct to the extensive political and social changes that accompanied the rise of the new Muslim states. Previous to the eighteenth- and nineteenth-century *jihads*, Muslim communities occupied a specific niche in Fulbe society, rather like that of a caste. Although not classified as *nyeenyɓe*, Muslim communities were constituted very much like occupational groups: members of Muslim families and lineages provided religious services based on a specific body of knowledge and expertise that was "owned" by them. These services were sought by both political leaders and ordinary people, and by communities as well as by individuals. People turned to them for advice (they acted as diviners), for protection through prayer or the production of amulets, for healing and all manner of personal and communal concerns. The leaders of these Muslim communities were interested neither in proselytising nor in governing. For them, Islam was their birthright; it defined their place in society and was a major source of their economic welfare. On the other hand, these Muslim communities did not refuse converts, and many of them seem to have developed as centres of political and economic refuge.

The *kaɓɓe* seems to have developed in these kinds of social contexts, firstly perhaps as a teaching aid, then as a devotional text, and eventually as a means to define and bind together communities of Fulfulde-speaking Muslims. In some regions, the devotees of *kaɓɓe* came to be known as *kaɓɓenkooɓe*, for whom knowledge of the text was a major requirement for recognition as membership in the Muslim community. Only those who could recite the *kaɓɓe* were considered to be "true Muslims". Thus, for the *kaɓɓenkooɓe*, Muslim identity came to be almost synonymous with Fulbe identity. Shaikh 'Uthman in Sokoto campaigned vigorously against the *kaɓɓenkooɓe* in Hausaland, where all evidence suggests they were well established. And it may be that al-Hajj 'Umar's opposition to writing religious texts in Fulfulde was part of a similar campaign against what Muslim leaders considered to be a kind of deviant sectarian practice.

The impact of the *jihads* was extensive. In the new theocracies, political power and governance passed to the Muslim scholars, those with a full command of and competence in the basic Arabic sources of Muslim law and religious practice. The "caste" status of Muslims was eradicated wherever it had previously existed. The new Muslim "ruling class" would govern all Muslims, regardless of language or ethnic affiliation. For them, therefore, Arabic was essential both for their scholarship and for the universal expansion of their hegemony. Fulfulde did not fall out

25

of religious use, but its primary function now became the inclusion of people into an expanding Muslim community rather than the separation of Muslims from non-Muslims.

Fulfulde continued to be used as a language of religious instruction, and it may be that the formalization of the *firugol* curriculum in Futa Jalon was an initiative designed to bring Fulfulde-language teaching more into conformity with classical Islamic teaching in the Arabic language. The oral transmission of *kaɓɓe* also continued and survived well into the twentieth century, even if the sectarian practices associated with it began to disappear.

The *jihads* also inspired the production of religious verse in Fulfulde: didactic verse in which the author sought to instruct his listeners on the principles of Islam and on matters of moral rectitude; devotional verse composed to praise God, the Prophet, or prominent religious leaders; and verse in which the author reflected on his own religious quest.

Presumably, most poets chose to compose verse in Fulfulde because it was the language in which they could most effectively express themselves, as well as that which their auditors were best able to understand. Certainly, they were conscious of their participation in a living tradition of composing and reciting Islamic religious verse in Fulfulde, and they shared similar aims in doing so, as is evident in the poems translated in this collection. The concerns of Mouhammadou-Samba Mombéyâ are echoed by Alfâ Bôkari Guidâdo:

> My aim is to compose a poem in Fulfulde that is accessible to everyone:
> May anyone who has heard it and has discounted the truth in it, repudiate it and ignore it. (III, v. 10)

They were familiar with one another's work in Fulfulde as well as with the rich heritage of religious verse in Arabic, from which they also drew guidance and inspiration, as illustrated by the opening lines of Mâbal's poem:

> Ahmadou Fôdiya Moussa expressed himself in Fulfulde,
> The eulogists compared him to Ibn Mouhayyabi. (v. 2)[26]

Âmadoun Fôdiya even refers to the pre-Islamic roots of Muslim verse, the prosody of which was based on the rhythm of the camel's gait:

> ... I will compose[27] my verses in rhythm with his step.
> And here we are, astride our camels, reciting in Fulfulde a poem to the glory of Ahmad! (Chameau, v. 10)

---

[26] Ibn al-Mouhayyabi is also cited in *Un Long Voyage*, v. 40. I have been unable to identify this poet.

[27] The Fulfulde verb used here *yuɓɓude* litteraly means "to string beads" (for a necklace or a rosary), but also to "compose verses".

And Alfâ Bôkari Guidâdo expresses his deep wish that, following the Resurrection, he will be summoned into the presence of the Prophet where he will sing his praises in both Arabic and Fulfulde.[28]

Whatever disputes may have arisen about the use of Fulfulde as a language of religious instruction, these poets do not seem to have been at all ambivalent about whether or not they should compose verse in Fulfulde. On the other hand, both Alfâ Bôkari and Mouhammadou Abdoullâye Sou'âdou were criticized for presuming to compose religious verse at all, Alfâ Bôkari because he was considered by his critics to be too young, and Sou'âdou because he had not studied, a charge which far from denying, he chose to turn to his advantage. Both defended themselves by referring their detractors to the life of the Prophet. Alfâ Bôkari compared his critics to those who opposed the mission of Muhammad, and Sou'âdou likened himself to the Prophet:

> Muhammad had not studied before the Proof [the Qur'an], that is absolutely certain,
> It is the same with me: I have never studied; See the similarity with Ahmad! (XI, v. 58)

Sou'âdou also defended himself with the classic Sufi claim that he had direct, mystical access to religious knowledge, which others are able to acquire only through the study of books. He responded to the various charges made against him (that he had not studied books, that he had not studied grammar, and that he did not even understand the meaning of his prayers) by retorting that his critics have forgotten, and by implication have never been touched by "the light of Ahmad" or "the divine light", which is at the origin of all created existence. He, on the other hand, through his sincere fear of God, his conscientious submission to God's law and his committed emulation of the Prophet, had been enlightened by the divine light "... so that I have given voice to [religious] knowledge without ever having studied any of it." (XI, 55)

Despite the many mystical allusions in his poems, Sou'âdou is the most polemical and politically engaged of the poets represented here. He was personally embroiled in the upheavals that disrupted the *Diina* of Hamdallaye in the mid-nineteenth century, and he used his poetry to attack his enemies. His poems contain angry denunciations of sinful and un-Islamic behaviour and dire warnings about the sufferings that await those who seek wealth, power and other transient and illusory rewards and pleasures of "this world".

Warning Muslims against worldly temptations and exhorting them to live their mortal lives as a prelude and preparation for eternal life is a central theme in Islamic theology and one that is expounded in virtually

---

[28] *Un long voyage*, v. 70.

all these poems, although not always in the same manner. The poetry of Âmadoun Fôdiya and Alfâ Bôkari, in contrast to that of Sou'âdou, is less admonitory and more a compassionate acknowledgment of the personal struggles that can accompany one's religious quest, poetry that expresses their love of the Prophet, their desire to be worthy of the many blessings that flow from him, and their deep longing to meet with him. The concluding section of this essay is an analysis of Alfâ Bôkari's *Tifal* (*A long voyage*), a poem that richly illustrates the mystical imagery that appears in all these poems.

The mystical imagery of religious verse.

Although the religious verse presented in this volume varies considerably in style and subject matter, all the poems reflect the Sufism that so pervaded Islamic religious practice and ideas in West Africa at the time of their composition. All the leaders of the eighteenth- and nineteenth-century *jihads* were Sufis, and adhesion to the Sufi orders (both Qadiriyya and Tijaniyya) expanded rapidly with the establishment of the new Muslim theocracies. Mystical thought and practice was an essential element in the religious training of the scholarly classes, although unlike earlier forms of Sufism in which the mystical aim was to seek union with God, the Sufis of this period in West Africa placed much more emphasis on their relationship with the Prophet, not only in their desire to emulate him, which is the duty of all Muslims, but in praising and glorifying his many beneficent qualities, by expressing their love for him, and by seeking in every way to earn the privilege of being in his company, both in this life and in the hereafter.

The imagery of this mystical poetry is eloquently expressed in Alfâ Bôkari's *A long voyage*: images of love (of God, of the Prophet and of the Truth), images of light and of water, and images of the religious quest as a thirst for truth, which can be satiated only through the bountifulness of the Prophet. Alfâ Bôkari longs to "bathe in the love" of the Prophet:

I beseech my Master to grant me this privilege,
and if I cannot bathe [in his love], then at least that I might drink a generous chalice of it,
so that I might acquire the strength of the truth [*ngoonga*]... (v. 50)

The voyage itself can be interpreted as an allusion to the Sufi Way (*tarīqa*), often described as the path toward the Truth of Ultimate Reality (*haqīqa*). Alfâ Bôkari embarks on his voyage with a sense of urgency,

No time for you to stop! You have not reached the end! (v. 1)

The rigours of the journey require courage: it is "a voyage without end!" (v. 1). The ultimate aim of the voyage is to join the Prophet, but precisely how to achieve this aim is left unclear by the poet; in some passages it seems to be a visit to the Prophet's tomb, in others it seems to be a mystical visit achieved through Sufi devotions, and in others, it is the voyage of life, at the end of which the author hopes to be summoned into the presence of the Prophet. And Alfâ Bôkari turns to God to sustain him in his journey:

> I dream of how the Lord can become my ally:
> my sweat, my hunger, my thirst, my efforts to carry on,
> and my unfailing appeals, have all robbed me of sleep,
> but more effective than all this is the beneficence that the Lord shows toward me
> because He will hold my hand until it is placed in the hand of Ahmad! [v. 14]

> My Messenger, may the Lord place me under your guardianship, and increase my
> so that I become a being so filled with your light [*nuuru*]   [devotion to you
> that my soul, fortified, might make its way to meet with yours,
> and that the whole of my being might embrace the whole of your essence!
> My God, make it possible that my supreme Paradise will be to see Ahmad. (v.81)

Alfâ Bôkari's appeal to God to lead him into the presence of the Prophet contrasts with other Sufi practices in which Muhammad is summoned to guide the adherent into the presence of God, as Saad Oumar Touré of Segu, Mali, explained when discussing the meaning and purpose of Sufi devotional recitations, the *wird*:

> When one has adopted the Tijaniyya and begins morning and evening to perform the required invocations, the adherent simulates making a visit to God. That is, he performs a spiritual ascension. ... For this spiritual ascension, one needs a guide, who is the Prophet Muhammad.[29]

An appeal to God to accompany one into the presence of the Prophet is certainly theologically very different from an appeal to the Prophet to lead one into the presence of God; there are many such doctrinal variations in Muslim thought and practice. But both Alfâ Bôkari and Saad Oumar agree on the essential role played by devotional recitations in one's spiritual development. As Saad Oumar says about reciting the *wird*:

> Each morning and evening, the adherent performs this spiritual ascension. In this way he accustoms his soul to being near to God. ... You are given the *wird* to use like soap and water. It is now up to you to know how to wash [the soul] properly, that is to concentrate while performing the invocations. ... The adherent who does not concentrate properly during his invocations will not achieve much of a result.[30]

Alfâ Bôkari employs similar imagery when he pleads for divine aid in his quest to compose verse worthy of its noble aims, verse that will also serve to redeem his sins, to cleanse his heart, and to purify his tongue

---

[29] Interview with Saad Oumar Toure, Segu, Mali, 5 February 1978; see L. Brenner, "Sufism in Africa", in Jacob K. Olupona, *African Spirituality* (New York: The Crossroad Publishing Co., 2000), pp. 324-49.
[30] *Ibid.*

(v. 36). Religious verse functions as a complement to the more formal invocations of the Sufi *wird*, and Alfâ Bôkari hopes that his poem will deepen the spiritual search of all who hear it:

> ... I project my voice, so that whoever hears it will be exhilarated,
> that every man who loves the Lord and who venerates the Chosen One will be brought to tears,
> become fervent in his love for him, and be filled with sound resolve. (v. 37)

Alfâ Bôkari sets out on his voyage in the name of "love and truth [*ngoonga*]" (v. 2). He asks God to make of him "a man of truth [*ngoonga*]" (v. 16), and to sustain him as he follows in the path of those who have gone before him, who have "drunk of the truth [*haqiiqa*]" (v. 15):

> ...those who have placed all their zeal into acquiring the truth [*haqiiqa*], in truth [*haggan*], and have placed their faith in it,
> once the truth [*ngoonga*] has been attained, have feared God and followed the word of Ahmad. (v. 33)

He is firm in his conviction that "Every thirsting man who approaches [the Prophet] will be satiated by him until he is filled to overflowing with truth [*haqiiqa*]." (v. 91)

> All the Prophets, every one of them, have quenched their thirst from you!
> Messenger who brings the truth [*haqiiqa*], it is with you that all of them have quenched their thirst
> and it also with you that every being has quenched his thirst who is pure enough to become a companion of the Lord. (v. 84)

Likening one's spiritual fulfillment to "drinking" or to "quenching one's thirst" is a common metaphor in the Sufi mystical vocabulary. Tierno Bokar's spiritual submission to Shaikh Hamallah of Nioro was presaged in a dream in which Tierno saw himself with a group of other "seekers" who were wandering in a forest, suffering from an unbearable heat and a terrible itching from the sores on their bodies. They discover a pool of milk-white water from which they are forbidden either to bathe or to drink without the permission of its "owner". Suddenly, a man who resembles Shaikh Hamallah appears; he takes some of the water in his hands and sprinkles it over Tierno. "My thirst and my itching ceased," and he was told, "You will drink and you will wash, but later, not to-day".[31]

Nor is it only water that can quench the thirst of the spiritual seeker. Alfâ Bôkari requests that God sustain him in his wish to be "drenched in the light [*nuuru*]" of the Prophet, to be permitted to drink from "the whirlwind of light" a mystical reference to the Prophet (v. 9-10), just as the Prophet "has drunk abundantly from the light [*nuuru*] of Prophecy

---

[31] Amadou Hampâté Bâ, *Vie et enseignement de Tierno Bokar, Le sage de Bandiagara* (Paris: Editions du Seuil, 1980), pp. 92-3; Brenner, *West African Sufi*, p. 130.

...from the light of the Apostolate... from the light of the Science of Truth [*haqiiqata*], from the light of Humanity." (v. 43)

Similar allusions to light appear in all these poems, as they do in much of Islamic literature. One of the more favoured devotional recitations of Sufis is verse 35 of *sura* XXIV, the Light, a part of which reads:

> Allah is the Light [*nūr*] of the heavens and the earth .../... Light upon light [*nūr ᶜalā nūr*]. Allah guideth unto His light [*li-nūrihi*] whom He will.

The mystical light of the Sufis is an eternal light that originates in God, permeates all of creation and is manifested to humankind through the mediation of the Prophet as the Muhammadan light, the *nūr muham-madiyya*.[32] The concept of the Muhammadan light is derived from ano-ther Qur'anic verse: "Now hath come unto you light [*nūr*] from Allah and a plain Scripture" (V, 15). Numerous commentators of the Qur'an, supported by various *hadith*, have interpreted this Light to be Muham-mad. For example, al-Tabari in his monumental *Jamiᶜ al-bayān ᶜan ta'wīl al-Qur'ān* stated:

> By Light He means Muhammad (Allah bless him and give him peace), through whom Allah has illuminated the truth, manifested Islam, and obliterated polythe-ism; since he is a light for whoever seeks illumination from him, which makes plain the truth.

This imagery of light and truth, and the relationship between the two, is a metaphorical expression of some of the most fundamental Sufi ideas about the nature of God and His creation, and of man's possibilities for spiritual search. It appears in many different forms, for example in *A long voyage*:

> The Chosen One has also received the favour of the light [*nuuru*] of a truthful soul [*ruuhu-l-haaqi*]
> he who, drenched in the light [*nuuru*] of bliss, has extended its compass!
> Such are the seven essences that have produced the purity and the strength of the Chosen One,
> whereas the lights [*annooraaji*] that he forever diffuses constitute his perpetuity!
> He who, near to the Lord, quenches his thirst with truth [*haqiiqa*], in truth [*hag-gan*], is without doubt Ahmad! (v. 44)

Images of light and truth also appear in one of the prayers of the Tija-ni Sufi *wird*, known as the *Pearl of Perfection*, a prayer that implores God to bestow his blessings on the Prophet. The following extract from this prayer is based upon a translation into French by Amadou Hampâté Bâ:

> O God, bestow your Blessings and your Peace
> Upon the source [*ᶜain*] of divine Mercy, sparkling like the diamond, certain in his truth [*al-mutahaqqiqa*]...
> (upon) the Light [*nūr*] of the world, (that) which is and causes to be, the Adamic (primordial) Light;

---

[32] The symbolism of light is highly developed in many religions; see "*nur*" in *Enclyclopædia of Islam*, vol. VIII, pp. 122-3.

31

(upon) he who possesses the divine Truth [al-ḥaqq al-rabbānī] ...
(upon) Your brilliant Light [nūr] with which you fill your Universe, (Light) that encompasses all the places of the places. ...
upon the source of the Truth [ʿain al-ḥaqq] from which are manifested the tabernacles of (divine) Realities [al-ḥaqāʾiq, pl. of ḥaqīqa]
(upon) the source of gnostic knowledge [ʿain al-maʿārif], Your path, the straightest and most complete. ...
upon the manifestation of the Truth by the Truth [al-ḥaqq bi'l-ḥaqq]
(upon) the immeasurable Treasure, your outpouring (emanation) [ifāḍatika] from You toward You
(upon) the circle of Light without colour [al-nūr al-muṭalsam].[33]

In offering his translation, Hampâté Bâ confesses that this prayer is virtually untranslatable, both because the Arabic is extremely terse, and because almost every word conveys multiple meanings and esoteric connotations that cannot be easily rendered into another language without lengthy explanation. In order to gain some insight into the richness and subtlety of this language, let us look at the varied usages of the terms "Truth" and "Light". Truth [al-ḥaqq] and Light [an-nūr] are each one of the ninety-nine most beautiful names of God. Each is also one of God's attributes and one of His manifestations through His creation, as is suggested in the phrases: "the Light of the world, (that) which is and causes to be" and "the manifestation of the Truth by the Truth". The Light and the Truth are manifested in the created world on different levels: thus there is the Truth of Ultimate Reality [ḥaqīqa], which is a manifestation of *the* Truth. And there is also the truth of certainty [al-mutaḥaqqiqa], a quality that is attributed to the Prophet in this prayer. These layers of meaning are integral to the complex and subtle concepts that are expressed in the prayer. The Light and the Truth both *are* God and *emanate from* Him, refracting through the created world at different levels and in different forms, and both are attainable by human beings through the mediation of the Prophet, "he who possesses the divine Truth", he who is the human manifestation of the Light in the form of the *nūr muhammadiyya*, the Muhammadan light.[34]

Similarly, the words "light" and "truth" that appear in this collection of poems refer to different levels of meaning. For example, Alfâ Bôkari almost always employs the Arabic *nuur*, and occasionally its Fulfulde plural, *annooraaji*, for light, although he might be alluding to the Light that emanates from God, or to the light of the sun or moon. To express different concepts of "truth", he most often employs either the Fulfulde *ngoonga* or the Arabic *ḥaqīqa* (*hakiika*), and the specific meaning of each usage can only be implied from the context. However, he uses variations of the Arabic *al-ḥaqq* more rarely and only to refer to God, for

---

[33] A. H. Bâ, *Vie et enseignement*, pp. 234-5.
[34] The *nur muhammadiyya* is also mentioned repeatedly in the opening verses of Sou'âdou's poem XI.

example in the phrase: *sirri nuuru-l-haaqi*, "the mystery of illumination by the truth" (v. 52).[35] These words recall the phrase "*al-nūr al-muṭalsam*" in the *Pearl of Perfection*, which Hampâté Bâ translates as "the Light without colour", but which might be more literally translated as "the mysterious Light".

Tierno Bokar also spoke of different qualities of both truth and light. He said that there were three symbolic lights, two of which are material and one spiritual. The first of these is like the light that is given off by a fire that we ignite, and which can be extinguished and re-lit. Such a fire provides only limited heat and light. The second light is like the sun, which illuminates and heats everything that exists on the earth; it remains fixed and immutable in relation to us. "The third light is that of the center of all existence; it is the light of God. Who would dare to describe it ?" It is a darkness more brilliant than all lights combined. It is the light of Truth.[36]

The *Pearl of Perfection* also contains other symbolic references that are reflected in these poems, for example, the metaphor of drinking to slake one's spiritual thirst. The Arabic word *ᶜain*, like the French word *source*, refers to a place where water emerges from the earth; Alfâ Bôkari, like other seekers, longs to drink from the "source" of both the Light and the Truth. And there is also the idea of return to the "source", also expressed in the prayer: emanations of Light and Truth come from God and also return to Him [from You toward You]. This movement of return to the "source" is a central concept in Sufi mystical thought, that the seeker through his own devotional efforts can become open to receive divine emanations that can reveal to him the Truth. His devotions, including the recitation of his poetry, assist him to move closer to God and the Prophet, along "the straightest and most complete path" toward the knowledge of gnosis [*maᶜrifa*] that is received directly without recourse to the intellect. This is what Alfâ Bôkari refers to as "the mystery of illumination by the truth". He like Mouhammadou Abdoullâye Sou'âdou, also claimed to receive knowledge directly from "the source", without the necessity of study:

> The lightning flash of the Lord of the Two Worlds passes over me, disorientating me in such a way
> that I lose all reason, as if intoxicated, and my vision penetrates
> into his mystery, which distils in my breast and fills me to overflowing
> without my people, in the midst of their conversation, even noting my absence,
> and then I come back to myself, and spew forth the truths [*goongaaji*] of Ahmad.
> (v. 38)

---

[35] See also v. 102: *muraadu-l-haqqi*, "the object of supreme truth".
[36] A. H. Bâ, *Vie et enseignement*, p. 137. See also L. Brenner, *West African Sufi*, p. 184.

Finally, the Arabic *faiḍa* (a variation of the word *ifāḍatika* which appears in the prayer) is also a mystical allusion to water. The word can be translated as emanation, as Hampâté Bâ does, but also as "flood" or "inundation", referring to the abundance of blessings that flow from the Prophet and that are promised to the adherents of the Tijaniyya Sufi order. The concept of *faiḍa* is central to the teachings and practices of the Tijaniyya Ibrahimiyya, one of the major Sufi orders in West Africa.[37]

*
* *

This brief exploration of the mystical imagery expressed in *A long voyage* illustrates something of the content, the complexity, and the subtlety of Muslim thought in West Africa in recent centuries. Similar images and ideas are expressed in all the poems in this collection, but they are not limited to poetry alone. They resonate through the cultural milieu in many different forms: as text, such as the Qur'an and other religious books; as prayers, such as those that Sufis recite daily; and even in spoken conversation, as illustrated by the reflections and comments of Tierno Bokar and Saad Oumar Touré.

However, although religious verse is composed in the context of this cultural dialog, it also possesses certain qualities that distinguish it from other genre of religious discourse. Religious verse is composed in order to be chanted; even if some poems have been committed to writing, the primary means of their preservation and diffusion has been through oral recitation.[38] Some religious verse becomes part of the devotional repertoire of Muslims and is recited for the spiritual benefits it might bring; Alfâ Bôkari hopes that his poetry will inform and inspire those who hear it, but his ultimate wish is that his verse will be deemed worthy by the Prophet, who will reward him and others who recite it with the bounty of his many blessings. The composition of religious verse therefore offers the poet an opportunity to create a religious text that might be adopted as part of Islamic religious practice. Religious verse is a "created" rather than a "received" text.

---

[37] See Ousmane Kane, "Shaikh al-Islam al-Hajj Ibrahim Niasse", in David Robinson and Jean-Louis Triaud (eds.), *Le temps des marabouts. Itinéraires et stratégies islamiques en Afrique occidentale française v. 1880-1960* (Paris: Karthala, 1997), pp. 303-4.

[38] Christiane Seydou noted that when she compared the version of the repertoire of M. A. Sou'âdou that she had recorded, recited by a group of students, with the written version of the poems that was in the possession of their teacher, it was the oral version that was accepted by them as correct. Such errors were easily recognizable because they contradicted the metrical scansion of the poems. Thus, the errors in the written versions of the poems were the fault of copyists, whereas their oral transmission was more reliable because the rhythm of the scansion supported their more accurate memorisation.

Like the *Pearl of Perfection*, the language of the poems in this collection is symbolic, replete with mystical imagery, and often terse. Christiane Seydou's masterful and sensitive translations succeed in communicating both the meaning and feeling of the poems, the content of which illustrates the profound depths of the mystical heritage of Muslims in this region. And an examination of this genre of religious verse in its broader historical and cultural context, which has been the aim of this essay, can open yet other windows onto Africa's rich and diverse cultural history, and also heighten our understanding of many aspects of the Islamic religious culture of the Fulfulde-speaking peoples of West Africa.

INTRODUCTION

Poésie religieuse en langue peule :
contexte culturel et inspiration mystique
par
Louis Brenner (SOAS)
traduction par Christiane Seydou (CNRS)

La poésie religieuse présentée dans cet ouvrage a été recueillie par Christiane Seydou il y a près de trente ans dans la région du Massina, au Mali. Les textes, extraits du répertoire de quatre poètes, ont tous été composés en langue peule et sont représentatifs de cette poésie religieuse connue sous le terme général de *yimre* (pl. *gime*)[1]. *Yimre* est un « *performance genre* », c'est-à-dire, une poésie destinée à être récitée ou chantée à l'occasion de réunions religieuses ou d'autres manifestations à caractère plus ou moins cérémoniel. Les poèmes figurant dans ce recueil ont été composés sur une période de plus d'un siècle. Ils ont été conservés précisément parce qu'ils font partie de l'un ou l'autre des répertoires locaux de poésie religieuse chantée, généralement étudiés et récités par les élèves et les enseignants des zaouïas, mais aussi par des chantres professionnels de poèmes religieux et des mendiants.

Cet essai explorera trois points qui permettent de replacer le genre du *yimre* dans le contexte plus large de la culture religieuse islamique des peuples poulophones[2] de l'Afrique de l'Ouest : la poésie religieuse en tant que partie de la culture orale de la région, le peul comme langue d'expression de la religion, et l'imagerie mystique des poèmes transcrits et traduits dans cet ouvrage.

---

[1] Ce terme issu de la racine *yim-* (chanter) est à distinguer de *gimol* (chant profane) mais indique que, normalement, la poésie religieuse est bien un genre chanté.

[2] Cet adjectif désigne les locuteurs de la langue peule qui est désignée, selon les régions, par des termes différents : *pulaar, fulfulde* et, selon les formes dialectales, *fuutankoore, maasinankoore* etc.

L'arrivée des premiers musulmans dans l'Afrique de l'Ouest il y a plus de mille ans et l'apparition puis le développement de sociétés musulmanes qui s'en suivirent dans la région, sont inscrits dans un processus historique complexe.

S'accompagnant presque partout d'un changement social notoire et parfois marquée par une rupture politique avec le passé, l'islamisation d'une société évolue aussi à travers une dynamique graduelle mais complexe d'échanges interculturels qui peuvent inclure, par exemple, l'adaptation d'institutions culturelles locales pour transmettre et divulguer le message de l'islam, et l'adoption des langues locales, tel le peul, pour l'expression et l'enseignement de la religion.

La poésie religieuse dans une culture de l'oralité

La poésie religieuse a fait partie intégrante de la culture musulmane dès les tout premiers jours de l'islam. Sa forme classique en langue arabe est la *qaṣīda* qui fut, elle-même, le produit d'un échange culturel. Les racines de la *qaṣīda* en tant que forme de poésie religieuse se trouvent en effet dans la poésie antéislamique de la péninsule arabique, dont la structure et les motifs furent progressivement adaptés par les poètes musulmans. C'est ainsi que la nostalgie du poète antéislamique aspirant aux retrouvailles avec sa bien-aimée, fut remplacée par l'aspiration du poète musulman à l'union avec Dieu ou au voyage en compagnie du Prophète Mouhammad. Et dès ses débuts, la *qaṣīda*, aussi bien que d'autres formes de poésie religieuse, se sont répandues à travers le monde musulman tout autant en langue arabe que dans les différentes langues de nombreuses autres populations[3].

De la même façon, lorsque le genre de la *qaṣīda* fut introduit en Afrique de l'Ouest sous sa forme arabe classique, elle ne s'implanta pas sur une *tabula rasa* culturelle, mais s'inscrivit dans une mosaïque d'expression culturelle orale, riche et complexe. Aussi, la composition et la récitation de poèmes d'inspiration religieuse par des musulmans poulophones, dans leur propre langue, furent-elles inévitablement influencées par leur héritage poétique et culturel antéislamique, en dépit des efforts de certains religieux pour éliminer les formes d'expression contraires à l'idéologie musulmane.

La recherche académique a prêté une plus grande attention à la production littéraire des érudits musulmans et, certes, une telle préférence est justifiée dans la mesure où l'écriture a partout été un facteur clé dans l'évolution et la pratique de la doctrine et de la théologie islamiques.

---

[3] Pour une analyse plus étendue de la forme de la *qaṣīda*, avec des exemples dans différentes langues, voir S. Sperl and C. Shackle, *Qasida : the literary heritage of an Arabic poetic form in Islamic Africa and Asia* (Leiden, Brill, 1996).

Idéalement, la vie du musulman et le fonctionnement général de toute société musulmane doivent être guidés par ces « savants » [*ʿulamā*'] qui ont une connaissance et une compréhension approfondies du Coran, des hadiths et autres textes fondamentaux de l'islam. Et cette connaissance a été consignée et transmise à travers des livres, sous la forme de textes écrits.

Toutefois, cette prééminence accordée à la littérature et à l'expression écrite ne devrait pas occulter la place importante que l'expression orale occupe dans tous les aspects de la pratique religieuse islamique. La récitation orale est évidente dans de nombreuses formes de prière, non seulement dans les prières obligatoires du *ṣalāt*, mais aussi dans les diverses sortes de prières surérogatoires telles que le *duʿā*' et les litanies particulières des ordres soufis, lesquelles sont toutes récitées à voix haute. La plus essentielle de toutes les récitations orales dans l'islam est, bien sûr, celle du Coran lui-même, texte qui a été compilé sous forme d'un livre, mais destiné à être récité à voix haute, à être entendu plutôt que lu ; et non seulement dit à voix haute, mais idéalement, récité de mémoire et suivant une ligne intonatoire hautement formalisée.

La récitation du Coran ou de versets choisis du Coran est au cœur même de la pratique religieuse islamique. Ces récitations font partie intégrante de l'exécution du *ṣalāt*, mais accompagnent aussi bien d'autres formes de l'expression religieuse ; et elles sont instillées chez les musulmans, dès l'enfance. La scolarité de tous les jeunes musulmans commence par la mémorisation du Coran ou tout au moins de celles des sourates qui leur permettent d'accomplir le *ṣalāt*. Et la plupart des enfants apprennent à réciter des versets du Coran avant même d'apprendre à lire ; pratique qui fait écho au fait que le Prophète a, en premier, transmis les révélations du Coran à ses disciples oralement ; les premières générations de musulmans connurent le Coran tout d'abord comme un texte oral qui fut, seulement après la mort de Mouhammad, organisé et couché par écrit sous la forme d'un livre. Il y en eut même pour soutenir qu'une tradition orale de la transmission coranique était si bien établie qu'« elle a eu depuis lors une histoire continue, à certains égards, indépendante du Kur'an écrit et supérieur à lui » et que, dans les premiers temps, cette tradition orale « s'établit comme la norme en fonction de laquelle le texte écrit devait être jugé[4] ». On pourrait donc arguer que, dans l'islam, la parole jouit d'une certaine primauté théologique sur l'écrit.

La récitation de poèmes religieux fait partie de ce modèle de pratiques dévotionnelles orales et, bien qu'on ne dispose d'aucune preuve historique précise concernant son introduction en Afrique de l'Ouest, on peut

---

[4] *Encyclopédie de l'Islam*, New Edition, vol. V (Leiden, Brill, 1986), p. 428.

raisonnablement présumer que cela eut lieu lorsque les premiers musulmans arrivèrent dans la région. La plupart de ces premiers poèmes durent probablement être tirés du répertoire classique de la poésie religieuse islamique, composée et récitée en langue arabe. Avec le temps, cependant, les musulmans du lieu commencèrent à composer des poèmes religieux et le firent aussi bien en arabe que, le cas échéant, dans les langues africaines locales. Là encore, nous ne savons pas exactement quand cela débuta, pour la raison précise que c'était oralement que ces œuvres étaient composées et récitées par les lettrés et les enseignants du cru. Les plus anciens exemples attestés, réduits à leur forme écrite en langue peule – utilisant l'écriture arabe ou [ᶜajami] – datent du XVIIIᵉ siècle, mais il est quasi certain que des poèmes durent être composés en peul bien plus tôt.

Nous examinerons plus loin la question de la langue de façon plus approfondie, mais explorons tout d'abord le contexte social et culturel plus large, dans lequel ont fleuri les *gime* (pluriel de *yimre*) en langue peule. Comme cela a été évoqué plus haut, l'évolution d'une culture religieuse islamique locale est un processus complexe d'échanges culturels au cours duquel se trouvent juxtaposées et réinterprétées l'adhésion et la fidélité à des concepts, des valeurs, des pratiques culturelles et des institutions, les uns islamiques, les autres non islamiques.

Un exemple illustratif de cette dynamique des échanges culturels dans le Soudan occidental peut être trouvé dans l'évolution du rôle culturel et social assumé par les griots[5].

« Griot » est un terme générique utilisé dans la littérature pour désigner tout les « artisans du verbe et de la musique ». Historiquement, les sociétés poulophones du Soudan occidental étaient strictement stratifiées suivant un système de classes basé sur la naissance. Une nette distinction de statut était établie entre trois groupes : personnes de naissance libre (*rimɓe*), esclaves (*maccuɓe*) ou descendants d'esclaves (*riimaayɓe*), et enfin, gens dits « de caste » (*nyeenyɓe*), ces derniers regroupant les artisans : forgerons, travailleurs du cuir, boisseliers et tisserands ; les griots sont inclus dans ces castes d'artisans.

Parmi les différentes sortes de griots, les *maabuuɓe* – qui sont aussi des tisserands – déclament leurs textes en s'accompagnant au luth (*hoddu*). Attachés originellement aux lignages de l'aristocratie, ils sont les détenteurs de l'histoire familiale de leurs patrons dont ils récitent la généalogie et les hauts faits de leurs ancêtres, et qu'ils accompagnent en toute occasion, y compris dans les campagnes militaires, les conseillant,

---

[5] La présentation dans cet essai du rôle culturel des griots est essentiellement tirée de *Silâmaka et Poullôri. Récit épique peul raconté par Tinguidji*, édité par Christiane Seydou (Paris, Classiques africains, 13, 1972), p. 15 sqq.

les soutenant et les encourageant à assumer les devoirs et les responsabilités de leur rang.

La diffusion de l'islam dans la région devait évidemment trouver un écho dans la récitation orale des griots, leur exposé des faits et les points de vue qu'ils exprimaient reflétant naturellement la relation de leurs patrons à l'islam. Si certains ont pu être critiques vis-à-vis de l'islam, d'autres l'ont loué, et la plupart adoptèrent, bien sûr, eux-mêmes, l'islam. Selon Alfâ Ibrâhîm Sow, certains griots du Foûta Djalon non seulement adoptèrent l'islam, mais devinrent ce qu'il appelle « des intellectuels-griots » ou des « maîtres-griots » portant le titre de *farba*. Ceux-ci avaient poursuivi des études dans le domaine de l'islam jusqu'à un niveau avancé et, devenus lettrés en langue arabe et en peul, ils ont couché par écrit une partie de leur savoir en matière d'histoire. Les *farba* avaient pour « maîtres » des chefs religieux locaux auxquels ils se trouvaient liés par la même relation que les *maabuuɓe* l'étaient aux leurs ; toutefois, à la différence de ceux-ci, ils n'accompagnaient leurs récitations d'aucun instrument de musique[6].

Mais être un érudit accompli n'était en aucune façon une condition requise ni pour être musulman, ni pour composer des poèmes glorifiant les hauts faits des chefs musulmans du passé ; pas davantage, en ce domaine, savoir lire et écrire n'était requis pour explorer les thèmes classiques de l'islam ou pouvoir exprimer un profond sentiment religieux. Il n'est besoin que de se référer au poète Mâbal, dont l'un des poèmes est inclus dans ce recueil. Mâbal, dont le nom signifie « grand griot » était bien un *maabo*, ou griot-tisserand, qui devint l'un des auteurs de poésie religieuse les plus admirés et les plus respectés de Bandiagara. Or Mâbal était illettré et n'avait jamais fréquenté l'école coranique. Il avait mené une vie dissolue, dansant et buvant dans les bars de Mopti avant de rencontrer Tierno Bokar Sâlif Tâl et de tomber sous son influence[7]. Selon Âmadou Hampâté Bâ, peu de temps après avoir rejoint Tierno Bokar à Bandiagara, Mâbal commença à composer de la poésie religieuse :

> visité par l'inspiration, il improvisait de longs poèmes mystiques en peul dont la splendeur poétique et l'élévation de pensée stupéfièrent tous ceux qui les entendaient, à commencer par les marabouts de Bandiagara. Car ses poèmes, sitôt chantés, étaient repris et colportés à travers la ville[8].

Malheureusement nous avons peu de renseignements sur Mâbal, mais quelle que soit la nature de son mode de vie avant qu'il commence à composer de la poésie religieuse, il semblerait qu'il ait mûri dans le mé-

---

[6] Alfâ Ibrâhîm Sow, *Chroniques et récits du Foûta-Djalon* (Paris, Klincksieck, 1968), pp. 11-12.

[7] La relation de Mâbal à Tierno Bokar est relatée dans Amadou Hampâté Bâ, *Oui mon commandant ! Mémoires (II)* (Paris, Actes Sud, 1994), p. 371 sqq.

[8] *Ibid.*, pp. 374-375.

tier de griot. Théodore Monod qui a publié la traduction en français, par Hampâté Bâ, d'un autre poème de Mâbal intitulé *Sorsoreewel*, le décrit comme un poète profane avant son apparente conversion sous l'influence de Tierno Bokar[9]. Mais indépendamment du répertoire qu'il pourrait avoir pratiqué dans les lieux de réjouissance nocturnes de Mopti, son ouïe exercée et sensible devait s'être imprégnée de tous les genres de la littérature orale qui étaient pratiqués en ce temps-là, aussi bien les profanes que les religieux.

Sorsoreewel est un poème mystique très personnel, décrit par Hampâté Bâ comme « un véritable chant pour Dieu et son Prophète qu'il aspirait à rejoindre ». Hampâté Bâ traduit *Sorsoreewel* comme « Celui qui cherche ». La connotation du terme en peul est celle d'un chiot fouineur flairant sans cesse et explorant tout ce qu'il rencontre. Selon Monod, la mélodie sur laquelle était basé ce poème provenait d'une chanson que Mâbal avait entendue, chantée par un groupe de femmes peules ; nous trouvons là un exemple de ce processus d'échange culturel que nous explorons, un exemple de la façon dont le « profane » peut être adapté pour servir au « religieux ».

Mais Mâbal était aussi inspiré par d'autres poèmes religieux. Son poème en l'honneur d'Al-Hadj Oumar qui est inclus dans ce recueil, semble avoir été en partie influencé par la poésie de Âmadoun Fôdiya Moussa que Mâbal cite dans son poème et qui a vécu un siècle avant lui. Mâbal aurait pu entendre l'œuvre de Âmadoun Fôdiya récitée par des pauvres ou des aveugles, mendiant de maison en maison et sur les marchés ou bien, dans un contexte religieux plus formel, par des lettrés musulmans et leurs étudiants dans des mosquées ou lors de réunions religieuses. Christiane Seydou décrit l'une de ces séances de récitation collective, connue chez les Peuls du Foûta Djalon sous le nom de *jaaroore* :

> le *jaaroore* est une réunion nocturne consacrée à la récitation de poèmes religieux, de cantiques mystiques et de pieuses oraisons, poursuivie jusqu'au jour sans discontinuer et qui se termine par une circumambulation des participants autour de la construction réservée à ces séances[10].

Semblables réunions devaient certainement se tenir dans la communauté de Tierno Bokar, au cours desquelles Mâbal aurait pu entendre d'innombrables textes tirés du répertoire local de poésie religieuse, incluant peut-être la longue *qaṣīda* en peul (*pulaar*) de Mohammadou Aliou Tyam qui rapporte et célèbre la vie et les exploits d'Al-Hadj Ou-

---

[9] Théodore Monod, Un poème mystique soudanais : Sorsorewel (Le Fouinard), du poète Mâbal, traduit du peul en français par Amadou Hampâté Bâ, *Le Monde non chrétien*, n° 2 (avr.-juin 1947), pp. 217-228. Un poème mystique soudanais, présenté par Théodore Monod, *Présence africaine*, n° 3 (mars-avril 1948), pp. 441-450.

[10] Christiane Seydou, Trois poèmes mystiques peuls du Foûta Djalon, *Revue des études islamiques*, 40, 1 (1972), p. 145.

mar[11]. Il est très possible que ce poème ait servi d'inspiration à Mâbal pour sa propre *qaṣīda* en l'honneur de ce personnage.

Le poème de Tyam est une reconstitution précise de l'histoire du djihad oumarien, composée par un disciple fidèle et pleinement engagé dans la pensée et l'idéologie islamiques qui motivèrent le mouvement oumarien[12]. Mais considérée comme un panégyrique et un récit épique des exploits d'Al-Hadj Oumar, en laissant de côté momentanément son contenu religieux, la *qaṣīda* de Tyam partage certaines similitudes avec la littérature orale non musulmane de la région. Bien que les valeurs sociales, culturelles et religieuses exprimées dans les textes oraux musulmans et non musulmans diffèrent considérablement dans leur contenu, leur type d'expression, orale et publique, et leur mode de transmission sont similaires.

Sperl and Shackle dans leur étude comparative sur le genre citent trois caractéristiques qu'ils déclarent communes à toute *qaṣīda* :

> - la plupart des qasidas... ont pour dessein d'exalter, maintenir ou promouvoir l'allégeance à un code de valeurs morales, souvent de nature religieuse,

> - la qasida est généralement destinée à être récitée, psalmodiée ou même chantée dans une réunion publique,

> - la qasida est un produit culturel souvent composé dans le but d'un échange de dons, qui fait partie intégrante de sa récitation, qu'elle soit séculière ou religieuse[13].

De façon significative, ces caractéristiques ne sont pas sans rappeler celles de la production littéraire des griots, telle qu'elle est présentée par Christiane Seydou dans l'introduction à sa traduction du récit épique intitulé *Silâmaka et Poullôri*[14].

La production culturelle des griots consiste en effet en textes oraux qui sont déclamés en public et qui, aussi, fonctionnent en tant que « objets d'échange ». Comme tous les groupes d'artisans mentionnés plus haut, les griots offrent leurs services en échange d'autres biens et d'autres services qui peuvent être symboliques, matériels ou d'ordre social. Par exemple la littérature épique des *maabuuɓe* représente et glorifie les vertus de leurs patrons auxquels ils sont liés par une relation de réciprocité qui impose aussi bien au client qu'au patron des devoirs et des res-

---

[11] Voir Mohammadou Aliou Tyam, *La vie d'El Hadj Omar. Qacida en poular*. Traduit par Henri Gaden, Paris Institut d'Ethnologie, 1935.

[12] Pour une analyse de la *qaṣīda* en tant que document historique, voir D. Robinson, *The Holy War of 'Umar Tal. The Western Sudan in the mid-Nineteenth Century* (Oxford, Clarendon Press, 1985), p. 26 ; *La guerre sainte d'al-Hajj Umar. Le Soudan occidental au milieu du XIXᵉ siècle* (Paris, Karthala, 1988), p. 31. Selon Robinson l'élaboration de cette *qaṣīda* s'étendit sur une période de vingt ans : en effet Tyam composa sa *qaṣīda* durant son séjour à Ségou de 1870 à 1880, mais il la retoucha et ne mit le point final qu'en 1890.

[13] Sperl and Shackle, *op. cit.*, note 3.

[14] Ce qui suit est basé sur Seydou, *Silâmaka et Poullôri*, pp. 18 sqq.

ponsabilités. La relation entre noble et *maabo* est l'une des plus formalisées que l'on puisse trouver dans la société peule, le fonctionnement de l'ensemble de cette société reposant sur un système d'interdépendance précisément codifié. Ce système d'échange opère selon une sorte d'impératif moral et social qui agit comme un liant pour assurer la cohésion d'une société constituée de catégories sociales essentiellement basées sur la naissance et aux statuts bien définis. Ainsi chaque groupe d'artisans possède les connaissances, le savoir-faire et les secrets de son métier particulier.

Toutefois l'objet produit par le griot, la parole, n'étant pas un objet matériel, ne peut entrer dans une économie de marché comme l'outil forgé par un forgeron ou le vêtement tissé par un tisserand ; de plus à la différence de ces objets produits généralement à la demande ou plus exactement à la commande, le texte proféré par le griot est adressé à son destinataire, sans que ce dernier ait pris l'initiative de le solliciter : il ne peut qu'en être le récepteur involontaire. De plus les mots élogieux que prodigue le griot à une personne sont perçus comme pourvus d'un pouvoir potentiel : par eux, il a prise sur l'individu qui ne peut se libérer de cette emprise que par un contre-don approprié. En effet par ce don, le récepteur atteste qu'il se reconnaît comme le destinataire attitré et légitime de cette parole et qu'il se rend désormais maître de l'image qu'elle donne de lui et à la laquelle il se doit de se conformer.

Les *maabuuɓe* usent surtout du pouvoir de la parole et de la musique pour évoquer, rehausser et exalter les qualités de leurs patrons mais surtout celles des héros épiques qui incarnent l'idéal éthique et social du Peul noble, la récitation des textes épiques – dont ils ont l'apanage – étant, par ricochet, une adresse à leurs patrons pour revivifier leurs vertus ancestrales supposées.

Ainsi pouvons-nous voir que les textes dits par ces griots partagent les caractéristiques attribuées par Sperl et Shackle à la *qaṣīda* : ils exaltent un code de valeurs morales et sociales, ils sont toujours déclamés devant un public, même si ce dernier est restreint, et ils circulent comme des objets culturels à travers un système d'échange. Ils partagent aussi une caractéristique supplémentaire que Sperl et Shackle n'ont pas explorée : ils sont produits, récités et écoutés dans une culture qui est profondément imprégnée d'un grand respect pour le pouvoir de la parole.

Pour les musulmans, comme cela a été évoqué plus haut, le respect pour la parole commence par le Coran, la parole divine. Nombre de pratiques religieuses sont basées sur la croyance que la parole de Dieu, telle qu'elle est révélée dans le Coran, possède un pouvoir qui peut être utilisé au bénéfice de l'humanité. L'un des meilleurs exemples de cela est la croyance en son pouvoir de guérison ; en effet il existe de nombreuses pratiques dans lesquelles mots ou versets du Coran sont utilisés pour protéger les personnes contre le malheur, adoucir leur peine ou guérir leurs maladies. Certaines *qaṣīda* aussi se voient attribuer des pouvoirs prophylactiques ou curatifs, l'une des plus célèbres étant la *qaṣīda* connue sous le nom d'*Al-Burda*, composée au VIIe siècle de l'Hégire (XIIIe siècle) par Sharaf ad-Dîn Muhammad al-Bûsîri, en l'honneur du Prophète. En fait toutes les *qaṣīda* qui louent Dieu et le Prophète et implorent leurs faveurs sont récitées dans l'espoir que de telles requêtes seront exaucées et dans la croyance que le pouvoir des mots, récités correctement, apportera quelque forme de récompense divine ou spirituelle.

Toutefois, si les cultures musulmane et non musulmane des Peuls ont bien en commun l'importance accordée au rôle et au pouvoir de la parole, elles diffèrent aussi de façon significative dans la manière dont est envisagée l'action de ce pouvoir dans la relation liant locuteur et destinataire. En effet, les paroles du griot, sous la forme de louanges et de récitation des textes épiques, expriment les valeurs culturelles des Peuls et elles agissent sur la personne à laquelle elles s'adressent comme un appel pour, réveillant en elle le souvenir de son héritage ancestral de noblesse, ranimer son adhésion à ces valeurs culturelles, aux impératifs éthiques et aux responsabilités sociales que lui impose son statut de noble et dont fait partie l'obligation de générosité à l'égard du griot.

Au contraire, en ce qui concerne le compositeur de poésie religieuse, ses paroles sont dédiées à l'adoration de Dieu et du Prophète et à l'exaltation de l'islam et de ses représentants les plus éminents ; mais lorsqu'il les adresse à Dieu et au Prophète, c'est sans s'attendre à exercer quelque influence sur ceux-ci ; bien plutôt ces paroles suscitent en celui qui en est l'auteur ou même simplement le récitant, l'espoir qu'il sera digne, de par ses actes et ses propos méritoires, des bénédictions qui émanent de Dieu et du Prophète.

Toujours est-il que, même si l'islam a imposé sa prédominance politique sur une partie de l'Afrique de l'Ouest à la suite des djihads des XVIIIe et XIXe siècles, le système de valeurs et les formes littéraires islamiques n'ont pas partout supplanté ceux de la culture peule non islamique. De nombreux chercheurs ont commenté les transformations culturelles engendrées par la confrontation entre les valeurs et les représentations identitaires peule et musulmane au fur et à mesure de l'islamisation croissante des populations poulophones. Comme l'a signalé David Robinson, ces transformations varient d'une région à une autre : ainsi, à Sokoto et au Massina, les chefs des djihads ont réussi à établir un ordre politique et religieux strictement fondé sur la loi et les préceptes islamiques ; pourtant si, dans la partie orientale de l'aire peule, le rigorisme religieux des réformistes s'est imposé, entraînant la disparition de la production épique profane au profit exclusif du panégyrique hagiographique dit *madhu* (ar. [*madḥ*]), dans la partie occidentale les griots continuent de déclamer les épopées qui exaltent les vertus des Peuls de la période antéislamique, telles que la fierté ombrageuse, la bravoure impétueuse et la noblesse de caractère ; et, selon Christiane Seydou :

> ... tout Peul, si fervent musulman soit-il, ne peut se défendre d'être sensible au plus profond de lui-même au récit de leurs hauts faits et à leur seule évocation musicale. Si les grands chefs religieux, comme Ousman Dan Fodiyo, souhaitèrent voir délaisser cette littérature profane, c'est qu'ils savaient à quel point elle touchait, ébranlait leurs coreligionnaires, réveillant en eux leurs tendances ancestrales et païennes, leur propension aux exploits guerriers commandés non par une volonté justifiée de faire triompher la Vérité, mais par la démesure de leur pur orgueil[15].

Par ailleurs, de leur côté, les Musulmans des Foûtas ont tenté de fusionner leurs identités peule et musulmane : c'est ainsi que, à côté du griot traditionnel a pris place le *farba* du Foûta Djalon « intellectuel-griot » ou historiographe des héros du jihad ; mais aussi la continuité entre les deux identités a été assurée par le développement de la langue peule comme langue de l'expression religieuse. Selon Robinson, les Peuls des Foûtas se considéraient comme un « peuple élu » dont la « langue avait été bénie par le Prophète et venait en second rang immédiatement après l'arabe[16] ». Et, selon Alfâ Ibrâhîm Sow, l'émergence d'un pouvoir musulman au Foûta Djalon incita les clercs musulmans à développer le peul en tant que langue écrite utilisant l'alphabet arabe [*ᶜajami*]. Cette innovation, dit A. I. Sow « s'est accompagnée de l'expression d'une volonté nationale d'affirmation, d'un désir d'autonomie culturelle[17] ».

Le peul comme langue d'expression de la religion

L'arabe est certes la langue de la révélation coranique et, en tant que telle, une précellence évidente lui est attribuée par les musulmans. C'est la langue essentielle de toute étude et enseignement et les érudits musulmans en Afrique comme ailleurs étaient (et sont) par définition lettrés en arabe. Cependant, lorsqu'il s'agit des populations musulmanes locales, toute connaissance de l'islam – depuis les principes de la doctrine religieuses les plus basiques jusqu'à la compréhension du Coran – a dû être transmise oralement dans les langues locales qui ont donc servi partout

---

15 *Ibid.*, p. 40. Pour un commentaire analogue, voir Christiane Seydou, Panorama de la littérature peule, *Bulletin de l'IFAN*, t. 35, n° 1, série B (1973), p. 182, où elle écrit : « en effet, les sédentaires islamisés s'en remettant pour toutes leurs activités spirituelles et intellectuelles à l'idéologie religieuse musulmane, c'est dans l 'épopée qu'ils peuvent retrouver leurs modèles psychologiques et moraux anciens, c'est dans l'épopée qu'ils peuvent retrouver leurs sources ».

16 David Robinson, *The Holy War of 'Umar Tal* (Oxford University Press, 1985), pp. 81-82.

17 Alfâ Ibrâhîm Sow, *La femme, la vache, la foi* (Paris, Classiques africains 5, 1966), p. 15.

comme langues d'enseignement. C'est ainsi que, lorsque les jeunes enfants commençaient l'école coranique, on leur enseignait les premières bases de l'islam dans leur propre langue. Les élèves qui poursuivaient leurs études au delà de l'école coranique élémentaire, devaient aussi commencer à apprendre l'arabe par l'intermédiaire de leur propre langue. Depuis des siècles, cela a été fait à travers un système de traduction simultanée orale dans laquelle l'étudiant devait lire un passage en arabe, que l'enseignant devait immédiatement traduire dans la langue locale[18]. La même méthode pédagogique était employée pour les étudiants plus avancés pour la lecture des textes arabes classiques aussi bien que pour le *tafsīr*, l'étude de la signification du Coran. La connaissance de la langue arabe et du vocabulaire s'acquérait ainsi à travers un processus de traduction littérale s'accompagnant d'explications et de commentaires oraux[19]. L'étude du *tafsīr* qui était entreprise à un stade avancé des études, a peut-être favorisé les premières initiatives des musulmans pour faire passer les langues locales à l'écrit. La méthode d'enseignement coranique sous la forme de traduction du Coran interlinéaire, littérale, mot à mot, existe dans nombre de langues de l'Afrique de l'Ouest, parmi lesquelles le kanembou, le tamachek et le peul.

Bien que de nombreuses langues africaines aient servi comme langues d'enseignement religieux et d'exégèse, le peul constitue peut-être un cas unique. Déjà au XVIIᵉ siècle (et probablement bien plus tôt), des musulmans poulophones, à travers toute l'Afrique de l'Ouest, enseignaient la doctrine islamique en recourant à des textes composés dans leur propre langue. Ces textes étaient connus sous le terme générique de *kaɓɓe* (pour l'arabe [ᶜaqā'id], articles de foi ou dogmes[20]). Bien que les versions existantes du *kaɓɓe* varient considérablement dans leur contenu, toutes, les orales comme les écrites, sont en fin de compte dérivées d'un texte arabe du XVᵉ siècle, dû à Muhammad B. Yûsuf al-Sanûsî, intitulé *al-ᶜAqida al-suġra*[21]. Ce bref texte concernant le *tawḥīd*, expose les attributs de Dieu et du Prophète et il était dit, par son auteur, contenir tous les fondements du savoir islamique qu'un musulman devait posséder.

---

[18] Depuis la moitié du XXᵉ siècle, des écoles musulmanes « modernisées » ont adopté, pour un enseignement de la langue arabe comme seconde langue, des méthodes contemporaines qui remplacent progressivement celles employées précédemment.

[19] Pour une excellente description et une analyse de cette forme d'enseignement, voir Tal Tamari, L'exégèse coranique (*tafsīr*) en milieu mandingue, *Islam et sociétés au sud du Sahara*, n° 10 (1996), pp. 43-79.

[20] Sur la question du *kaɓɓe*, voir Louis Brenner, *West African Sufi : The Religious Heritage and Spiritual Search of Cerno Bokar Saalif Taal* (London, C. Hurst & Co., 1984), p. 79 sqq.

[21] Ce titre est habituellement traduit par *The Lesser Dogma* (Le petit dogme). Le texte est aussi connu sous le nom de *Umm al-barāhīn, La Source des preuves*.

Les textes du *kaɓɓe* semblent avoir été conçus à l'origine comme une voie alternative pour les musulmans dont le cursus ne parvenait pas à un stade avancé dans les études islamiques en langue arabe. Le modèle de scolarité le plus courant en Afrique dans le passé était, pour la plupart des enfants, la fréquentation de l'école coranique durant plusieurs années dans le but d'apprendre à réciter des parties du Coran et d'étudier les préceptes et les pratiques de base de la religion ; seul un nombre relativement restreint continuait jusqu'à un niveau plus avancé lorsqu'ils voulaient commencer à étudier les « livres », c'est-à-dire les « ouvrages » écrits en arabe qui étaient enseignés de la manière évoquée plus haut ; et ce n'est qu'alors, que cet enseignement était dispensé systématiquement en arabe. Le premier sujet enseigné à ce stade était d'ordinaire le *tawḥīd*.

Le *kaɓɓe* a dû être, à l'origine, développé dans un but pédagogique, mais sa signification est allée bien au delà de la transmission d'un savoir doctrinal. *Al-ᶜAqīda al-suġra* était hautement révéré en Afrique de l'Ouest, comme un texte d'une valeur mystique et dévotionnelle particulière ; de nombreux commentaires ont été écrits sur le *Al-ᶜAqīda al-suġra* et, dans certaines régions, il était mémorisé et récité en arabe. De la même façon, les diverses versions du *kaɓɓe* en vinrent à jouer parmi les musulmans poulophones des rôles variés : il devint le véhicule permettant la transmission orale des fondements de la connaissance islamique aux adultes qui ne poursuivaient pas leurs études au delà de l'école coranique. Le *kaɓɓe* devait être mémorisé et, dans certaines régions de l'Afrique de l'Ouest, seules les personnes capables d'en réciter par cœur le texte exact étaient considérées comme authentiquement musulmanes. Il constituait aussi la base pour des enseignements plus ésotériques destinés à approfondir les connaissances spirituelles de l'individu, et sa récitation promettait l'accès à une illumination spirituelle. Ces divers usages du *kaɓɓe* ont transformé la langue peule en une langue liturgique.

Alors que dans la plupart des régions de l'Afrique de l'Ouest, le *kaɓɓe* était transmis entièrement comme un texte oral, au Foûta Djalon, il devint une partie du cursus officiel pour les étudiants en sciences religieuses islamiques appelé *firugol*, terme peul désignant la traduction ou le commentaire. Le *firugol* correspondait au degré d'étude mentionné plus haut, lorsque les étudiants, ayant achevé leur première récitation du Coran, commençaient l'étude des « ouvrages ». Le premier sujet abordé à ce stade était le *tawḥīd* ainsi que le *kaɓɓe*. Le *firugol*, tel qu'il a été décrit par Paul Marty au début du XXᵉ siècle, était plus que l'étude des

« ouvrages » ; c'était un stade du cursus destiné à former les étudiants pour en faire des lettrés en langue peule[22].

La formation systématique des étudiants avancés en sciences islamiques par le moyen de la langue peule eut de nombreuses ramifications. Tout d'abord, elle conduisit à l'élaboration d'une forme hautement spécialisée de la langue qui évolua au cours des siècles pour répondre aux exigences de l'enseignement religieux. Ce registre linguistique se développa sous l'influence de l'élite des musulmans éduqués, personnes lettrées en arabe et bien versées dans les grands classiques de la littérature islamique aussi bien que dans les études coraniques. Il comprend un lexique religieux technique constitué de nombreux emprunts à la langue arabe mais aussi de nombreux mots de la langue peule dont le sens a été adapté pour rendre les concepts et les principes islamiques (tel que *kaɓɓe*). Bien que ce registre lexical ait été élaboré en premier à l'usage des spécialistes, enseignants et étudiants, et n'ait pu être aisément compris par l'ensemble de la population parlant le peul, il n'a pas été sans avoir quelque influence sur l'évolution de la langue, de façon plus générale : bon nombre de mots peuls d'usage courant sont ainsi des emprunts à l'arabe. La récitation publique des poèmes religieux peut aussi avoir été l'une des principales voies pour le passage du vocabulaire technique religieux à un usage plus populaire.

Comme la langue est un premier véhicule – et peut-être le plus fondamental – pour une transmission efficace de la religion dans chaque milieu culturel, il ne saurait être surprenant que la diffusion de l'islam parmi les membres d'un groupe de locuteurs d'une langue particulière, ait eu pour résultat une « islamisation » de cette langue. À tout le moins, le besoin se manifeste d'exprimer les concepts religieux et les préceptes dans la langue locale. Mais les musulmans poulophones semblent s'être posé la question de la langue de façon plus systématique que ceux de la plupart des autres groupes linguistiques en Afrique, en traduisant de l'arabe les textes religieux aussi bien qu'en en composant dans leur propre langue et en développant un cursus officiel en langue peule, le *firugol*.

Nous ignorons quand le *firugol* fut introduit pour la première fois comme partie du cursus des études islamiques au Foûta Djalon, mais il se peut qu'il l'ait été au XVIIIe siècle lorsque, semble-t-il, les premiers textes écrits en peul commencèrent à apparaître. Les XVIIIe et XIXe siècles témoignent d'un spectaculaire essor de la production littéraire parmi les musulmans de l'Afrique de l'Ouest en général, principalement en langue

---

22 Louis Brenner, *op. cit.*, pp. 85-86. Sur le *firugol*, voir aussi Roger Botte, Pouvoir du Livre, pouvoir des hommes : la religion comme critère de distinction, *Journal des Africanistes*, 60, fasc. 2 (1990), pp. 37-51.

arabe, mais aussi en peul et en haoussa. Cette explosion de l'activité littéraire fut associée à la vague d'un renouveau islamique qui balaya la région durant cette période, ayant pour résultat une série de djihads et la domination politique des musulmans au Foûta Djalon (Guinée) et au Foûta Tôro (vallée du fleuve Sénégal) à la fin du XVIIIe siècle, à Sokoto (Nigeria du Nord) et à Hamdallâye (Mali) au début du XIXe siècle et dans diverses régions, du Sénégal jusqu'au Mali, où Al-Hadj Oumar Tâl établit des centres de pouvoir musulman dans la moitié du XIXe siècle[23].

Les chefs religieux et politiques de tous ces nouveaux États étaient des musulmans poulophones et, comme nous l'avons vu, il a été prouvé que leur succès politique a donné le coup d'envoi à un nationalisme peul naissant qui, à son tour, a créé un nouvel intérêt pour la production d'une littérature religieuse écrite en peul comme un complément à celle écrite en arabe. Alfâ Ibrâhîm Sow remarque que, en faisant passer leur langue à l'écrit, les locuteurs du peul recherchaient une « autonomie culturelle » par rapport à la langue arabe et il est évident que l'initiative de produire des textes religieux écrits en peul reçut un accueil quelque peu critique. Sow rapporte un propos qu'il entendit au Foûta Djalon, arguant que Al-Hadj Oumar conseilla même à un érudit tel que Mouhammadou-Samba Mombéyâ de cesser de composer des textes en peul de peur que la langue arabe ne disparaisse[24].

Cette prétendue conversation entre Mouhammadou-Samba Mombéyâ et Al-Hadj Oumar peut bien être apocryphe, il n'en reste pas moins que l'existence de l'anecdote laisse penser que la composition de textes religieux en peul plutôt qu'en arabe n'était pas sans rencontrer quelque opposition. Et, étant donné les antécédents de ces deux hommes, on peut comprendre qu'ils aient eu des idées très différentes sur la question.

Al-Hadj Oumar, outre l'achèvement de ses études initiales au Foûta Tôro, accomplit le pèlerinage et demeura quelques années au Moyen-Orient où il continua d'étudier. À son retour, il visita plusieurs des principales capitales musulmanes de l'Afrique de l'Ouest, parmi lesquelles Sokoto où il résida environ sept ans. Dès l'époque où il dut avoir rencontré Mouhammadou-Samba, ses plans pour établir sa propre hégémonie au nom de l'islam étaient déjà bien avancés. Pour Al-Hadj Oumar, donc, l'arabe était non seulement la langue essentielle de l'islam – opinion que devait certes partager Mouhammadou-Samba – mais c'était aussi l'unique langue à travers laquelle tous les érudits musulmans pour-

---

[23] Pour une vue générale de ces djihads, voir David Robinson, « Revolutions in the Western Sudan », *in* Nehemia Levtzion and Randall L. Pouwels (eds), *The History of Islam in Africa* (Oxford, James Currey, 2000), pp. 131-152.

[24] Alfâ Ibrâhîm Sow, *Le Filon du bonheur éternel* par Tierno Mouhammadou-Samba Mombéyâ (Paris, Classiques africains 10, 1971), p. 17, note 1.

raient communiquer. C'était une langue internationale et ses ambitions à lui, étaient également internationales ; il n'est donc pas étonnant qu'il ait pu décourager les érudits musulmans de développer une littérature en peul. Mais, si cela est vrai, il est plutôt ironique que le plus long texte en peul qui ait été conservé en Afrique de l'Ouest soit précisément la *qaṣīda* composée par Mohammadou Aliou Tyam en l'honneur de Al-Hadj Oumar.

Inversement, Mouhammadou-Samba Mombéyâ (mort en 1850) passa toute sa vie au Foûta Djalon, où il était un enseignant et un érudit hautement respecté, totalement intégré dans la hiérarchie religieuse et politique d'un état théocratique musulman. Il consacra sa vie à l'enseignement et à l'approfondissement de la connaissance de l'islam chez les musulmans du Foûta Djalon, et il était convaincu que cette tâche pourrait être plus efficacement menée à bien par l'intermédiaire de la langue peule, point de vue qu'il affirme explicitement dans son œuvre majeure, *le Filon du bonheur éternel* :

> Je citerai les Authentiques[25] en langue peule
> pour t'en faciliter la compréhension. En les entendant, accepte-les.
>
> À chacun en effet seule sa langue permet
> de saisir ce que disent les Authentiques.
>
> Nombre de Peuls ne pénètrent pas ce qui leur est enseigné
> par l'arabe et demeurent dans l'incertain.
>
> Reposer sur l'incertain, dans les œuvres du Devoir,
> ne suffit pas en paroles, ne suffit pas en agir.
>
> Qui recherche la clarté, d'incertitude dépourvue,
> qu'il lise donc en peul, ces vers du petit homme[26] !

Il se pourrait bien, comme le suggère A. I. Sow, que l'apparition des nouveaux États musulmans ait renforcé les sentiments nationalistes chez les Peuls, mais de tels sentiments n'étaient guère nouveaux. L'introduction de textes écrits en peul était certainement une innovation culturelle significative, mais les discussions qui, allègue-t-on, s'élevèrent en réponse à cette innovation ne furent qu'une autre manifestation de l'interrelation ambiguë qui a longtemps existé dans la région entre les valeurs et les identités peules et musulmanes. En tout cas, quel qu'ait pu être le sentiment personnel que Mouhammadou-Samba avait de sa propre identité peule, il est très clair que sa principale motivation pour composer des vers en langues locales était la nécessité de communiquer avec la majeure partie de la population du cru qui ni ne parlait, ni ne comprenait l'arabe, afin de lui transmettre les principes et les valeurs islamiques. Comme le montre l'histoire du *kabbe*, enseigner l'islam en peul n'était pas une in-

---

[25] Les ouvrages classiques fondamentaux qui font autorité dans la science islamique.
[26] A. I. Sow, *Le Filon du bonheur éternel*, p. 43.

novation. Par ailleurs il faut rappeler que Mouhammadou-Samba était aveugle : il a composé oralement ses vers et les récitait à ses étudiants qui consignaient ses paroles par écrit, sans doute pour s'en servir comme d'un aide-mémoire pour apprendre le poème.

Le rôle que le peul a joué en tant que « langue religieuse » a changé avec le temps et son développement en tant que langue écrite semble avoir favorisé l'extension des changements politique et social qui accompagnèrent l'émergence des nouveaux États musulmans. Avant les djihads des XVIIIe et XIXe siècles, les communautés musulmanes occupaient une niche spécifique dans la société peule, quasi analogue à celle d'une caste. En effet, bien qu'elles ne soient pas classées comme des *nyeenyɓe* (« gens de caste »), ces communautés constituaient bien davantage des sortes de groupes professionnels : des membres de familles et de lignages musulmans fournissaient des services religieux basés sur un lot spécifique de connaissances et de compétences qui était leur apanage. Ces services leur étaient demandés tant par les chefs politiques que par les gens du commun et tant par des communautés que par des individus. En effet le peuple s'adressait à eux pour des conseils (ils agissaient en tant que devins), pour une protection au moyen de prières ou de la confection d'amulettes, pour des soins et toutes sortes de problèmes personnels ou collectifs. Les chefs de ces communautés musulmanes n'étaient point intéressés à quelque entreprise de prosélytisme ni de commandement. Pour eux, l'islam était comme leur patrimoine, il définissait leur place dans la société et était la principale source de leur aisance économique. D'un autre côté, ces communautés religieuses ne refusaient pas les convertis et bon nombre d'entre elles semblent s'être développées comme centres de refuge politique et économique.

Le *kabɓe* semble s'être répandu dans ce genre de contexte social tout d'abord, peut-être, en tant qu'aide à l'enseignement, puis en tant que texte dévotionnel, mais aussi éventuellement comme un moyen de définir et de souder ensemble des communautés de musulmans poulophones. Dans certaines régions, les pratiquants du *kabɓe* en vinrent à être connus comme *kabɓenkooɓe,* pour lesquels la connaissance du texte était la principale condition requise pour être considéré comme authentique croyant et faire partie de la communauté musulmane. C'est ainsi que, pour les *kabɓenkooɓe*, l'identité musulmane en vint à être presque synonyme d'identité peule. Cheikh Ousman, à Sokoto, mena vigoureusement campagne contre les *kabɓenkooɓe* dans le pays haoussa où, de toute évidence, il semble qu'ils aient été bien établis. Et il se peut que l'opposition d'Al-Hadj Oumar à l'écriture en peul des textes religieux ait fait partie d'une semblable campagne contre ce que les nouveaux chefs religieux considéraient comme une pratique sectaire déviante.

L'impact des djihads s'étant étendu, dans les nouvelles théocraties, le pouvoir politique et administratif passa aux mains d'érudits musulmans, de ceux qui avaient une totale maîtrise des textes arabes de base, sources de la loi et de la pratique religieuses. Le statut de « quasi-caste » des Musulmans fut éradiqué partout où il avait auparavant existé. La nouvelle « classe dirigeante » voulait gouverner tous les musulmans, indépendamment de leur appartenance linguistique ou ethnique. Pour eux, donc, l'arabe était essentiel tout à la fois pour leur érudition et pour l'expansion universelle de leur hégémonie. L'usage du peul en matière de religion ne fut pas exclu, mais sa principale fonction devenait désormais d'inclure un peuple dans une communauté musulmane en expansion plutôt que d'établir une séparation entre musulmans et non-musulmans.

Le peul continua d'être utilisé comme langue d'enseignement religieux et il se peut que la formalisation du cursus de *firugol* au Foûta Djalon ait été une initiative destinée à mettre davantage l'enseignement en peul en conformité avec l'enseignement islamique classique en langue arabe. La transmission orale du *kab̃e* se poursuivit aussi et survécut durant le XXᵉ siècle, même si les pratiques sectaires qui lui furent associées avaient commencé à disparaître.

Les djihads aussi ont inspiré la production de poésie religieuse en peul : poésie didactique (*waaju*) dans laquelle l'auteur cherche à instruire son auditoire sur les principes de l'islam et les questions d'éthique ; poésie dévotionnelle (*jaaroore, yettoore, mantoore*) composée pour célébrer Dieu, le Prophète ou des chefs religieux éminents ; et enfin une poésie mystique (*beegoore*) dans laquelle se reflète la quête religieuse de son auteur.

Vraisemblablement, la plupart des poètes choisirent de composer leurs poèmes en peul parce que c'était tout à la fois la langue dans laquelle ils pouvaient s'exprimer de la façon la plus efficace et celle que leurs auditeurs étaient le plus capables de comprendre. Ils étaient certainement conscients de participer à une tradition vivante de composition et de récitation de poésie religieuse islamique en peul et ils partageaient tous, ce faisant, le même but comme cela est explicite dans les poèmes traduits dans ce recueil. Les raisons invoquées par Mouhammadou-Samba Mombéyâ trouvent un écho dans les vers de Alfâ Bôkari Guidâdo :

> J'ai pour but de composer un poème en peul accessible à tous ;
> que quiconque, l'ayant ouï, en a négligé la vérité, le récuse et s'en dégage !
> (III, v. 10)

Tous ces poètes étaient familiers avec les œuvres en peul des uns et des autres aussi bien qu'avec le riche héritage de poésie religieuse en arabe dans laquelle ils puisaient aussi modèle et inspiration, comme en témoignent les lignes introduisant le poème de Mâbal :

> Ahmadou Fôdiya Moussa, en langue peule, s'est exprimé
> c'est à Ibn-Mouhayyabi[27] que les chantres l'ont comparé. (v. 2)

Âmadoun Fôdiya fait même référence aux racines préislamiques de la poésie musulmane, dont la prosodie est basée sur le rythme de l'amble du chameau :

> … j'égrènerai mes vers au rythme de son pas ;
> et nous voilà chantant en peul, du haut de nos chameaux, un poème à la gloire d'Ahmad ! (Chameau, v. 10)

Et Alfâ Bôkari Guidâdo exprime le profond souhait que, après la Résurrection, il se trouve convié auprès du Prophète dont il chantera les louanges à la fois en arabe et en peul[28].

Quelles que soient les discussions qui ont pu s'élever concernant l'utilisation du peul comme langue d'enseignement religieux, ces poètes ne semblent pas du tout avoir entretenu quelque ambiguïté que ce soit sur la question de savoir si oui ou non ils devraient composer leurs poèmes en peul. D'un autre côté, aussi bien Alfâ Bôkari que Mouhammadou Abdoullâye Sou'âdou furent critiqués pour s'être permis de composer de la poésie religieuse, Alfâ Bôkari parce qu'il était considéré comme trop jeune et Sou'âdou parce qu'il n'avait pas étudié ; reproche que, loin de nier, celui-ci choisit au contraire de détourner à son avantage. Tous deux se défendirent en effet en renvoyant leurs détracteurs à la vie du Prophète.

Alfâ Bôkari compara ses critiques à ceux qui s'opposèrent à la mission de Mouhammad et Sou'âdou se compara lui-même au Prophète :

> Mouhammad n'a pas étudié avant le Différenciateur (le Coran), c'est chose certaine.
> Il en est de même pour moi : je n'ai pas étudié ; vois la ressemblance avec Ahmad ! (XI, v. 87)

Sou'âdou se défend aussi sous le prétexte soufi classique qu'il a eu un accès mystique direct à la connaissance religieuse que d'autres n'ont été capables d'acquérir qu'à travers l'étude des livres. Il répond aux diverses accusations qui lui sont adressées (il n'a pas étudié les ouvrages, il n'a pas étudié la grammaire et il n'a même pas compris le sens de ses prières) en invoquant ce que ses critiques ont oublié et, implicitement, par quoi ils n'ont jamais été touchés : « la lumière d'Ahmad » ou « la lumière divine » qui est à l'origine de toute existence créée ; tandis que lui, à travers sa crainte sincère de Dieu, sa scrupuleuse soumission à la loi de Dieu et son imitation résolue du Prophète, a été illuminé par la lumière divine au point, dit-il, que « j'ai exprimé des connaissances sans même avoir étudié tout cela » (XI, v. 86).

---

[27] Ibn al-Mouhayyabi est aussi cité dans *Un long Voyage* (v. 40). Je n'ai pu identifier ce poète.
[28] Voir *Un Long Voyage*, v. 70.

Nonobstant les nombreuses allusions mystiques qui inspirent ses poèmes, Sou'âdou est le plus polémique et le plus politiquement engagé des poètes représentés ici. Il fut personnellement impliqué dans les bouleversements qui sapèrent la Dîna de Hamdallâye au milieu du XIXe siècle et il utilisa sa poésie pour attaquer ses ennemis. Certains de ses poèmes contiennent une dénonciation courroucée des péchés et des comportements non-islamiques, et des mises en garde menaçantes contre les souffrances qui attendent ceux qui recherchent fortune, pouvoir et autres satisfactions et plaisirs de ce monde, transitoires et illusoires.

La mise en garde contre les tentations terrestres et l'exhortation à vivre la vie mortelle comme un prélude et une préparation à la vie éternelle est un thème central dans la théologie islamique et l'un de ceux qui sont développés quasiment dans tous ces poèmes, mais pas toujours de la même manière. La poésie de Âmadoun Fôdiya et de Alfâ Bôkari, à la différence de celle de Sou'âdou, est moins admonitrice et davantage un aveu émouvant des luttes personnelles qui peuvent accompagner la quête religieuse du poète, mais elle exprime surtout leur amour du Prophète, leur désir d'être dignes des nombreuses bénédictions qui émanent de lui et leur profonde aspiration à le rencontrer.

La section qui clôt cet essai sera une analyse du Tifal de Alfâ Bôkari, texte où l'on trouve une riche illustration de l'imagerie mystique qui émaille tous ces poèmes.

L'imagerie mystique dans la poésie religieuse

Bien que la poésie religieuse présentée dans ce volume varie considérablement en style et en contenu, tous ces poèmes reflètent le soufisme qui, à l'époque de leur composition, avait infiltré la pratique religieuse et les idées dans l'Afrique de l'Ouest. Les chefs des djihads des XVIIIe et XIXe siècles étaient tous soufis, et l'adhésion aux ordres soufis – aussi bien Qâdiriyya que Tijâniyya – se répandit rapidement avec l'établissement des nouvelles théocraties musulmanes. La pensée et les pratiques mystiques étaient un élément essentiel dans la formation des classes lettrées ; toutefois, à la différence des premières formes du soufisme dans lesquelles le but mystique était de rechercher l'union avec Dieu, les Soufis de cette période, en Afrique de l'Ouest, ont bien davantage mis l'accent sur leur relation avec le Prophète, non seulement dans leur désir de l'imiter – ce qui est le devoir de tout musulman – mais dans la célébration et la glorification de ses multiples qualités, en exprimant leur amour pour lui et en cherchant par tous les moyens à gagner le privilège d'être en sa compagnie, aussi bien dans cette vie que dans la vie future.

L'imagerie de cette poésie mystique trouve une expression éloquente dans Le Long Voyage de Âlfâ Bôkari : images de l'amour (de Dieu, du

Prophète et de la Vérité), images de lumière et d'eau, et images de la quête religieuse comme une soif de vérité qui ne peut être assouvie qu'à travers l'immense générosité du Prophète ; Alfâ Bôkari va jusqu'à souhaiter « baigner dans l'amour » du Prophète :

> Je supplie mon Maître de me permettre d'obtenir ce privilège
> et si je n'obtiens pas d'y nager, qu'au moins j'en sois abreuvé d'un généreux ca-
> que j'acquière la force de la vérité [ngoonga]...   [lice,

Le voyage lui-même peut être interprété comme une allusion à la voie soufie [tarīqa], souvent décrite comme le chemin vers la Vérité de la Réalité essentielle [ḥaqīqa]. Alfâ Bôkari s'engage dans son voyage avec un sentiment d'urgence :

> Point temps encore pour toi de faire halte ! Tu n'es pas arrivé au terme ! (v. 1)

Les rigueurs du voyage requièrent du courage : c'est « un voyage sans fin ! » (v. 1) et le but ultime de ce voyage est de rejoindre le Prophète, mais la manière précise d'atteindre ce but est laissée dans le flou par le poète ; dans certains passages il semble qu'il s'agisse d'une visite au tombeau du Prophète, dans d'autres, d'une rencontre mystique obtenue grâce aux dévotions soufies, dans d'autres encore, du voyage de la vie au terme duquel l'auteur espère être convié à partager la présence du Prophète. Et Alfâ Bôkari se tourne vers Dieu pour qu'il le soutienne tout au long de sa route :

> Car je songe comment le Seigneur peut se faire mon allié :
> ma sueur, ma faim, ma soif, mes efforts pour subsister,
> et mes suppliques qui ne manquent guère, m'ont ôté le sommeil,
> mais plus efficace que tout est l'excellence du Seigneur à mon égard
> puisqu'il tiendra ma main jusqu'à ce qu'elle soit dans la main d'Ahmad ! (v.14)
> .../...
>
> Mon Envoyé, le Seigneur fasse que je sois un homme sous ta garde et à ta dévo-
> et qu'aussi je devienne un être si empli de ta lumière (nuuru)   [tion
> que mon âme, confortée, puisse s'acheminer jusqu'à rencontrer la tienne
> et que mon être tout entier épouse toute entière ton essence !
> Mon Dieu, fasse que mon Paradis suprême soit d'avoir vision d'Ahmad ! (v. 81)

La supplique qu'Alfâ Bôkari adresse à Dieu pour qu'il le guide et le mette en présence du Prophète contraste avec d'autres pratiques soufies dans lesquelles c'est au contraire Mouhammad qui se voit assigner la tâche de guider le fidèle pour le mettre en présence de Dieu, comme le dit Sâda Oumar Touré de Ségou (Mali), lorsqu'il expose le sens et la fin de la récitation des oraisons soufies, le *wird* :

> quand on a adopté la Tijâniyya, alors en faisant matin et soir les invocations, le
> fidèle fait semblant d'aller rendre visite à Dieu. C'est-à-dire, c'est une ascension

spirituelle... Pour l'ascension il faut un guide qui est le Prophète Mouhammad[29].

Le recours à Dieu pour accompagner quelqu'un jusqu'au Prophète est certainement très différent, du point de vue théologique, du recours au Prophète pour le conduire auprès de Dieu ; de telles variations doctrinales sont nombreuses dans la pensée et la pratique musulmanes. Mais Alfâ Bôkari comme Sâda Oumar sont tous deux d'accord sur le rôle essentiel joué par les oraisons dans le développement spirituel. Comme Sâda Oumar le dit encore à propos de la récitation du *wird* :

> chaque matin et soir, le fidèle fait l'ascension spirituelle. C'est-à-dire, initier son âme à s'approcher de Dieu... On vous donne le *wird*, comme on vous donne le savon et de l'eau. C'est à vous-même maintenant de savoir bien laver [l'âme], de se concentrer en faisant les invocations... Celui qui fait les invocations et qui n'a pas concentré son âme, celui-là n'a pas beaucoup de résultat[30].

Alfâ Bôkari emploie une image similaire lorsqu'il implore l'aide divine dans sa quête pour composer des vers dignes de ses nobles desseins, vers qui doivent aussi aider à racheter ses péchés, nettoyer son cœur et purifier sa langue (v. 36). La poésie religieuse fonctionne comme un complément aux invocations spécifiques, plus conventionnelles, du *wird* soufi et Alfâ Bôkari espère que son poème approfondira la quête spirituelle de tout homme qui l'entendra :

> ... je lance ma voix, pour que s'exalte quiconque l'ouïra
> et que verse des larmes tout homme qui aime le Seigneur et vénère l'Élu
> qu'il soit plein de ferveur en son amour pour lui, plein d'une belle résolution !
> (v. 37)

Alfâ Bôkari s'engage dans son voyage au nom de « l'amour de la vérité (*ngoonga*) » (v. 2). Il demande à Dieu de faire de lui « un homme de vérité (*ngoonga*) » (v. 16), et de le soutenir lorsqu'il suit le chemin de ceux qui, partis avant lui, se sont abreuvés à la vérité (*haqiiqa*) » (v. 15) :

> ... ceux qui ont mis tout leur zèle à acquérir la vérité (*haqiiqa*), en vérité (*haggan*), y ont eu foi
> et, une fois la vérité (*ngoonga*) atteinte, ont craint Dieu et suivi la parole d'Ahmad. (v. 33)

Il est ferme dans sa conviction que « tout homme assoiffé qui s'approche du Prophète en sera tant abreuvé qu'il sera gorgé de vérité (*haqiiqa*) » (v. 91) :

> Tous les Prophètes, dans leur totalité, en toi se sont abreuvés !
> Envoyé qui apportas la vérité (*haqiiqa*), c'est auprès de toi que tous se sont abreuvés

---

[29] Interview de Sâda Oumar Touré à Ségou, le 5 février 1978 ; voir L. Brenner « Sufism in Africa », in Jacob K. (éd.), *Olupona, African Spirituality* (New York, The Crossroad Publishing Co, 2000), pp. 324-349.
[30] *Ibidem.*

là aussi que s'est abreuvé chaque être assez pur pour devenir un proche du Seigneur. (v. 84)

Comparer l'accomplissement spirituel à l'étanchement de sa soif est une métaphore commune dans le vocabulaire mystique soufi. La soumission spirituelle de Tierno Bokar à Cheikh Hamallâh de Nioro, fut prédite dans un rêve au cours duquel Tierno se vit avec un groupe d'autres « chercheurs » qui erraient dans une forêt, souffrant d'une insupportable chaleur et de terribles démangeaisons. Ils découvrent un étang d'une eau blanche comme du lait où il leur est interdit de se baigner ou de boire sans la permission de son propriétaire. Soudain un homme qui ressemble à Cheikh Hamallâh apparaît ; il prend un peu d'eau dans ses mains et en asperge Tierno. « Ma soif et mes démangeaisons cessèrent » et il lui fut dit : « Tu boiras et tu te laveras, mais plus tard, pas aujourd'hui[31] ».

Mais il n'y a pas non plus que l'eau qui puisse étancher la soif de l'être en quête spirituelle. Alfâ Bôkari demande que Dieu le soutienne dans son souhait d'être « abreuvé à la lumière (*nuuru*) » du Prophète, et d'être autorisé à boire à la « tornade de lumière » – référence mystique au Prophète (v. 9-10) – exactement comme le Prophète « a bu à profusion à la lumière (*nuuru*) de la Prophétie,... à la lumière de l'Apostolat,... à la lumière de la Science de la Vérité (*haqiiqata*),... à la lumière de l'Humanité » (v. 43).

Semblables références à la lumière apparaissent dans tous ces poèmes, comme c'est le cas dans bon nombre d'œuvres de la littérature islamique[32]. L'une des récitations dévotionnelles favorites des Soufis est le verset 35 de la sourate XXIV, intitulée La Lumière, dont une partie dit :

Allah est la Lumière [*nūr*] des cieux et de la terre... lumière sur lumière [*nūr ʿalā nūr*]. Allah guide vers Sa lumière [*li-nūrihi*] qui Il veut.

La lumière mystique des Soufis est une lumière éternelle qui a son origine en Dieu, imprègne toute la création et est manifestée à l'humanité à travers la médiation du Prophète en tant que lumière de Mouhammad [*nūr muḥammadiyya*][33]. Le concept de « lumière de Mouhammad » vient d'un autre verset coranique : « vous sont certes venus d'Allah une lumière et un Livre clair » (V, 15). De nombreux commentateurs du Coran, s'appuyant sur divers hadiths, ont interprété cette Lumière comme étant Mouhammad. Par exemple al-Tabari dans son monumental *Jami 'al-bayan 'an ta'wil al-Qur'ān* déclare :

---

[31] Amadou Hampâté Bâ, *Vie et enseignement de Tierno Bokar, Le sage de Bandiagara* (Paris, Éditions du Seuil, 1980), pp. 92-93.

[32] Les images de lumière prédominent dans le *ḏikr* de la Tijâniyya ; on les retrouve dans de nombreuses religions, dans la philosophie hellénistique, chez les néoplatoniciens, chez les kabbalistes, etc.

[33] Cette « lumière de Mouhammad » est mentionnée à plusieurs reprises dans les premiers vers du poème XI de Sou'âdou.

> Par Lumière Il signifie Mouhammad (Dieu le bénisse et lui accorde la paix), à travers lequel Dieu a illuminé la vérité, manifesté l'Islam et aboli le polythéisme ; depuis, il est une lumière pour tout homme qui recherche l'illumination auprès de lui, qui rend claire la vérité.

Ces images de lumière et de vérité, et la relation entre les deux, est une expression métaphorique de certaines des notions les plus fondamentales des Soufis concernant la nature de Dieu et de Sa création, et des possibilités pour l'homme d'une recherche spirituelle. Cela apparaît sous différentes formes, par exemple dans Un Long Voyage :

> De la lumière (*nuuru*) d'une âme véridique (*ruuhu l-haaqi*), l'Élu eut aussi la fa
> Lui qui, abreuvé à la lumière (*nuuru*) de félicité, en a étendu son aire !   [veur,
> Telles sont les sept essences qui ont fait la pureté de l'Élu et sa force
> tandis que les lumières (*annooraaji*) qu'il diffuse à jamais ont fait sa pérennité !
> Celui qui, auprès du Seigneur, s'abreuve de vérité (*haqiiqa*), en vérité (*haggan*),
> c'est bien Ahmad ! (v. 44)

Images de lumière et de vérité apparaissent aussi dans l'une des prières du *wird* tidjani, connue sous le nom de *Perle de la perfection*, prière qui supplie Dieu d'accorder Sa bénédiction au Prophète. L'extrait suivant de cette prière est basé sur une traduction en français par Amadou Hampâté Bâ :

> Ô Dieu répands tes Grâces et ta Paix,
> sur la source [*ᶜain*] de la Miséricorde divine, étincelante comme
> le diamant, certaine dans sa vérité [*al-mutahaqqīqa*]...
> (sur) la Lumière [*nūr*] du monde, (celle) qui est et fait être,
> la Lumière adamique (primordiale) ;
> (sur) celui qui possède la Vérité divine [*al-ḥaqq al-rabbani*] ...
> (sur) Ta Lumière brillante dont tu remplis ton Univers
> (Lumière) qui contiens tous les lieux des lieux...
> sur la source de la Vérité [*ᶜain al-ḥaqq*] à partir de laquelle
> se manifestent les tabernacles des Réalités (divines), [*al-ḥaqā'iq*]
> (sur) la source directe des connaissances [*ᶜain al-maᶜārif*],
> ta voie la plus complète et la plus droite...
> sur la manifestation du Vrai par le Vrai [*al-ḥaqq bi'l-ḥaqq*],
> (sur) le Trésor incommensurable de ton effusion (émanation) de Toi vers Toi,
> (sur) le cercle de la Lumière sans couleur[34].

En offrant sa traduction, Hampâté Bâ confesse que cette oraison est quasi intraduisible, tout à la fois parce que rédigée « dans un arabe particulièrement condensé et synthétique » et parce que presque chaque mot contient plusieurs sens et des connotations ésotériques, sens qui ne peuvent être facilement rendus dans une autre langue sans une longue glose.

Pour avoir un aperçu de la richesse et de la finesse de cette langue, jetons un coup d'œil sur les divers emplois des termes « Vérité » et « Lumière ». Ces deux termes [*al-ḥaqq*] et [*an-nūr*] sont parmi les plus beaux des quatre-vingt-dix-neuf noms de Dieu. Chacun est aussi l'un des

---

[34] A. H. Bâ, *op. cit.*, pp. 234-235.

attributs de Dieu et l'une de Ses manifestations à travers Sa création, comme cela est suggéré dans les phrases telles que : « la Lumière du monde (celle) qui est et fait être » et « la manifestation du Vrai par le Vrai ». Lumière et Vérité sont manifestées dans le monde créé à différents niveaux ; ainsi, il y a la Vérité de l'Ultime Réalité [ḥaqīqa], qui est une manifestation de la Vérité. Et il y a aussi la vérité de la certitude [al-mutaḥaqqīqa], une qualité qui est attribuée au Prophète dans sa prière. Ces couches de sens sont inhérentes aux concepts complexes et subtils qui sont exprimés dans cette prière. Lumière et Vérité sont toutes deux Dieu et émanent de Lui, se réfractant à travers le monde créé à différents niveaux et sous différentes formes, et toutes deux sont accessibles aux êtres humains à travers la médiation du Prophète « celui qui possède la Vérité divine », lui qui est la manifestation humaine de la Lumière sous la forme de [nūr muḥammadiyya], la lumière de Mouhammad.

De la même façon, les mots « lumière » et « vérité » qui apparaissent dans ce recueil de poèmes comportent différents niveaux de sens. Comme l'illustrent les vers cités plus haut, Alfâ Bôkari emploie presque toujours, pour la lumière, le terme arabe *nuuru* et, occasionnellement son pluriel peul *annooraaji*, qu'il fasse allusion à la Lumière qui émane de Dieu ou à celle du soleil ou de la lune. Pour exprimer le concept de « vérité », il emploie le plus souvent soit le peul *ngoonga* soit l'arabe *haqiiqa*, et le sens spécifique de chaque emploi ne peut être supposé que d'après le contexte. Cependant il utilise aussi des variations sur le terme arabe *al-ḥaqq*, plus rarement et seulement pour faire référence à Dieu, par exemple dans la phrase *sirri nuuru-l-haqqi*, « le mystère de l'illumination par la vérité » (v. 52)[35]. Ces mots rappellent l'expression [al-nūr al-muṭalsam], dans *La Perle de la Perfection*, que Hampâté Bâ traduit par « la lumière sans couleur », mais qui peut se traduire aussi de façon plus littérale « lumière mystérieuse ».

Tierno Bokar aussi parle des différentes qualités de vérité et de lumière. Il dit qu'il y a trois lumières symboliques, dont deux sont matérielles et une spirituelle : la première de celles-ci est comme la lumière donné par un feu que nous allumons et qui peut être éteint et rallumé, un tel feu ne procurant qu'une chaleur et une lumière limitées. La seconde est comme le soleil qui éclaire et réchauffe tout ce qui existe sur la terre ; elle demeure fixe et immuable par rapport à nous. « La troisième lumière est celle du centre des existences, c'est la lumière de Dieu. Qui oserait la décrire ? C'est une obscurité plus brillante que toutes les lumières conjuguées. C'est la lumière de la Vérité[36] ».

---

[35] Voir aussi, au vers 102 : *muraadu l-haqqi*, « l'objet de la vérité suprême ».
[36] A. H. Bâ, *op. cit.*, p.137.

La *Perle de la perfection* contient encore d'autres références symboliques qui trouvent un écho dans ces poèmes : telle, par exemple, la métaphore de l'abreuvement pour étancher la soif spirituelle. Le mot arabe [*cain*], comme le mot français « source », renvoie à un endroit où l'eau sourd du sol ; Alfâ Bôkari, comme les autres « quêteurs » de connaissance, brûle de boire à la source tout à la fois de la Lumière et de la Vérité. Est aussi présente l'idée du retour à la source : émanations de Lumière et de Vérité viennent de Dieu et aussi retournent à Lui – « de Toi vers Toi ». Ce mouvement de retour à la « source » est le concept central de la pensée mystique soufie ; ainsi, à travers son effort dévotionnel personnel, le « quêteur » de connaissance peut-il devenir ouvert aux émanations divines qui peuvent alors lui révéler la Vérité. Ses oraisons, incluant la récitation de sa poésie, l'aide à s'approcher au plus près de Dieu et du Prophète, le long de « la voie la plus complète et la plus droite » menant à « la source directe des connaissances », la connaissance de la gnose [*macrifa*] qui est reçue directement sans le recours à l'intellect. C'est ce à quoi renvoie Alfâ Bôkari comme « le mystère de l'illumination par la vérité ». Lui aussi, comme Mouhammadou Abdoullâye Sou'âdou, prétendit recevoir la connaissance directement de « la source » sans recours nécessaire à l'étude :

> L'éclair du Seigneur-des-deux-Mondes a passé sur moi et tant en suis troublé
> que cela m'arrache la raison, j'en suis comme ivre et ma vue pénètre
> en son mystère qui distille en mon sein et dont je me gorge
> sans même que mes gens ne remarquent mon absence, au milieu de leur causerie,
> puis je reviens à moi, éructe et régurgite les vérités (*goongaaji*) d'Ahmad !
> (v. 38)

Pour finir, le mot arabe *faiḍa* est aussi une allusion à l'eau. Le mot peut être traduit par « émanation », comme le fait Hampâté Bâ, mais aussi par « flot », « inondation » par référence à la profusion de bénédictions que déverse le Prophète et qui sont promises aux adhérents de l'ordre soufi de la Tidjâniya. Le concept de *faiḍa* est central dans les enseignements et les pratiques de la *Tijāniyya Ibrāhimiyya*, l'un des ordres soufis majeurs en Afrique de l'Ouest[37].

*
*   *

Cette brève exploration de l'imagerie mystique figurant dans *Un Long Voyage* illustre en partie le contenu, la complexité et la subtilité de la pensée musulmane en Afrique de l'Ouest dans les derniers siècles. Des images et des idées semblables sont exprimées dans tous les poèmes de

---

[37] Voir Ousmane Kane, « Shaikh al-Islam al-Hajj Ibrahim Niasse » in David Robinson et Jean-Louis Triaud (éds), *Le temps des marabouts. Itinéraires et stratégies islamiques en Afrique occidentale française, v. 1880-1960* (Paris, Karthala, 1997), pp. 303-304.

ce recueil, mais ne sont pas limitées à la seule poésie. Elles résonnent dans le milieu culturel sous différentes formes : aussi bien dans des textes tels que le Coran et d'autres livres religieux, que dans des prières telles que celles récitées quotidiennement par les Soufis ; et même dans la conversation, comme l'illustrent les réflexions et les commentaires de Tierno Bokar et de Sâda Oumar Touré.

Cependant, bien que la poésie religieuse soit composée dans le contexte de ce dialogue culturel, elle possède aussi certains traits qui la distingue des autres genres de discours religieux. Elle est composée pour être chantée ; même si certains poèmes ont été couchés par écrit, leur préservation et leur diffusion se sont effectuées à travers leur performance orale[38]. La valeur doctrinale de certains de ces poèmes a été si bien reconnue qu'ils ont fini par faire partie du répertoire dévotionnel des Musulmans et sont récités pour les bénéfices spirituels qu'ils pourraient apporter. Ainsi Alfâ Bôkari espère que sa poésie informera et inspirera ceux qui l'entendront, mais son souhait ultime est que ses vers soient jugés valables par le Prophète et que celui-ci le récompense, lui et ceux qui les récitent, de ses généreuses bénédictions. La composition de poésie religieuse offre donc au poète une occasion de créer un texte qui puisse aussi être adopté comme une partie de la pratique religieuse islamique. La poésie religieuse est plus un texte « créé » qu'un texte « reçu ».

Comme dans la *Perle de la perfection*, la langue des poèmes de ce recueil est symbolique, pleine d'images mystiques et souvent ésotérique.

Les traductions magistrales et raffinées de Christiane Seydou réussissent à rendre à la fois la signification et la résonance affective de ces poèmes dont le contenu illustre la profondeur de l'héritage mystique des musulmans dans cette région. Et un examen de ce genre de poésie religieuse, resitué dans son contexte culturel et historique plus large – ce qui a été l'objectif de cette préface –, peut ouvrir encore d'autres fenêtres sur l'histoire culturelle riche et variée de l'Afrique et accroître ainsi notre compréhension de nombreux aspects de la culture religieuse islamique des peuples poulophones de l'Afrique de l'Ouest.

---

[38] Christiane Seydou a pu constater, lorsqu'elle a comparé la version du répertoire de M. A. Sou'âdou qu'elle avait enregistrée, chantée par les talibés, au manuscrit détenu par leur maître, que le texte oral était reconnu comme exact, et qu'étaient rejetées sans hésitation les variantes figurant dans le manuscrit, variantes qui pouvaient être aisément identifiées comme erronées du fait qu'elles contredisaient les règles de la métrique.

TEXTES

Si taw ko nii
hara ɗun gasii ! Si mi falju wurtee, waddataa.

S'il se trouve que c'est exact,
tant mieux ! Si je me suis trompé, rectifiez, il n'y aura pas discorde.

(Tierno Diâwo Pellel, v. 398)*

---

* Sow A. I., 1966, p. 204.

ALFÂ BÔKARI MAHMOÛDOU

ALFÂ BÔKARI MAHMOÛDOU

Le poète *Alfaa Bookari Mahmuudu* dit *Gidaado mo Wurongiya* (Aimé, de Ouro-N'dia) est l'auteur de poèmes d'une valeur littéraire et spirituelle qui en ont fait la célébrité. La date de la mort de ce poète varie selon les sources (1350 de l'Hégire, soit 1931/1932 ou bien 1950), mais son œuvre se perpétue, faisant partie du répertoire classique des chanteurs de poèmes religieux, l'un de ses étudiants itinérants, *Siddiiku bun Mahbuubu* (né à Ouro N'dia et mort vers 1954 à 37 ans) ayant été l'un de ses principaux diffuseurs. Pourtant, si son surnom, *Gidaado,* le désigne comme « Aimé » (sous-entendu « de Dieu »), ce poète fut, dit-on, en son temps, critiqué par certains de ses contemporains qui lui reprochaient de ne pas avoir clos le cycle complet des études et de s'être mis très jeune à composer de la poésie religieuse sans être un lettré accompli. Cette animosité l'aurait même amené à se réfugier à Kouboulou, le village natal de sa mère. Certains de ses poèmes font allusion à cette situation.

Est ici présenté en premier son poème le plus célèbre, *Tifal* (Long voyage/Longue étape), qui compte 125 vers de cinq sections chacun (*taḥmis*). On peut y apprécier une richesse et une délicatesse de style mises au service d'une réelle élévation de pensée et d'une inspiration mystique plus proche de la spiritualité soufie que du simple militantisme religieux, même dans les strophes où le poète, se faisant prédicateur, exhorte ses ouailles à imiter tous les compagnons du Prophète.

Suivent trois autres poèmes : le premier évoque longuement les persécutions subies par le Prophète en son temps et le comportement des hommes qui ont refusé de le reconnaître. Ce faisant, l'auteur semble animé surtout par le souci de dénoncer – le plus souvent implicitement, mais aussi explicitement, au détour d'un vers – les persécutions et les médisances dont il fut l'objet de la part de ses contemporains : ainsi peut-on voir dans les vers 16 à 18 une allusion à son cas personnel et aux moqueries de ses détracteurs, qui l'ont amené à s'exiler ; de même dans le second poème, il fait au vers 16 une allusion directe au mépris que lui ont valu ses écrits et, au vers 41, développant la métaphore – annoncée au vers 38 – de la tornade porteuse de pluie bienfaisante, il stigmatise de façon détournée le refus de ses proches de profiter de son abondante production alors que des gens qui se trouvaient loin n'ont pas hésité, poussés par leur amour mystique, à venir jusqu'à lui pour s'y « abreuver ».

Le dernier poème est, en dépit de l'emploi permanent de la première personne et de la récurrence des apostrophes (« Mes gens, mes frères... » !), beaucoup moins personnel ; il est d'une facture plus « classique » et apparaît plus conventionnel tant dans son style littéraire que dans son contenu religieux. Nous ignorons les dates de composition de ces divers textes ; toutefois celui-ci pourrait bien apparaître comme marqué par une certaine volonté du poète de se conformer aux modèles reconnus, pour couper court à toute critique.

Le long poème intitulé *Tifal* (Un long voyage) a été enregistré par mes soins en 1977 à Bandiagara ; il était chanté par un chantre aveugle à la voix magnifique : *Aamadun Kunnje* dit *Missi*, né à Wori (cercle de Douentza) vers 1910 et qui, venu à Bandiagara depuis son jeune âge, fut un élève de *Ceerno Bookari Saalihu* (Tierno Bôkar Sâlif, connu comme « le sage de Bandiagara » depuis l'ouvrage que lui a consacré Amadou Hampâté Bâ[1]).

La transcription du texte a été établie avec la collaboration d'Almâmi Malîki Yattara et vérifiée auprès de *Moodibbo Baaba Temmbeli*, à Bandiagara, *Buubu Hadi Kaaja*, à Ténenkou et *Maamuudu Buukari* de Ouro-N'dia, à Togguéré-Koumbé.

Quant aux trois poèmes qui suivent, ils ont été enregistrés en mars 1977 à Togguéré-Koumbé ; ils étaient chantés par *Nalla Ahmadun* ; la transcription et la traduction en ont été effectuées avec la collaboration d'Almâmi Mâliki Yattara.

---

[1] Amadou Hampâté Bâ, 1980.

TIFAL
UN LONG VOYAGE

TIFAL

A yonaali ko ndaayaa koo a yottaaki muntahaa !   1
A tiimi[a] tifal ngal timmataa yornu ɗalu yaha !
Yehi yeeso ma'aa[b] beegaaɓe faa ɓerɗe mum ndahaa
fa mbanyi huunde fuu njiɗi Gaaɓɗo faa perti ana coha !
Giyam, ɓeydu soobey[c], cooyno-ɗaa yimɓe Ahmada !

Giyam, tiinna jokkita yimɓe ɓeltiiɓe tiimta ɓe   2
henyora ngoonga keewaa henndu faa imminaa kobe
wataa yeeya konu Sayɗaanu pelloowo joom-jabe
ngaɗaa jaado maa Kaananke Jaaliiɗo Joom-tube !
Giyam, tuuga Joomaa jokku jootaaɓe Ahmada !

Giyam, haybu duniyaa koo anii[d] bonna haaju maa   3
anii jokku maa ana ɓeyda jootee e ɓernde maa
anii hoomtu maa ana siini faddaade laawi maa
anii haafo maa turu maa aɗa nii jokki tuuyo maa !
Giyam, turta yewraa ngoonga ɗati rewɓe Ahmada !

Giyam haybu jaaruɗe maa, giyam haybu awra maa   4
giyam haybu ɓerngel maa, giyam haybu juuɗe maa
giyam haybu ɗemgal maa e hebbinde haala maa
giyam haybu narruɗi, haybu gite, haybu needi maa
ngonaa neɗɗo ŋarɗaa yaadu njaanwaa[e] to Ahmada !

Var. :

2. (3) taa yeeyita konu...

---

[a] On attendrait *tiimii*, ainsi qu'au vers suivant *yehii*, mais pour des raisons métriques sans doute, le poète a préféré *tiimi* et *yehi*. Inversement toutes les voyelles finales des hémistiches et, davantage encore, la rime de chaque vers sont prononcées longues, quelle que soit leur longueur originelle.
[b] *maa'a : maaɗa.*
[c] *soobey : soobee.*
[d] *anii : annii.*
[e] *njaanwaa : njaawnaa.*

UN LONG VOYAGE

Point temps encore pour toi de faire halte ! Tu n'es pas arrivé au terme !
Tu as prévu un voyage sans fin ! Lâche les rênes, laisse aller ta monture !
Il en est parti avant toi, des hommes si aimants que, subjugués en leur
    cœur
et pleins d'aversion pour toute chose mais d'amour pour le Privilégié, ils
    ont repris leur course aventureuse !
Ami, redouble d'endurance, vois au loin les gens d'Ahmad !

Ami, courage ! Marche sur la trace des devanciers et en sois le reflet !
Fais diligence pour l'amour de la vérité, élance-toi[1], à faire voler la pous-
    sière,
sans un regard pour l'armée de Satan qui fait feu de toutes ses balles,
et prends pour compagnon de route le Souverain, le Victorieux, le Maître-
    du-Monde[2] !
Ami, trouve appui en ton Maître et joins-toi à ceux qui n'ont d'autre pas-
                           [sion qu'Ahmad !

Ami, garde-toi de ce monde : il ne peut que gâter ton affaire !
Le voici qui s'attache à tes pas, accroissant les passions en ton cœur,
le voici qui te séduit, tout décidé à semer d'obstacles tes chemins,
le voici qui te violente et te force à fléchir et te voilà qui cède à tes désirs !
Ami, redresse-toi et, pour l'amour de la vérité, observe les chemins des
                           [disciples d'Ahmad !

Ami, prends garde à tes pas ! Ami, prends garde à ton sexe !
Ami, prends garde à ton pauvre cœur, prends garde à tes mains !
Ami, garde ta langue du bavardage à outrance !
Ami, prends garde à ton ouïe, garde à tes yeux, à tes manières !
Sois un homme accompli et, d'un train splendide, te hâte vers Ahmad !

---

[1] L'expression peule utilisée, *keewaa henndu*, « emplis-toi de vent », c'est-à-dire « prends ton élan »
est ici une réinterprétation stylistique de l'expression courante *keewaa anniya* « emplis-toi
d'intention » c'est-à-dire « prends la ferme résolution de... »

[2] Textuellement « Maître-des-tambours ». Il s'agit des grands tambours, insignes du commandement,
qui ont fini par désigner la structure militaro-administrative correspondant au territoire soumis précisément à l'autorité du détenteur de ces tambours.

Giƴam pamɗinaa nyaammaa e yaro maa e ɗoyɗi maa   5
yo dee kulle jeeɗɗi tagaa ngaɗaa laabi Jahannama !
Wati a hoolo cellal koo anii maayde sonngu maa
nulaaɓe e horsude fuu anii yeeso ndoomtu maa !
Giƴam yooɓa ngoonga fa kewto-ɗaa yimɓe Ahmada !

Giƴam tiinna, ɓam njooɓaari koo wayna yimɓe maa   6
giƴam sellu anniya koo anii worɓe ardi maa
giƴam tiinna, tampita koo anii tiwre yeeso maa
giƴam yaawna ŋarɗaa yaadu fati ɓurɓe mboppu maa
giƴam sooba, wondu e Laamɗo, hiru worɓe Ahmada !

Kiraa worɓe Ahmadaa ɓee ɓe kirnooɗo fuu ɓurii   7
waɗooɓe e nder jamaanuuji feetooji[f] moyŋari
yahooɓe na ndaɗondira lomtondira ngoonga cooboori
nde oo daɗii ɓeltii fuu nji'aa goɗɗo feenyorii
kuyam dee Nulaaɗo e siinde yottaade Ahmada !

Kasen daɗɗi ɗii coftaama kawrii fa ndannira   8
ɗi porrii pusii nder jeerɗe nyallii anii ndira
ɗi cuŋlaa e nyaamdu ɗi pooɗataa culta fay njara
kuyooji na teerana Gaaɓɗo jaroyooji Kawsara
ngaɗii ngiifu mbiftike mbirnorike rewde Ahmada !

Alaa layta[g] wonɗo mi yarno nuuru-l-mukarrami   9
mi heɓa doole doppoo saama pene fuu[h] ɗe kawru-mi
mi hela tuur[i] mi fala nyonngeere tawa yimɓe am comii

Var. :

8. (3) ... fay mera

---

[f] *feetooji* : emprunt au français « fêtes ».
[g] *Alaa layta* : altération de l'arabe ['ayā] : interjection d'appel et [layt], « plût à Dieu que... ».
[h] *fuu* : souvent prononcé *fuh*.
[i] *tuur* : emprunt au français « tour ».

Ami, sois sobre en ta nourriture, ta boisson et ton sommeil !
Ce sont là sept choses créées comme autant de voies menant à la Géhenne.
Ne te fie point à ta santé, car voici la mort prête à bondir sur toi !
Les Envoyés[3] tant révérés, sont là-bas devant, qui t'attendent !
Ami prends pour viatique la vérité afin de rejoindre les gens d'Ahmad !

Ami, courage ! Prends ton viatique et dis adieu aux tiens !
Ami, sois ferme en ta résolution, voici des hommes pour te guider !
Ami, courage ! Donne-toi grand peine, voici l'étape devant toi !
Ami, fais vite et va, d'un train splendide, de peur que les Meilleurs ne te
    délaissent !
Ami, fais tout pour être avec le Seigneur et l'émule des hommes d'Ahmad !

Fais-toi l'émule des hommes d'Ahmad ! Tous ceux qui l'ont été ont sur-
ceux qui, en leur temps, se livrant à de splendides fantasias,   [passé
se devançant et se succédant tour à tour, ont mis tout leur zèle en la vérité
chaque fois que l'un a gagné du terrain et dépassé le groupe, on en voit
    un autre apparaître, emporté par
son enthousiasme pour l'Envoyé et sa détermination à atteindre Ahmad !

À nouveau les gagnants, en peloton, se sont élancés pour se distancer,
alignés de front, ils ont foncé par les brousses sauvages et, tout le jour,
    les voilà qui filent
sans se soucier de manger, sans tirer sur les rênes pour prendre quelque
    repos ni même boire,
galopant, pleins d'enthousiasme, vers le Privilégié, pour aller boire au Ka-
    ouçar[4] !
Tourbillon bruyant[5] ils sont passés à toute volée, et ont disparu, sur les pas
                                                                    [d'Ahmad !

Plût à Dieu que je me fusse abreuvé à la lumière du Révéré !
J'aurais la force de bouter tous les mensonges rencontrés,
je tournerais, coupant aux angles et, trouvant mes gens harassés,

---

[3] Il s'agit des deux Anges de la mort, venus accueillir le mort.
[4] Bassin du Paradis où puiseront les bienheureux après le Jugement et le passage du pont Sirât.
[5] Textuellement « font le *ngiifu* » ; il s'agit d'un jeu d'enfant constitué d'un morceau de calebasse rond percé de deux trous par lesquels on fait passer deux ficelles que l'on tire de ses deux mains : la traction ainsi exercée fait glisser et tourner le morceau de calebasse le long des deux ficelles en produisant une vibration et une sorte de vrombissement. Les enfants disent que c'est là « leur cheval ». Appliquée aux cavaliers, l'image évoque ici tout à la fois le tournoiement et le bruit de ce jouet.

mi daɗa yemre am faa ɓe ndulla feyʲ ɗo ngardu-mi
mi heɓa deesewal ndaɗu darja am toowra Ahmada !

Se ɗum nee walaa a yaraali wayloore cuŋliraa   10
zunuubu ko haɗu maa yarde fay horde njaŋwiraa
njaɓaa yarritaade e yarde colla faa purɗoraa
fa ɗum mette ɓernaa piɗɗo-ɗaa nyiimto-ɗaa kiraa
walaw a hiiri hiirndu e batte caacaati Ahmada !

Daɗaangel e Gaaɓɗo bilaama haftiima ana fara   11
henyiima fa fergii heldi yiɗi makko hemmbira
laƴoowel na lamndoo laawi hiirndii anii wara
nde laƴi lakkitii nde diri dillini nde tampi fuu sora
walaw ronki heɓde ɓe duu yo keewanɗo Ahmada !

Mi hirdii jokolɓe Nulaaɗo ƴoolteede himme am   12
mi hiirndii e jokkude buurti ɓeltiiɓe yeeso am
mi waɗa nyalla waala mi siina ɓuytirde tiwre am
mi tiinnitoroo yiɗi makko ti teeŋinde ɓernde am
mi heewtira teelal yimɓe teeranɓe Ahmada !

Mi naatan e jeerɗe mi hultataa fay so njeŋgu-mi   13
mi coobiiɗo yaade mi sultataa fay so tampu-mi
mi siinaay lelaade walaw nde coyƴii-mi caamu-mi !
Nulaaɗam sahii kam say mi yottoo mo ciinu-mi
walaw ɗum henyaaki mi heppataa tiwre Ahmada !

Var. :

10. (4) … piifto-ɗaa kiraa
    (5) …caasaati…
12. (1) … ƴooltaaɓe himme am

ʲ *fey : fes.*

tant distancerais mon groupe qu'ils ne sauraient même plus par où serais
    passé
je remporterais l'étendard du gagnant et ma gloire en serait rehaussée grâ-
                    [ce à Ahmad !

Mai si – bien loin de cela ! – tu n'as pu boire à la tornade[6] et en as peine,
le péché t'ayant empêché de boire fût-ce une bolée pour t'en conforter,
consens volontiers à boire la poussière, dusses-tu en être tout poudreux,
en éprouver fort déplaisir et contrariété ! Tu n'auras qu'à t'épousseter, te
    moucher et, plein d'émulation,
même au soir déjà tombé, te mettre en route sur les traces des destriers
                    [d'Ahmad !

L'infortuné qui, dans la course au Privilégié, s'est laissé distancer, fâché,
    a détalé, renâclant[7],
et, dans sa hâte, a bronché, s'est brisé un membre qu'a cependant guéri son
    amour pour lui ;
et le voilà boitillant qui, demandant son chemin, parti au soir, arrive enfin,
tout claudicant qu'il soit et avançant clopin-clopant, d'un pas saccadé et à
    grand peine, il s'est mis à l'abri.
Quand bien même il n'a pu les gagner, il est, lui aussi, plein d'amour pour
                    [Ahmad !

Émule des preux de l'Envoyé, tout comme eux débordant de passion,
je suis parti au soir, suivant les pistes tracées par ceux qui m'ont devancé
et, tout le jour, toute la nuit, à réduire ma distance je m'évertue,
trouvant en mon amour pour lui toujours plus d'ardeur à raffermir mon
    cœur
et tout plein de cette solitude des gens dont la course a pour but Ahmad !

Je m'engagerai dans les brousses sauvages sans nul effroi, même au cœur
    de la nuit,
dans ma marche, obstiné, ne prendrai nul repos, même exténué,
nullement résolu à m'étendre, dussé-je tomber sous le poids du sommeil !
Mon Envoyé m'a embrasé, arriver jusqu'à lui est mon unique dessein,
si lent que soit cela, je ne perdrai point patience sur le trajet menant à Ah-
                    [mad !

---

[6] Il s'agit de « tornade de lumière », image traditionnelle du langage mystique utilisée pour évoquer
le Prophète Mouhammad. Quant à « boire la poussière », cette expression signifie « être devancé ».

[7] Dans tous ces vers, la confusion est perpétuée entre les chevaux et leurs cavaliers, le poète utilisant
le classificateur *dî*, renvoyant à *pucci* (chevaux), terme utilisé par synecdoque pour désigner aussi
les cavaliers.

Sabil miɗo miila no Laamɗo laatoo yo ballo am   14
ti nguli am e yolbere am e ɗomkam e nyaanu am
e nyaagunde am nde nyakaali tayɓiran-mi ɗoyɗi am
ko 6uri ɗum nafaa fuu noo 6ural Laamɗo ngal e am
jogoo junngo am faa tummba nder junngo Ahmada !

Yo ɗum jaati woni nyaw am mo cuŋlir-mi uumrude   15
mo ndonkam-mi ɗum cawroowo kimmir-mi ferwude
yo ɗum njaltiram-mi e yim6e ɗum ciin-mi ferdude !
Giyam, da66e kam e Nulaaɗo 6ee ciin-mi hewtude
yakaw6e yaroo6e haqiiqa yarrii6e Ahmada !

Mi nyaagiima Laamɗo mo yaŋwinam faa mi hewta 6e   16
mi laatoo daɗaaɗo arannde kewtiiɗo dannii6e
mi wona lewru sappo e nay yakawndu e dow ni6e
yahooru na toowira ngoonga wallooru majju6e !
Illaahi waɗam joom-ngoonga golloowo Ahmada !

Mi ha66iima ka66ol ngoonga gollande Gaa6ɗo am   17
mi gunndiima jaadam oo ko sakkitii e pewje am
ko sellii e anniya am ko yooltii e miilo am
ki jaabiima « min kawrii ! » ki laatiima ballo am
ki ɗoftiima kam hiranii-mi himmir6e Ahmada !

Ki wii : « Nyaaga Joomaa walle nyemmbinde Mustafaa   18
ke6aa nuuru Ahmada lootiraa 6ernde maa kefaa
celaa solindaare e waamre mosola e munnafaa
ke6aa urwatu-l-wusugaa[k] kumor-ɗaa kasen tefaa
dewal Laamɗo laamgal[l] jottinoowal ma Ahmada ! »

Var. :

14. (3) ... tayram-mi... (comme on le verra aux vers suivants, le poète assimile le *-n*
final du verbe au *m-* initial du pronom suffixé : *ndonkam-mi, njaltiram-mi*).
15. (4) ... 6en ciin-mi...
16. (1) ... mo yaawna kam faa...
   (2) ... kewtoyɗo...
18. (1) Ko nyaagii-mi Joomam wallu 'en yiide Mustafaa
   (5) ... jokkinoowal...

---

[k] ar. : [ᶜurwat al-wuṭqā] : textuellement « anse solide/qu'on peut saisir en toute confiance ».
[l] *laamgal : laa6ugal > laa6gal > laamgal.*

Car je songe comment le Seigneur peut se faire mon allié :
ma sueur, ma faim, ma soif, mes efforts pour subsister,
et mes suppliques qui ne manquent guère, m'ont ôté le sommeil,
mais plus efficace que tout est l'excellence du Seigneur à mon égard
puisqu'il tiendra ma main jusqu'à ce qu'elle soit dans la main d'Ahmad !

Telle est bien la nature du mal qui me tourmente à m'en faire gémir
pour lequel je ne saurai trouver guérisseur et n'aspire qu'à l'isolement,
et voilà pourquoi, devant m'évader loin des gens, j'ai décidé de partir !
Ami, ceux qui m'ont distancé dans la course vers l'Envoyé, je suis bien
      résolu à les rattraper,
eux qui furent diligents, abreuvés à la vérité, et ont donné leur adhésion à
                                                          [Ahmad !
Je supplie le Seigneur de me donner la force de les rattraper
et que, devancé que j'étais auparavant, je rattrape ceux qui m'ont distancé
que je sois une lune à son quatorzième jour, dont l'éclat triomphe des té-
et l'orbite s'élève par la force de la vérité, secours des égarés !   [nèbres
Mon Dieu, fais de moi un homme de vérité, un ouvrier d'Ahmad !

Je me suis enchaîné aux chaînes de la vérité pour œuvrer au service de
      mon Privilégié,
j'ai pris ma compagne[8] pour confidente de mes ultimes desseins,
de ce dont j'ai pris ferme résolution et qui occupe toute ma pensée.
Elle a répondu : « Nous sommes d'accord ! », s'est faite mon alliée,
et m'a suivi dans mon émulation envers ceux qui n'ont d'autre passion
                                                          [qu'Ahmad !
Elle dit : « Prie ton Maître de t'aider à imiter l'Élu !
Tu dois acquérir la lumière d'Ahmad pour en laver ton cœur et de sa gan-
renoncer à négligence, paresse, utilités et avantages,   [gue le dégager[9],
te procurer pour t'en ceindre une solide sangle et aussi rechercher
une pure dévotion au Seigneur, qui te permettra d'atteindre Ahmad ! »

---

[8] C'est-à-dire « ma conscience, mon âme ».
[9] Textuellement « l'éplucher, l'écaler ».

Mi ɗoftiima jaadam oo ko sappii e waaju am 19
mi nyaagiima Joomam laaytanam lampa[m] ɓernde am
fa ɗum wona pooyngol am fa ɗum weenna jemma am
fa ɗum funna naange amam fa ɗum ɓeyda jiile am
tawee nde njimam-mi Nulaaɗo fu mi yeewa Ahmada !

Waɗin nder ɓerndam ngingu[n] Muxtaar no fellere 20
anii sannyinii saakii e terɗam no sarfere
e ɗum saha kam faa bonna gaajam e yeewtere
so ɗum sattirii kam saatu fa mi yalta nder gure
mi woɗɗoo reworɓam fuh mi wondan e Ahmada !

Mi siinii yimande Nulaaɗo fa mi firta sirru am 21
mi siiwtoo haqiiqa mi siiwa nder ɓerɗe worɓe am
fa ɗum yeewta kam fa mi ŋootta yeeweede yimɓe am
mi foɗa miilo am faa moomta suura Nulaaɗo am
mi suumoo mi suftoo mi suuɗoroo yiɗɗe Ahmada !

Se nii no wanaa solindaare ma mi yettu Gaaɓɗo am ! 22
Mi ferwa mi feewta e Laamɗo moyyinɗo zaati[o] am
mi ferroo mi feekoo luuɗa fa mi tuuta dukkuram
fa jaɓɓitiree ɗum ngoonga winndooɓe golle am
ɓe cowa ɗum fa darngal cowta ɗum yeeso Ahmaa !

Var. :

20. (5) … wondan miin tan e Ahmada (variante fautive du point de vue métrique).
21.(5) … yimde Ahmadaa.

---

[m] *lampa* : emprunt au français « lampe ».
[n] *ngingu* : < *ngiɗgu*.
[o] Le chanteur respecte la prononciation arabe du mot [ḏāt], *zaati*. De même, au vers 26, dit-il *zamaanu* ([zamān]), alors que le mot est adopté en peul sous la forme *jamaanu*.

J'ai obéi à ma compagne en ce qu'indique ici mon prône :
j'ai prié mon Maître d'éclairer pour moi une lampe en mon cœur
afin qu'elle me soit clarté aurorale et fasse jour en ma nuit,
qu'elle fasse poindre mon soleil et croître ma vision !
Peut-être alors, chaque fois que je chanterai l'Envoyé, apercevrai-je Ah-
[mad !

Qu'il mette en mon cœur l'amour de l'Élu, telle une marque blanche[10],
voilà qu'il en tisse toutes les fibres de mon corps, irradiant tel un faisceau
    de lumière
et cela tant me consume qu'en sont altérés mes propos et ma causerie
et que, parfois, si fort en est en moi l'effet que je quitte les villages
m'écartant de tous mes compagnons[11] pour être seul avec Ahmad !

J'ai résolu de chanter pour l'Envoyé afin de dévoiler mon secret,
épurer en moi la vérité et la verser goutte à goutte au cœur de mes hommes,
que cela m'arrache à ma solitude et que s'apaise en moi la nostalgie de
    mes gens,
que s'élargisse le champ de ma pensée jusqu'à composer l'image de mon
    Envoyé
et que, retenant mon souffle puis l'exhalant[12], je reste caché à cause de
                                        [mon amour pour Ahmad !

Ainsi bannie toute négligence, il me faut rendre grâce à mon Privilégié !
Dans le calme de la solitude, je fais face au Seigneur qui façonna mon
    être,
assis, paumes sur les genoux, je clame et crie à tue-tête pour exorciser
    mes rancœurs
et être ainsi accueilli, en vérité, par les Greffiers de mes actes[13]
qui les consignent pour, à la Résurrection, les révéler devant Ahmad !

---

[10] Le terme utilisé, *fellere*, désigne la pelote au front d'un animal et, pour un humain, un front haut et dégagé ou un début de canitie au sommet du front.

[11] Le terme utilisé, *reworɓe*, désigne les personnes qui vivent dans l'obédience du poète, ses proches, ses disciples. *Reworɓam* correspond aussi, souvent, à l'expression « mes frères », dans son sens religieux.

[12] Les deux verbes utilisés dans le texte peul évoquent l'attitude de quelqu'un qui, pour l'identifier ou l'apprécier, hume par courtes aspirations l'odeur d'un objet qu'il tient dans le creux de sa main dont il se masque le nez, puis expire profondément avec un soupir marquant tout à la fois le relâchement du souffle et une certaine satisfaction.

[13] Il s'agit des anges qui – comme l'explicite le vers suivant dans un raccourci d'expression – consignent tous les actes de chaque homme sur des feuillets qu'ils lui remettront lors de sa comparution, au Jugement dernier (textuellement « ils plieront cela pour, à la Résurrection, le déplier devant Ahmad »).

Yonii koo, yonii koo ɓeydugol am ko puɗɗu-mi   23
e jettooje Ɓurɗo tageefo famɗii ko yuɓɓu-mi !
Ko haanii mi ɓeyda fa kaadi nguurndam ko podana-mi
garal saate am tawa kam mi moomtii ko caatu-mi
mi haɓɓan mi roondoo faggudam fa'ade Ahmada !

Yimooɓe njimii njiiliima njaayraali Mustafaa   24
kenyiima fa keppidi tampi kewtaali hen nafaa
kiram ɗum sonyii kam faa mi soobiima miɗo tefa
yimande Nulaaɗo fa jimɗo fuu yiita hen nafa
mi waɗa ɗum e ɗemle yimooɓe fuu njetta Ahmada !

Ko haanii ko leeɓi waɗii so Mahmuudu yettaama[p] !   25
Walaa jetteteeɗo so ŋarɗa Maahin so yoppaama
yimooɓe na njiiloo fuu ko tagiraa yo barke maa !
Ko non taŋre ndee feccaama gila yeeso ngarki maa
yoga yo yimɓe maa yoga yimɓe solindiiɓe Ahmada !

Zamaanu nde warii fuh waddoran ɓerɗe niɓɓuɗe   26
e nder niɓɓe[q] ɗeen noo ronkataa goɗɗe nuurɗuɗe
humiiɓe faa naadda e jammbe nder togge cukkuɗe
fa peyya fa mbuutoo aawa gemmbuuje jirwuɗe
fa caltina caɓe mun[r] liiyoroo barke Ahmada !

Var. :

23. (4) ... caati-mi
     (5) ... faa e Ahmadaa.
24. (3) kiram ɗum sahii...
26. (1) ... wardoran ɓerɗe...

---

[p] Pour respecter la métrique le chanteur procède à une inversion des longueurs vocaliques et prononce *yettamaa* et *yoppamaa*.
[q] L'auteur utilise tantôt *niɓe* (pluriel de *nimre*), tantôt *niɓɓe* (pluriel de *niɓɓere*) selon les besoins de la métrique.
[r] *mun : mum* ; les deux formes coexistent dans le texte.

Il est temps, grand temps que je développe ce que je n'ai encore qu'ébauché,
en actions de grâce au Meilleur-de-la-Création, bien mince est ce que j'ai
     composé !
Il me faut, jusqu'au terme de ma vie, développer ce qui en mon destin fut
     inscrit
et que la venue du jour fatal me trouve avec la masse de ce que j'aurai
     parachevé :
je n'aurai plus alors qu'à lier et charger sur ma tête mon capital pour aller
                                [vers Ahmad !

Des poètes ont chanté, de-ci de-là, sans but, et sans célébrer l'Élu,
pleins de hâte et rivalisant d'impatience, ils se sont épuisés sans en tirer
     nul profit
alors que mon désir de cela m'a tant pressé que j'ai mis tout mon zèle à
     chercher
à chanter pour mon Envoyé de sorte que tout chantre y trouvât bénéfice,
et que, grâce à mon action, les langues de tous les chantres rendent grâce
                                   [à Ahmad !

C'est faire œuvre juste et belle que de rendre grâce au Digne-de-louanges.
Nul qu'il soit beau de célébrer, si Le-Serviteur-Fidèle[14] se trouve délaissé.
Les poètes baguenaudent alors que tout ce qui fut créé, c'est à ta grâce
     qu'on le doit !
C'est aussi que l'humanité a été scindée dès avant ton avènement,
les uns étant de tes gens, les autres des gens insoucieux d'Ahmad !

Chaque génération qui vient apporte son lot de cœurs obscurcis,
mais du cœur de ces ténèbres, il n'est pas impossible que certains soient
     éclairés
et vaillamment s'engagent, armés de haches, dans les bosquets touffus
pour défricher, faire place nette et planter de vastes vergers
dont les branches étendent une ramure ondoyante par la grâce d'Ahmad !

---

[14] Ces deux épithètes désignent le Prophète Mouhammad.

Sukaaɓe jokolɓe huyooɓe humitiiɓe yaŋwuɓe   27
yarooɓe e nuuru Nulaaɗo faa keɓɗe mun keɓee
e duniya abadaa faa timma ɓen kaa yo ɓanguɓe
fa konu hawrataa immoo kanaa worɓe mun cuɓee
nanee suuyɓe suŋliniraaɓe gollande Ahmada !

Humiiɓe na ngollana Gaaɓɗo abadan ɓe tampataa   28
ɓe naarraali faa njeenee so njettaaka ŋoottataa
ɓe kaɓataa njoɓaaka ɓe cardondirataake murtataa
humiiɓe na peyya cokkeeje pene ngoonga mun tutaa !
Nanee yimɓe Ahmada tampitantooɓe Ahmada !

Nanee gese Muxtaar ɗee remooɓe ɗe puurataa   29
ɗe kaɓataa e keerol njeddondirataake toonyataa
ɗe kiwataake non njarataake toɓataaке ɗaylataa
ɗe duumiiɗe tan golleede abadan ɗe kiɗɗataa
walaw meeɗi hen tamaroore maa yettu Ahmada !

Humiiɓe so ndemii ɓee fuh nganyii sanne faa cowii   30
ɓe kettii[s] ko kemnoo fuu ɓe moomtii anii pawii
njiɗii ngoonga ngollii njiiti njokkii anii ndewii
ɓe mbaawaali ɗum ɓee duu ɓamii kaake mun ndawii
na njiiloo e nder gese yimɓe gollanɓe Ahmada !

Ɓural Ɓurɗo fuu njii-ɗaa wanaa hannde ɗum waɗii   31
to larwaahi ton aawaa so ngarden na gaa fuɗii
fa joom-neema oo feccii no ɓuri haande fuu waɗii
ɓural Sayyida-l-kawnayni ngal ɓurɓe fuu njeɗii
so ana nyemmba hen faa hannde nyemmbinɓe Ahmada !

Var. :

31. (2) ...se nder ɓerɗe gaa fuɗii

---

[s] *kettii : keɓtii.*

Jeunes preux pleins d'enthousiasme, de décision et de vigueur
abreuvés à la lumière de l'Envoyé jusqu'à en avoir leur content
ici-bas, à jamais et totalement, ce sont là hommes si bien connus
qu'une armée ne se peut lever sans que ses recrues n'y soient choisies.
Apprenez que ce sont là braves qui n'ont d'autre souci que d'œuvrer pour
[Ahmad
Et qui, déterminés à œuvrer pour le Privilégié, jamais ne se lassent !
Point ne s'y sont engagés dans l'espoir d'un salaire et, payés d'ingratitude,
    point ne relâchent leur effort !
Ils ne combattent pas pour une récompense, entre eux, nulle rivalité ni es-
    prit de révolte,
vaillamment ils défrichent les fourrés de mensonges pour y planter bou-
    tures de vérité !
Apprenez que les gens d'Ahmad sont gens qui se donnent grand peine
[pour Ahmad !

Apprenez que les champs de l'Élu, qui les cultive ne se fourvoie point !
On n'y connaît ni querelles de bornage, ni contestations ni préjudices !
Pas besoin d'en chasser les oiseaux ni de les irriguer : ils ne subissent ni
    pluie ni sécheresse !
On les peut éternellement travailler sans que jamais ils s'épuisent !
Pour la moindre datte qu'on y déguste, l'on doit rendre grâce à Ahmad !

Ceux qui les ont vaillamment cultivés ont fait ample récolte et à foison,
ils ont moissonné le fruit de leur travail, l'ont ramassé et mis en meules.
Ils ont chéri la vérité, l'ont mise en œuvre, reconnue et suivie en fidèles
    adeptes,
tandis que ceux qui n'en ont pas été capables ont ramassé leurs bagages
    et de bon matin sont partis
errant çà et là, de par les champs des gens qui œuvrent pour Ahmad !

Toute perfection que l'on voie au Meilleur ne date pas d'aujourd'hui,
dans les âmes fut semée pour qu'avec elle nous venions au monde, et elle
    a germé
afin que, le Généreux ayant procédé à la séparation et fait tout ce qui con-
    vient le mieux
et, de la perfection du Seigneur-des-deux-Mondes[15], tous les meilleurs
ayant reçu leur part,
ils imitent dès ici et jusqu'à ce jour ceux qui ont pris pour modèle Ahmad !

---

[15] Textuellement « Seigneur-des-deux-Existences », c'est-à-dire l'existence ici-bas et dans l'autre monde. Cette épithète comme la précédente, « le Généreux », désigne Dieu.

Mo nyemmbi e Nulaaɗo ko golli oon golle mum senii 32
mo hokkii farilla e sunna oon hujja mun yanii
walaw innde muuɗum toowi faa Makka fuu nanii
so nyemmbaali Ahmada kaa e nder fewre tan wonii !
Illaahi yo reen en rewna en batte Ahmada !

Awooɓe mutii ley maaje toon liɗɗi njaltinii 33
asooɓe asii nder leydi toon kaŋŋe oo wonii
ɓe mbaafni ɓe njeeyi e geenɗe coodoowo fuu nanii
ɓe coobii e soodde haqiiqa haggan ɓe ngoonɗinii
keɓii ngoonga hen kuli Alla ndewi gawlu Ahmada !

Mo jokkii bi'aangol Gaaɓɗo oo hoore mum welii 34
mo yimrii Nulaaɗo haqiiqa oon haala mum welii
mo baaɗini mun ƴooltii mo oon ɓernde mum jalii
yo ɗum pay^t min nyaagii yo ɗun jaati min njelii !
Mi nyaagiima Joomam walla kam yimde Ahmada !

Mi laatoo jimoowo Nulaaɗo fa mi seenna yimɓe am 35
mi seenna malaa'ika'en e faamooɓe miilo am
fa jinnaaji njiɗi Nulaaɗo fuu njannga jimɗi am
raqiibun atiidun mbinnda cowa ɗun e talki am !
Heyƴii seede'en hooreeɓe hoolaaɓe Ahmada !

Be ndewa kam e nguurndam am eɓe mbinnda siiru am 36
ko laatii yo sirram hen ko nantin-mi yimɓe am
fa ɗun ƴoolta dampeejam fa ɗum yaana zambu am
fa ɗun lawƴa ɓernde amam fa ɗun laamna ɗemgal am
mi wona sirriyanke Nulaaɗo cifotooɗo Ahmada !

Mi siforoo Nulaaɗam ngoonga faa yimɓe paamoya 37
mi dartoo mi weddoo daande faa nanɗo fuu huya

Var.

36. (1) ... ši'iru am

---

^t *pay* : *fay, fa'e.*

Qui en ses actes a pris l'Envoyé pour modèle, celui-là, ses actes sont purs
qui a transmis la Loi et la Tradition, celui-là, un argument de bon aloi lui
et son renom dût-il monter jusqu'à la Mekke, on l'entendra !   [revient[16]
Mais s'il n'a point pris Ahmad pour modèle, alors, il n'est que dans le
    mensonge !
Mon Dieu, puisses-tu veiller sur nous et nous faire suivre les traces d'Ah-
[mad !

Des pêcheurs ont plongé au fond des fleuves d'où ils ont sorti des pois-
des mineurs ont creusé au cœur de la terre où se trouve l'or,   [sons
l'en ont extrait, l'ont monnayé dans les cités : tout acquéreur est au cou-
    rant ;
ceux qui ont mis tout leur zèle à acquérir la vérité, en vérité, y ont eu foi
et, une fois la vérité atteinte, ont craint Dieu et suivi la parole d'Ahmad !

Qui s'est attaché aux dires du Privilégié, bienheureux fut celui-là !
Qui a chanté l'Envoyé au nom de la vérité, douce fut sa parole !
Qui, de ses secrets s'est gorgé, son cœur en a exulté !
C'est là tout ce que nous sollicitons, là l'objet même de nos vœux !
Je supplie mon Maître de m'aider à chanter Ahmad !

Que je me fasse le chantre de l'Envoyé afin d'avoir mes gens pour
    témoins,
d'avoir les Anges pour témoins et ceux qui comprennent ma pensée,
afin que tous les génies amis de l'Envoyé apprennent mes poèmes
et que les Gardiens-du-Futur[17] inscrivent et replient cela en mes feuillets.
Sont par excellence témoins ceux qui ont premier rang et la confiance
[d'Ahmad !

Qu'ils me suivent tout au long de ma vie, inscrivant mes vers,
et ce qu'il est en eux de mes secrets et dont, pour mes gens, me suis fait
afin que cela couvre tous mes feuillets et rachète mes péchés [traducteur,
afin que cela lave mon cœur, que cela purifie ma langue
et que je sois un confident de l'Envoyé, un descripteur d'Ahmad !

Que je décrive l'Envoyé avec vérité afin que les gens puissent comprendre,
que, bien droit, je lance ma voix, pour que s'exalte quiconque l'ouïra

---

[16] C'est-à-dire que, au jour du Jugement, il disposera d'une preuve valable à présenter, d'arguments probants en sa faveur.
[17] Il s'agit des Anges qui enregistrent les actes des humains pour en témoigner lors du Jugement dernier, comme l'explicite le vers suivant.

fa giɗo Laamɗo fuu beegaaɗo Ɓurnaaɗo faa woya
fa sooboo e yiɗde mo sanne faa ŋarɗa anniya
mi wona balmotooɗo Nulaaɗo ɓattaa Muhammada !

Maƴere Sayyid-al-kawnayni faantam mi suŋlitoo   38
fa ɗun ɗoofa haqqilla mi sinngira mi gellitoo
e nder sirri makko mi siiwa ndernndeeri am ɓutoo
tawee yimɓe am kattaaki kam nder ko ngaajotoo
mi ɗifta mi gaata mi galja goongaaji Ahmada !

Fa meemnooɗo ngoonga dow makko fuu wonko ɓanngi-   39
fa yoga wallifiima fa waawni[u] fanniiji mballinii   [nii
fa ndewi ndewni sunna Nulaaɗo diinaaji mun cenii
woni hen yimanɓe Nulaaɗo faa ŋarɗi ayyinii
fa nafi ɗun fa nafi kala nanɗo ɗun yetti Ahmada !

Fa Baana e Badaamaasii njimii Mustafaa manii
fa Ibnu-l-Muhayyabi oon mo jaareeɓe nyemmbinii   40
Mitriyaati yettii Gaaɓɗo Hamziyyi ŋarɗînii
wo noon Buusiriyyu huyiino waafnii ko faydinii
adiiɓe e ngoonga adiima kam yimde Ahmada !

Yo Joom-baawɗe oo faabam fa miin duu mi nyemmbita
mi awa ɗum e idi miilam fa binndam mi joyɓita   41
walaw anndal am heewaali waqufuuji am pota
mi jaaroo Nulaaɗam oo mo Jibriila waddata
e muuɗum bi'aangol Laamɗo bi'eteeɗo Ahmada !

Var. :

38. (2) ... mi yellitoo
39. (1) fa meeɗnooɗo ngoonga dow makko fuu wukki ɓannginii

---

[u] L'auteur dit tantôt *waawni* tantôt, comme au vers suivant, *waafni*.

et que verse des larmes tout homme qui aime le Seigneur et vénère l'Élu,
qu'il soit plein de ferveur en son amour pour lui, plein d'une belle résolution
et que je sois le héraut de l'Envoyé, conduit tout près de Mouhammad !

L'éclair du Seigneur-des-deux-Mondes passe sur moi et tant en suis troublé
que cela m'arrache la raison, j'en suis comme ivre et ma vue pénètre
en son mystère que je distille en mon sein et dont je me gorge
sans même que mes gens ne remarquent mon absence, au milieu de leur
causerie,
puis je reviens à moi, éructe et régurgite les vérités d'Ahmad !

Ainsi quiconque a déjà eu accès à la vérité le concernant, en a pu révéler
quelque aspect[18],
ainsi certains ont composé et produit diverses œuvres qu'ils ont publiées,
ainsi ont-ils suivi et fait suivre la Tradition de l'Envoyé et ses dogmes
sont-ils restés purs.
Il en est parmi eux qui chantent pour l'Envoyé en vers si beaux et si clairs
qu'ils lui sont utiles et le sont à tout homme qui, à leur écoute, rend grâce
[à Ahmad !
Ainsi Bâna et Badâmâssi ont-ils chanté et loué l'Élu
et aussi cet Ibn-al-Mouhayyabi que les chantres ont pris pour modèle !
Le Mitriyâti a rendu grâce au Privilégié et la Hamziya l'a bellement
dépeint
c'est ce que Boussiri, dans son enthousiasme, avait produit comme œuvre
fructueuse[19].
Les premiers dans la voie de la vérité, ils m'ont précédé dans la célébra-
[tion d'Ahmad !

Que le Tout-Puissant me seconde afin que, moi aussi, je les imite,
que pêchant cela aux abysses de ma pensée, je compose mes strophes[20]
et que, si modeste soit mon savoir, bien égaux soient mes vers,
que je loue mon Envoyé, celui en qui Gabriel devait insuffler
la parole du Seigneur, le dénommé Ahmad !

---

[18] Variante : textuellement « quiconque avait goûté de la vérité à son sujet, l'a recrachée et révélée ».
Cette variante poursuit l'image du vers précédent, le verbe *wukkude* évoquant l'action de « laisser
échapper involontairement ce que l'on a dans la bouche ou que l'on tient entre ses dents ».

[19] L'auteur cite en particulier le poète *Al-Būṣīrī* (1213-1296) dont les œuvres les plus connues et
les plus imitées par les poètes africains sont : *Bānat suʿād* ; *Al-ʼamziyya* et *Al-Burda*.

[20] Textuellement « je quintuple », c'est-à-dire « je compose des vers de cinq sections » sur le modèle du *taḥmis* de la poésie arabe. Pour une transposition des termes dans la prosodie française, nous
parlerons de « vers » pour ces « sections » et de « strophes » pour ce qui, dans la poésie peule, correspond en réalité au « vers », marqué par une rime unique tout au long du poème.

Mo Jibriila jippantoo yo oo Joomi mum yiɗi   42
mo baadîni muuɗum moomti nuuruuji jeeɗidî
so ana yaha yahana e majji abadan yo hen moɗî
fa Qur'aana fuu nder majji jippii yo hen foɗi !
Walaa fuu ko foofata gaa ko fondaa[v] e Ahmada !

Nulaaɗo yarii ƴooltaama nuuru-l-nubuwwata   43
Nulaaɗo yarii ƴooltaama nuuru-r-risaalata
Nulaaɗo yarii ƴooltaama ilmu-l-haqiiqata
Nulaaɗo yarii ƴooltaama nder aadamiyyata !
Siraajun muniirun sirri Allaahu Ahmada !

Kasen nuuru ruuhu-l-haaqi Ɓurnaaɗo faydorii   44
mo yarnaama nuuru-l-gabdî basɗu mo yirwirii !
Yo ɗii jeeɗɗî jaatee[w] Mustafaa laamri yaŋwirii
so ana huɓɓa annooraaji abadan no duumorii !
Jaroowo to Laamɗo haqiiqa haggan yo Ahmada !

Nulaaɓe nulaama fa keewi hono Gaaɓɗo fuu walaa   45
kasen dewte[x] njippike nanndo Furqaana fuu walaa
Ilaaha-l-baraa woni Baawɗo bal goɗɗo fuu walaa !
Ngaren njokkiren ɗii goonga toowren na manzila
fa kala ƴoyƴo fuu rewa Alla reenoo ɗo Ahmada !

Reworɓam ndewee konngol Nulaaɗo fa ndeeno-ɗen   46
ngaree elto-ɗen ne'o-ɗen ngufen fewre mbiiro-ɗen
njiɗen ngoonga pooccito-ɗen mbanyen fewre moolo-ɗen

Var. :

42. (1) ... jippontoo... (*i. e.* jippanotoo)
45. (4) ... ɗii goongaaji... (goonga : apocope pour des raisons métriques).

---

[v] *fondaa* : < **fot-d-aa.*
[w] *jaatee* : *jaati* ou *zaati.*
[x] L'auteur varie les formes de ce pluriel : *defte, dewte, depte.*

Si pour lui Gabriel devait descendre, c'est que certes il fut cher à son Maître
lui qui au plus profond de son être a sept lumières réuni :
quand vers elles à jamais sa marche le menait, c'est en elles qu'il se
 plongea
et quand enfin tout le Coran à travers elles descendit, c'est en elles qu'il
Il n'est ici nul être vivant qui soit comparable à Ahmad ! [s'épandit !

L'Envoyé a bu à profusion à la lumière de la Prophétie
l'Envoyé a bu à profusion à la lumière de l'Apostolat
l'Envoyé a bu à profusion à la lumière de la Science de la Vérité
l'Envoyé a bu à profusion à la lumière de l'Humanité !
Cierge qui éclaire les mystères de Dieu, Ahmad !

De la lumière d'une âme véridique, l'Élu eut aussi la faveur
lui qui, abreuvé à la lumière de félicité, en a étendu son aire !
Telles sont les sept essences qui ont fait la pureté de l'Élu et sa force tandis que les lumières qu'il diffuse à jamais ont fait sa pérennité !
Celui qui, auprès du Seigneur, s'abreuve de vérité, en vérité, c'est bien
             [Ahmad !

Nombreux furent les Messagers envoyés, mais comme le Privilégié il n'en
 est aucun !
Des livres aussi sont descendus, mais semblable au Différenciateur[21], il
 n'en est aucun !
Le Dieu-Créateur est Tout-Puissant et d'autre, il n'en est point !
Venons, suivons donc ces vérités[22] et haussons-nous au lieu de la révélation
de sorte que tout homme sensé soit fidèle à Dieu et trouve protection au-
            [près d'Ahmad !

Mes compagnons, suivez fidèlement la parole de l'Envoyé afin que nous
 soyons préservés[23]
Venez, adoptons discipline et éducation, éradiquons le mensonge et culti-
 vons-nous,
aimons la vérité et nous y éployons, abhorrons le mensonge et nous en dé-
 fendons,

---

[21] « Le Différenciateur » c'est-à-dire « celui qui indique la différence entre le bien et le mal » est
l'une des épithètes habituelles désignant le Coran.

[22] Var. : « suivons-les au nom de la vérité ».

[23] Le passage de la deuxième personne à la première qui peut paraître incongrue en français est, en
peul, fréquent du fait de l'existence de deux pronoms pour la première personne du pluriel, l'un
exclusif, l'autre inclusif qui, comprenant « toi et moi » ou « nous et vous », facilite ce glissement,
comme c'est ici le cas, du « vous » au « nous ».

keɓen maalu men mawlaa mbelen ko'e paydo-ɗen
walaa kaalɗo ngoonga rewaali dow ngoonga Ahmada !

Ko haanii e men ko Nulaaɗo men haali fuu njaɓen.　　　　　　　47
Kayee gilla[y] jamma waraali kala kuuɓe men cuɓen
ko ngaɗen nyamaaɗe dow Laamɗo fuu tiinno-ɗen njoɓen
ko tefu-ɗen e neema dow makko fuu warma ndeen keɓen !
Walaa moyƴo jikke e Laamɗo mbeli dewɗo Ahmada !

Fa wallaahi ! Dewɗo Nulaaɗo maa hewtu hen tiño　　　　　　　48
fa kala zambu mun maa yaafe faa ɓernde mun senoo
fa kala haaje mun maa humto faa ŋarɗa ayyinoo
fa giɗo makko laaɓtuɗo fuu yo oo neema hewtunoo !
Abadaa hersataa giɗo Alla goondinɗo Ahmada !

Fa kala jiɗɗo rewde Nulaaɗo wara faama oo sifa　　　　　　　49
humoo siina nyemmbude tiinnitoo anniyoo tefa
yinaade e yiɗɗe mo henndu bempeeƴe mun mbifa
fa nden ɓernde muuɗun haayta nder teere Mustafaa
nde yooloo nde sulliƴoroo sugullaaji Ahmada !

Mi nyaagiima Joomam newnanam heɓde ngal ɓural　　　　　　　50
walaw mi heɓaali yinaade yo mi yarne hen koral
mi heɓa semmbe ngoonga mi fiira Ibliisangel peral
si dunya ɗum fa[z] faltoo kam e yottaade moyŋaral
jokollaaku Annabiyemme bi'eteeɗo Ahmada !

Yo Joom-kammu oo jaɓu winnda inndam e oo malu　　　　　　　51
mi laatoo taajir beembe am keewa oo ngalu

Var. :

48. (2) fa kala zunubu…

---

[y] L'auteur emploie les formes *gilla, gila, ila*, selon les besoins de la métrique.
[z] *fa* : mis pour *fati*.

obtenons notre richesse du Créateur et gagnons heur et profit !
Il n'est point d'homme au langage véridique qui n'ait suivi la voie de vé-
[rité d'Ahmad !

Notre devoir est d'adhérer à tout ce qu'a proclamé notre Envoyé !
Hâtez-vous, avant que ne vienne la nuit, dans chacun de nos grains[24] faisons le tri,
toutes nos dettes auprès du Seigneur, faisons diligence pour nous en ac-
quitter,
alors peut-être obtiendrons-nous tout ce qu'auprès de lui nous avons
quêté de bienfaits !
Aucun bon espoir dans le Seigneur, hormis pour le fidèle d'Ahmad !

Par Dieu ! Qui est un fidèle d'Ahmad y trouvera sûrement son avantage
car tous ses péchés seront absous et pur sera son cœur,
toutes ses difficultés trouveront issue heureuse et limpide,
pour qui l'aime d'un cœur pur et sincère, telle est la grâce obtenue !
Jamais ne connaîtra l'opprobre, qui aime Dieu et a foi en Ahmad !

Tout homme qui, désireux de suivre l'Envoyé, viendra et reconnaîtra ces
traits,
se ceindra, mettant toute son énergie à l'imiter, son zèle et sa résolution à
chercher
à nager dans l'amour, tandis que sur lui souffle le vent de ses vagues
jusqu'à ce que son cœur se laisse emporter au fil du torrent de l'Élu,
tour à tour sombrant et émergeant dans le flot de ses pensées pour Ahmad.

Je supplie mon Maître de me permettre d'obtenir ce privilège
et si je n'obtiens pas d'y nager, qu'au moins j'en sois abreuvé d'un généreux calice,
que j'acquière la force de la vérité et porte au vil Iblîs un coup sûr
et le repousse afin qu'il ne me fasse plus obstacle sur la voie vers la splen-
de la jeunesse du prophète qui a nom Ahmad !   [deur

Que le Maître-du-Ciel accepte d'inscrire mon nom sur la liste de ces bienheureux
que je connaisse l'opulence, mes greniers regorgeant de cette richesse,

---

[24] Il s'agit ici plus précisément de grains de riz mal battus et encore dans leur balle. L'auteur invite
ainsi les fidèles à séparer, dans leurs actes, le bon grain de l'ivraie afin de se présenter au Jugement
avec une moisson de bonnes actions.

mi wona pooccitiiɗo e ngoonga biiraaɗo Mursalu
ti ngeɗu Laamɗo hokki mo awwalan gabla awwalu
nanee arɗo annabiyemme'en fuu yo Ahmada !

Bural Gaaɓɗo ngal koo ɓanngungal gilla ferwere   52
gilla dame fuu cottaaka gila saama hejjere
ila huunde fuu gollaaka sako seerta feccere
yo ndeen Mustafaa feewnaa e sobbanna[aa] ɓutaa ɓure
e nder sirri nuuru-l-haaqi min anndi Ahmada !

To larwaahi toon wonkiiji fuu ndenti anndinaa   53
ɓural Gaaɓɗo ngal kuumngal walaa fuu ko nanndinaa
fa oo nuuru itta e makko yarnaa fa nuurɗinaa
waɗaa geɓe geɓe lelnaa fa yarnaa kasen senaa
tagaa njaŋwinka[ab] njambiraaka nyemmbinde Ahmada !

Di nduumiima nder oon saama eɗi mbellitii ndura   54
e nder jeerɗe jeyɗo ɗi oo eɗi ni njeefta eɗi ndira
ɗi kultaali jukkungo ndeen ɗi kaajaaka Kawsara !
Aliimun nde muuynoo faa ɗi annda yo Faaɗira
mo yamirii munaafixu fuufa fii-s-suuri Ahmada !

Nde joom-buututal oo fuufi faa nanɗo fuu huli   55
fa wonkiiji ɗii fuu kalji faa ndaccitii njelii
ɗo cuuɗoo fa culta ndegii ga dow leyɗe gaa pilii

Var. :

52. (3) ... sennda feccere
54. (2) ... eɗi ni njeewta...   (3) ɗi kultaaji...
    (5) ... munaaqiru...

[aa] *sobbana* : déformation de la première partie de la formule en arabe [subḥāna 'allāh] « gloire à Dieu ! »
[ab] Forme contractée pour *njaŋwinaaka.*

que je sois un homme épanoui dans la vérité, un pupille du Messager !
Vu le destin que le Seigneur lui donna en partage d'être le premier des
    premiers,
apprenez que celui qui vient en tête de tous les prophètes, c'est Ahmad !

L'apanage du Privilégié, ce fut son apparition après une retraite solitaire :
lors que plus aucune porte n'était ouverte, après l'heure de minuit,
plus aucune activité menée, impossible même de distinguer une moitié
    de l'autre,
c'est alors que fut conduit l'Élu, tout droit à la gloire, et comblé de privi-
    lèges[25]
et qu'à travers le mystère de l'illumination par la vérité, nous eûmes la
                         [connaissance d'Ahmad !

Là où sont les âmes, toutes furent réunies et leur fut révélé
qu'absolue était la précellence du Privilégié et qu'il ne lui était rien de
    semblable.
Puis cette lumière émanant de lui, on les en abreuva pour les en éclairer,
et, réparties par groupes, elles furent étendues pour être encore abreuvées
    et purifiées,
créées, mais n'ayant pas encore la force ni l'ordre d'imiter Ahmad !

Elles ont en cet instant même reçu l'éternité et les voilà, pleines de joie,
    menées
par leur maître : à travers brousses désertes, elles avancent, leur solitude
    interrompue,
sans plus, dès lors, ni crainte de châtiment, ni besoin du Kaouçar[26] !
Lorsque Celui-Qui-Sait eut décidé de leur faire savoir qu'il était le Créa-
il donna l'ordre au héraut de souffler dans les cors d'Ahmad[27] !   [teur,

Et quand souffla la trompe, emplissant d'effroi tous ceux qui l'ouïrent
et faisant toutes les âmes éperdues s'égailler dans l'espoir
d'un abri où trouver quelque répit, s'enfonçant au plus profond des terres et
    s'y pelotonnant,

---

[25] Allusion à la révélation qu'eut le prophète Mouhammad, et à son ascension au septième ciel où la tradition lui attribue le privilège d'avoir rencontré Dieu.
[26] Le Kaouçar est l'un des fleuves paradisiaques dont la description merveilleuse (berges de perle, boue de musc…) a beaucoup inspiré les mystiques.
[27] Allusion à la trompette qui donnera le signal de la Résurrection. Le tableau est ici décrit au passé comme si le poète rapportait une vision qu'il aurait eue. Tout ce poème est inspiré des œuvres des mystiques arabes et, en grande partie, sans doute, de l'*Ad-dourra al-fâkhira* de Ghazâli.

fa gila nyannde ndeen faa hannde fuu kanko min tolii
miɗen toowniree toowal toliiɓe Muhammada !

So kaananke haaldi e looɓe mum tilsu ɗun kulaa   56
sako Mo laamu muuɗum toowi faa nanndo fuu walaa
Mo wi'anii ɓe : « Yalla Mi laatanooki to awwalaa
Taguɗo on so yaŋwini on ? » Ɓe njaabii ɓe fuu : « Balaa
na'am anta anta-llaahu[ac] ardinɗo Ahmada ! »

—« Yo Miin woni Baawɗo Ceniiɗo abadan Mo ronkataa   57
Mo fuɗɗaali re'ataa laamu muuɗum hiɗɗataa
fa kala laamu fu yo luɓal am e am laamu wartataa.
Mi wara on Mi wartira on walaa gooto mankataa[ad].
Kulee kam njiɗee giɗo am jaɓee gawlu Ahmada ! »

Fa kala moyƴo ndeen nani ngoonga weli ɗun fa goonɗi-   58
ɓe paamaali ɓee duu lamnditii nantinaa nanii   [nii
gadara nanɗe ɗee noo Laamɗo feccii ɗe ɓurdinii
ɓural jaadiral laamngal walaa fuu mo jinnganii
walaa fuu mo Joomen toowni haɗi rewde Ahmada !

Fa kala bonɗo ndeen ɓanngini wanyii ngoonga yankirii   59
tilay[ae] tan wanaa weli kaa yo karhan ɓe njaaborii
fa gila nyannde ndeen faa hannde noon tan ɓe keddorii
tagaaɗo so luurri e Laamɗo waasii mo faaftorii
faliima ngoonga faljondiri e goomɗinɓe[af] Ahmada !

[ac] ar. [balā na'am 'anta 'anta 'allāhu].
[ad] *mankataa* : emprunt au français « manquer ».
[ae] L'auteur utilise les trois formes : *tilas, tilay, tilsu*.
[af] L'auteur utilise les deux formes : *goondinde* et *goomdinde*

ce fut dès ce jour et pour toujours qu'auprès de lui nous avons cherché
    protection
et nous voilà sur l'éminence réservée à ceux qui pour refuge ont pris Ah-
                                     [mad !

Lorsqu'un souverain s'adresse à ses humbles sujets, cela forcément les
    emplit de crainte,
combien davantage encore lorsque Celui dont si haut est le règne qu'il
leur dit : « N'ai-je pas toujours été dès les origines   [n'a pas son pareil
Celui qui vous créa puis vous donna vigueur ? » et tous de répondre :
    « Assurément,
oui ! C'est toi, toi, Dieu, qui pour guide as donné Ahmad ! »

— « Je suis le Tout-Puissant, le Pur, à jamais Infaillible,
Celui qui n'a pas de commencement et n'aura pas de fin, dont le règne est
sans déclin
si bien que tout règne n'est qu'au mien emprunté et qu'à moi revient tout
Je vous anéantirai, vous ramènerai à la vie, et nul n'y échappera ! [règne !
Craignez-moi et aimez celui qui m'aime, acceptez la parole d'Ahmad ! »

Tout homme de bien, alors informé de la vérité, y a trouvé joie et prêté foi
furent aussi informés ceux qui, n'ayant pas compris, s'en enquirent et re-
    çurent explications,
inégaux étant les niveaux de compréhension, tels que Dieu les a répartis,
alors que pour l'excellence dans l'équité et la pureté, envers aucun ne fut
    partial,
nul ne fut, par notre Maître, élevé, qui n'ait fidèlement suivi Ahmad !

Tout homme pervers, lors démasqué, a montré son aversion pour la vérité
    et son refus de la reconnaître.
Ce n'est qu'obligés, non de leur plein gré mais bien par contrainte qu'ils
    ont répondu.
Et de ce jour-là et jusqu'aujourd'hui, ils en sont restés là !
Une créature qui s'est opposée au Seigneur, n'a personne pour la secourir
elle a fait obstacle à la vérité et semé l'erreur parmi ceux qui ont eu foi en
                                       [Ahmad !

Adiiɓe so njaabii Laamɗo ɓee kewti hen ɓure   60
henyiiɓe se ngoomɗini ngoonga ɓee moomti moyyere
fa gila nyannde ndeen faa hannde faa immitee daree
mbanyaali mbewaali celaali miilaali murtere
njarii ngoonga njarriima Laamɗo Jarrinɗo Ahmada !

Nde salinooɓe ɓee njiinoo ko ɓee jaɓɓe ɓeydorii   61
ɓe nimsi ko soobitoriiɓe ndeen kaasidii kiri
fa Joom-kaamu Oo tagi nimre yarni ɓe fa ɓe njari
e nder nimre nden tagi hen Jaahiima fa yooltorii
hunii jaango maa huɓɓir huɗaaɓe Muhammada !

Yo ndeen taŋre ndee feccaa fa kala juulɓe njirwirii   62
jabaabu e ɗoftanagol Illaahi ɓe paydorii
fa omo fuu yeɓaa iimaanu hakke no jaaborii
wono no kalkaliije misiide mir'aaju ŋarrorii[ag]
miɗon njetta ɗii neemaaji min njaara Ahmada !

Ɓural ɓanngungal gaa fuu gila e nyannde ndeen heɓaa   63
yo ndeen neema fuu feccaa e nder juulɓe ɗun yeɓaa
yo ndeen bonɗo fuu werraa[ah] yo ndeen lobbo fuu suɓaa
yo ndeen jaabo mun yarraa ko nyaagii yo ndeen jaɓaa !
Njaɓee, yimɓe am, faa hannde yarraade Ahmada !

Fa yoga hewti hen toowal fa hokkaa nubuwwata   64
fa yoga hewti hen gam sawgu muuɗum risaalata
fa yoga hewti hen waliyyaaku hokkaama hikumata
fa yoga wonti muuminu'en walaa fuu mo toonyata
fa yoga hewti hen islaamu ana innda Ahmada !

Var.

61. (5) huniima maa huɓɓir jaango huɗaaɓe Muhammada.
62. (1) ... ndirwirii   (5) ... min njeyra Ahmadaa.
64. (4) fa yoga woodi...

[ag] *ŋarrorii : ŋarlorii.*
[ah] *werraa : weddiraa.*

Ceux qui les premiers répondirent au Seigneur, y trouvèrent grands atouts
ceux qui sans tarder eurent foi en la vérité amassèrent un trésor de bienfaits
et, de ce jour-là jusques aujourd'hui, et jusqu'à la résurrection,
ils auront été sans haine, sans jactance ni dissidence, sans idée de révolte,
mais abreuvés à la vérité et en plein accord avec le Seigneur qui a fait re-
[connaître Ahmad !

Lorsque les réfractaires eurent vu les avantages de ceux qui avaient adhéré
ils regrettèrent de s'être alors tout entiers voués à l'égoïsme et à l'envie
et le Maître-du-Ciel créa les ténèbres dont il les abreuva à plus soif
et au cœur de ces ténèbres, il créa le feu de l'Enfer dont elles furent
    comble,
jurant que, plus tard, il le devrait allumer pour ceux maudits par Mou-
[hammad !

C'est alors que fut scindée la création de sorte que tous les croyants y
    ont eu large place,
leur réponse et leur obéissance à Dieu leur ont été bénéfiques
car chacun reçut sa part de foi, à proportion de sa réponse,
à l'image de l'escalier d'une mosquée qu'on gravit marche à marche.
Tout en rendant grâce pour ces faveurs, nous célébrons Ahmad !

Toute supériorité ici manifestée, à dater de ce jour fut acquise :
c'est alors que toutes les faveurs furent partagées et entre les croyants ré-
    parties,
c'est alors que tout méchant fut réprouvé et tout homme de bien élu
c'est alors que, sa réponse acceptée, ses prières furent dès lors agréées.
Acceptez, mes frères[28], jusqu'à ce jour, d'être unanimes avec Ahmad !

Il en est donc qui sont à une telle élévation parvenus qu'ils furent dotés
    de la Prophétie
d'autres sont, en raison de leur dilection, parvenus à l'Apostolat
d'autres encore sont parvenus à la Sainteté et ont été dotés de la Sagesse
d'autres sont devenus des musulmans, dont nul ne commet de faute,
d'autres enfin sont parvenus à l'Islam en prononçant le nom d'Ahmad !

---

[28] Textuellement « mes gens ».

Nanee nuuru Ahmada oo yo heen juulɓe fuu cori   65
wanaa juulɓe ɓee tan koo yo heen bonɓe duu muri
mo njii-ɗaa e duniyaa fuu so anndaali fes yari
yo ɗun faamni en dabareeji ɗun haaje humtorii
walaa fuu ko yaŋwi yaraali annoora Ahmada !

So yarnaaka kaa tagataake fes saako[ai] tabitira   66
e nder niɓɓe tati ana wuuri ana nyaama ton yara
fa ɗun hiɓɓa jeenay lebbi yarnee kasen wara
e duniyaa fa wuura fa haalta faa mawna yankira.
Walaa baayɗo barke Nulaaɗo fa'e banyɗo Ahmada !

Tagaaɗo se woorti Nulaaɗo fuu bonnu moyƴere   67
walaw janngi ɗun ndee jannde ittaani[aj] majjere
fa kala neema fuu heɓi kanko tan hemri yirwere
so maayii yi'aali Nulaaɗo seerii e fooftere !
Mi nyaagiima Joomam holla en jaango Ahmada !

Nanee nuuru Ahmada oo ngitoy yimɓe njiirata   68
yo ɗum ɗemle men mbowlirta ɗum noppi narrata[ak]
yo ɗum yaadu meeɗen yaawri ɗum juuɗe mbiccata
so nyaamii yarii faltii ɓural makko haardata
ndakam fuu mo kem-ɗen annditen barke Ahmada !

Kasen so warii oo saama inndaaɗo immital   69
se Joom-kammu Oo yamirii e fuufeede buututal
sanaa neɗɗo fuu yarnee se immoo e dow potal
se soggee naɓee darnee e nokkuure kawrital
walaa nyannde ndeen caahiiɗo say neɗɗo Ahmada !

Var. :

65. (1) … yo heen yimɓe…   (5)… ko yanwi…
66. (3) fa ɗun waɗa jeenay…

[ai] L'auteur utilise les formes *saako, sakko, sako*, selon les besoins de la métrique.
[aj] *itaani* : *ittaali*.
[ak] *narrata* : *nanrata*.

Apprenez que sous la lumière d'Ahmad, c'est là que se trouvèrent tous
    les croyants
et pas seulement les croyants ! Y sont aussi des méchants, mais eux sont
Qui que l'on voie en ce monde, si ignorant fût-il, y a bu   [restés sourds !
et voilà qui nous fait comprendre par quels moyens se dénoue la question :
nul n'a pris force et vigueur qui n'ait bu à la lumière d'Ahmad !

Sans cette imprégnation, certes, il n'eût pas été créé, encore moins sub-
    sisterait-il !
C'est au cœur de triples ténèbres qu'il vit, est alimenté et abreuvé,
pour, après neuf mois complets, être à nouveau abreuvé et arriver
en ce monde pour vivre, parler, grandir... et refuser de croire !
Il n'est point d'être qui soit privé de la bénédiction de l'Envoyé, pas même
    l'ennemi d'Ahmad !

Chaque fois qu'une créature s'est détournée de l'Envoyé, elle a galvaudé
    un bienfait.
Même si elle l'a étudié, cette étude n'a point éradiqué l'ignorance
car toute faveur obtenue, ce n'est que grâce à lui qu'elle l'eût fait fructi-
    fier !
À sa mort, elle n'a pas eu la vision de l'Envoyé et a dû renoncer au repos !
Je supplie mon Maître de nous montrer plus tard[29] Ahmad !

Apprenez que c'est grâce à la lumière d'Ahmad que voient nos faibles
    yeux humains
grâce à elle que parlent nos langues et qu'entendent les oreilles
grâce à elle que s'activent nos pas et se balancent nos bras !
Quand on mange, boit, qu'on est repu, c'est sa perfection qui rassasie !
En toute saveur par nous perçue, nous devons reconnaître la bénédiction
    [d'Ahmad !

Et encore quand sera venue l'heure connue sous le nom de Résurrection
et que le Maître-du-Ciel aura donné l'ordre de souffler dans la trompe,
tout être devra être abreuvé, pour se lever et s'aligner,
en troupeau être conduit puis arrêté au lieu du Grand Rassemblement,
et il n'y aura, ce jour-là, d'homme juste et droit que la personne d'Ahmad.

---

[29] Textuellement « demain » : terme employé dans le langage courant pour désigner aussi, plus largement, tout avenir, proche ou lointain et qui, dans le contexte religieux, prend le sens de « l'au-delà, l'autre monde ».

Nulaaɗam mi waaɓii nyannde ndeen miin e yimɓe maa   70
e yimooɓe ma[al] gaa ana njayre[am] ana njepta neema maa
se homo fuu wi'aama yo ɓatto filloo ko yettu maa
yoga mi filloroo haalam yoga mi yimra haala maa
mi dammbita jimɗam fuu e Qur'aana Ahmada !

E nder ɗum mi heɓa seedeeɓe hoolaaɓe nokku maa !   71
Ko njoodii-mi duniyaa[an] fuu mi cuŋlirɗo gille maa
fa kuljina kam kala moyƴo ɓattiiɗo bannge maa
mi fooɗee mi darnee bannge tokaram ɗo nyaamo maa
mi sora nder liwaa'i-l-hamdi miɗo yetta Ahmada !

Mi yettoo mi nodda jokolɓe jokkirde kam ti maa   72
fa jaaboo kala giɗo Laamɗo jirruɗo kam ti maa
fa min nannga min fuu ɓoggi hoolaare nokku maa.
Keyƴaaa men e jukkungol fu fa min keeda bannge maa
fa min kewta barke Nulaaɗo min yeewa Ahmada !

Nulaaɗam mi nyaagiima ŋarɗinaa jikke am ɗo maa   73
mi gollaali ngoonga melew kanaa yiɗɗe yimde ma
walaa fuu mo tuugii-mi du kanaa Laamɗo tan e maa !
Faɗam warde ton Ɓurnaaɗo aan wallu beero maa
dariiɗo na nyaagoo nyannde fuu yiide Ahmada !

Yo min keɓu yiide ma gaa fa min ɓeyda yiɗɗe ma   74
fa min anndu maa min kewta kunha haqiiqa maa
fa min yooga annde e maa fa min annda sirru maa !
Nulaaɗam ko min keɓi fuu mi tayorii yo barke maa !
Nulaaɗam a dokko minen miɗon mbeera Ahmada !

Var. :

73. (3) ...kanaa Alla tan e maa
(de même v. 76 : ... Alla yo Aan ! ; et v. 93 : ... yambiroore Alla...).

[al] *ma* : *maa* (abrègement métrique).
[am] *njayre* : *njeyre.*
[an] Dans tout le poème, le récitant prononce « *dunuyaa* ».

Mon Envoyé, je serai, ce jour-là, béni du sort, moi, ainsi que tes gens
et ceux qui ici te chantent en te glorifiant et célébrant tes faveurs !
Quand chacun aura été invité à approcher et à réciter ses poèmes d'éloge
     à ton adresse,
je réciterai les uns dans ma langue et en chanterai d'autres dans la tienne
mais calquant tous mes poèmes sur le Coran d'Ahmad !

Sur ce point, j'ai des témoins qui méritent ta confiance !
Tout installé que je fus en ce monde, mon amour pour toi a occupé mes
     pensées,
aurai-je ainsi accueil glorieux de chaque homme de bien, rangé tout près de
et serai-je entraîné et placé, au côté de mon homonyme, à ta droite,   [toi
je m'abriterai sous l'étendard de la gloire, tout en rendant grâce à Ahmad.

Y arrivant, j'inviterai les jeunes preux à se joindre à moi pour l'amour de toi
et répondrai à tout homme qui aime le Seigneur et qui m'aime à cause de
     toi
afin que, tous, nous nous saisissions des liens de la confiance auprès de
     toi.
Tu es, pour nous, contre tout châtiment, une telle assurance que nous de-
     meurons à tes côtés
afin d'obtenir la bénédiction de l'Envoyé et de contempler Ahmad !

Mon Envoyé, je t'en prie, fais que radieux soit mon espoir en toi !
Ma seule œuvre en vérité n'a jamais été que ma volonté de te chanter
et je n'ai d'autre soutien que le Seigneur et toi[30] !
Mets-moi sur la voie qui mène à toi, Élu, et secours ton humble visiteur[31]
qui se tient là, implorant chaque jour la faveur de voir Ahmad !

Puissions-nous obtenir la grâce de te voir dès ici afin qu'en soit accru no-
     tre amour pour toi,
que nous te connaissions et accédions à l'essence même de ta vérité,
que nous puisions en toi le savoir et connaissions ton mystère !
Mon Envoyé, tout ce que nous obtenons, j'en ai la conviction, c'est par ta
     bénédiction !
Mon Envoyé, tu es généreux donateur et nous, les mendiants d'Ahmad !

---

[30] À partir de ces vers, la dévotion du poète tend à confondre le Prophète et Dieu dans ses
invocations.

[31] Le terme utilisé ici, *beero*, désigne une personne qui sollicite l'hospitalité et la générosité de celui
qui la reçoit ; d'où l'emploi ambigu de ce terme qui, selon les régions, peut désigner un hôte ou un
« quémandeur », un mendiant.

Miɗen toowti gaa nyaagoo miɗen nyaama barke maa   75
miɗen njiiltoroo nder geenɗe moyƴinde innde maa
miɗen cogga yimɓe amen miɗon ndewna laawi maa
miɗen ndajja ardoo nyaaƴa min njokkiree ti maa
minen min njawaali melew ko non ɓeydu Ahmada !

Ko min nguurdi duniyaa, aan,   ko min kemri semmbe, aan !   76
Ko jokkule keɓi nyoofaade ana nyooftoroo yo aan !
Ko min anndi Laamɗo yo aan ! Ko min kemri njuulu, aan !
Ko min keɓi yiɗɗe ma, aan ! Ko min njokku maa yo aan !
Ko min kemri yimde Nulaaɗo fuu barke Ahmada !

Ko wedditi leydi se barke mun toowni kammu, aan !   77
Ko min kinnoraa toɓo, aan ! Ko nanni[ao] ilam yo aan !
Ko min ɓuumri jamma yo aan ! Ko yayni nyalooma, aan !
Ko min keɓi taskitoraade oo neema fuu yo aan !
Illaahi waɗam joom-iitibaaraaji Ahmada !

Ko min kolti caggal kolndamaaje amen yo aan !   78
Ko neɗɗanke suŋlata dee seyo firritoo yo aan !
ko min nyawnetee saamaaji min cellinee yo aan
ko neɗɗanke newnantee so maayde warii yo aan
ko min kuncanaa e caɗeele fu barke Ahmada !

Ko min lamndetee qaburuuji min kaala ngoonga, aan !   79
Ko min mbeeɗetee dampeeji min njamra nyaame, aan !

Var. :

75. (1) ... miɗen nyaamra...

[ao] *nanni : naɓini.*

104

Nous sommes ici, à l'écart, implorant et nous nourrissant de ta bénédic-
nous allons de-ci de-là parcourant les cités pour parfaire ton renom   [tion
nous conduisons le troupeau de nos gens et leur faisons suivre tes voies
d'un pas assuré nous marchons en tête, altiers, et l'on se joint à nous pour
    l'amour de toi !
Nous, nous n'avons rien négligé de ce qui peut ainsi accroître la gloire
                                           [d'Ahmad !

Si nous sommes vivants ici-bas, c'est avec toi, ce dont nous tenons notre
    force, c'est toi !
Si les articulations se peuvent plier et déplier, c'est grâce à toi !
Si nous connaissons le Seigneur, c'est par toi ! Si nous pouvons prier,
    c'est grâce à toi !
Si nous pouvons t'aimer, c'est grâce à toi ! Si nous t'avons rejoint, c'est
    pour toi !
Si nous pouvons chanter l'Envoyé, c'est par la grâce d'Ahmad !

Ce qui déploya la terre tandis que par sa grâce s'élevait le ciel, c'est toi !
Si nous sommes gratifiés d'une pluie, c'est toi ! Ce qui amène la crue,
    toi !
Si nous avons la fraîcheur de la nuit, c'est toi ! Ce qui fait l'éclat du jour,
    toi !
Et si nous pouvons contempler tous ces bienfaits, c'est grâce à toi !
Dieu me fasse plein de révérence envers Ahmad !

Si, après avoir connu la nudité, nous voilà vêtus, c'est grâce à toi !
Si l'homme est dans la peine puis s'épanouit dans la joie, c'est grâce à
    toi !
Si nous sommes parfois souffrants puis recouvrons la santé, c'est grâce à
    toi !
Si pour l'homme est adoucie la venue de la mort, c'est grâce à toi !
Toutes les difficultés auxquelles nous échappons, c'est par la grâce d'Ah-
                                       [mad !

Si, interrogés au tombeau, notre parole est véridique, ce sera grâce à toi !
Si, à la remise des feuillets, nous les recevons de la main droite[32], ce sera
    grâce à toi !

---

[32] Ghazâlî décrit les feuillets reçus de la main droite comme des sortes de sauf-conduits distribués aux élus promis au Paradis : « Ces feuillets sont des diplômes sur chacun desquels est écrit : 'Il n'y a pas d'autre Dieu que Dieu ! Mahomet est l'Envoyé de Dieu ! Ceci est le diplôme d'Untel, fils d'Untel, pour entrer au Paradis et échapper à l'Enfer'. » (Cf. *Ad-dourra al fâkhira*, trad. L. Gautier, Leipzig, Otto Harrassowitz, 1925, p. 87).

Ko min mballetee e hisaabu min newnanee, yo aan !
Ko miizaanu wallintee etee lobbi njiita, aan !
Walaa ƴaɓɓotooɗo Siraaɗi rewraay e Ahmada !

Nulaaɗam yo Laamɗo waɗam mi jaŋwirɗo ngoonga maa   80
mi laatoo jokolle kumiiɗo jokkuɗo batte maa
mi warda no maƴere mi yaawa yawtirde barke maa
mi saawoo e nder saahiiɓe sawndiiɓe nyaamo maa
fa kala yimɓe am fuu njawta njarroo Muhammada !

Nulaaɗam yo Laamɗo waɗam mi deenaaɗo dewɗo maa   81
mi laatoo kasen neɗɗanke ƴooltaaɗo nuuru maa
fa yaŋwina ruuham faa fooɗoo yiita ruuhu maa
fa kulliyya am fuu ƴemta kulliyya zaati maa !
Illaahi yo wan Firdawsi am yiide Ahmada !

Ko tagi aljanna nde woonni[ap] ɗun fuu yo barke maa   82
fa yirwiri ɓure maa yammbinaa yaayre nuuru maa
so feccaa waɗaa galluuje jooɗorɗe yimɓe maa
se ƴeewaa ɗo ɓuri hen fuu so laatii nganiima maa
nganiimam waɗee yaa Laamɗo holleede Ahmada !

Wanaa aljanna njelii-mi koo woɓɓe paamata   83
fa yiɗi maaɗa nii cuŋlir-mi yaa bajjo Aminata !
Ko weli fuu yo aan, ɓuri welde fa'e naadde jannata !
Nulaaɗam waɗam jarnaaɗo maa keewɗo hikumata
jakawɗo jarrawɗo na firritoo jamma Ahmada !

Var. :

79. (4) ... lobbi njista, aan !

[ap] *woonni : woodini.*

Si, lors du Compte, nous sommes secourus et obtenons indulgence, ce sera
grâce à toi !
Si, les balances mises en place et les actes pesés, les bonnes actions font
pencher le plateau, ce sera grâce à toi !
Nul ne franchira le Sirât, qui n'aura pas marché dans le sillage d'Ahmad.

Mon Envoyé, le Seigneur fasse de moi un homme puisant sa force en ta
vérité,
que je devienne un jeune preux plein de résolution et qui marche sur tes
traces
que j'arrive tel un éclair, franchisse le pont avec célérité[33] de par ta grâce
et me trouve au milieu des vertueux alignés à ta droite
jusqu'à ce que tous mes gens franchissent le pont, dans une adhésion to-
[tale à Ahmad !

Mon Envoyé, le Seigneur fasse que je sois un homme sous ta garde et à
et qu'aussi je devienne un être si empli de ta lumière   [ta dévotion
que mon âme, confortée, puisse s'acheminer jusqu'à rencontrer la tienne
et que mon être tout entier épouse toute entière ton essence !
Mon Dieu, fasse que mon Paradis suprême[34] soit d'avoir vision d'Ahmad !

Ce qui créa le Paradis lui donnant toute sa beauté, c'est ta bénédiction !
Car il doit son immensité à tes perfections, son harmonie à l'éclat de ta lu-
alors qu'y furent réparties les demeures pour le séjour de tes gens   [mière
et qu'y fut cherchée la meilleure, comme lot à toi destiné,
mon lot devrait être, ô Seigneur, que me soit montré Ahmad !

Le Paradis objet de mes vœux n'est point celui que conçoivent les autres :
ton amour, telle est ma seule préoccupation, ô fils unique d'Aminata !
Tout mon bonheur, c'est toi ! Bonheur plus grand même que d'entrer au
Paradis !
Mon Envoyé ! Fais de moi un homme abreuvé de toi et tout plein de sagesse,
d'énergie et de zèle pour s'adonner à loisir à la célébration d'Ahmad !

---

[33] Après l'évocation des étapes successives du Jugement dernier, le poète espère en un rapide fran-
chissement du pont qui mène les croyants au Paradis, la durée de cette traversée étant inversement
proportionnelle aux mérites de chacun.
[34] Il s'agit du *Firdaws*, l'ultime cercle du Paradis et sommet de la pyramide céleste, dans la topographie mystique.

Fa kala jumla annabiyemme'en fuu e maa njari   84
Nulaaɗo so wardi haqiiqa ɓee fuu ɗo maa njari
fa kala laaɓinaaɗo so yillitoo Laamɗo ɗoon yari
ɓe fuu hakke leembol maa Nulaaɗam ɓe ƴooltorii !
Walaa keɓɗo sottude keesu[aq] keewal Muhammada !

Fa galamu-l-kariimu yarii e maa jeeɗɗi jaŋwudi   85
fa al-Arši yammbiniraama yarngooji mun ɗiɗi
e ley nuuru maa Kursiyyu yarnaa yo hen foɗii
fa sabu'ina hujubun Gaaɓɗo aan yarni ɗum horii
se ana ƴooga annooraaji abadan ɗo Ahmada !

Yo aan yarni naange so yayni, aan yarni ngal lewal !   86
Yo aan yarni koode so njalɓi, aan yarni alluwal !
yo aan yarni garni-n-nuuri, aan ƴoolti ɗun koral
yo aan yarni Kawsara Gaaɓɗo, aan hokki ɗun ɓural !
Butam Burɗo ɓerndam ɓulta goongaaji Ahmada !

Var. :

85. (1) ... jeeɗɗi jirwuɗi
   (4) ... aan yarni ɗum soɗi
86. (5) ... ngoongaaji Ahmada !

[aq] *keesu* : emprunt au français « caisse ».

Tous les Prophètes, dans leur totalité, en toi se sont abreuvés !
Envoyé qui apportas la vérité, c'est auprès de toi qu'eux tous se sont
 abreuvés
là aussi que s'est abreuvé chaque être assez pur pour devenir un proche
 du Seigneur
eux tous, le volume d'un seul de tes poils, Envoyé, a suffi à les combler !
Nul n'a capacité d'ouvrir le coffre de l'abondance de Mouhammad !

Le Calame-Généreux[35] en toi a bu sept forces,
et le Dais céleste a reçu toute son harmonie de sa double imprégnation[36] ;
c'est de ta lumière que fut arrosé le Trône divin, sous elle qu'il se déploya
et les septante voiles[37], Privilégié, c'est toi qui les as imprégnés, leur pro-
 diguant jusqu'à ta dernière goutte
tant ils puisent leurs lumières, et cela à jamais, en Ahmad !

C'est toi qui as imprégné le soleil lorsqu'il brille, toi qui as imprégné la
 pleine lune !
C'est toi qui as imprégné les astres lorsqu'ils scintillent, toi qui as imprégné la Grande Table[38] !
C'est toi qui as imprégné la Corne-de-Lumière[39], toi qui en emplis le profond calice !
C'est toi qui as imprégné le Kaouçar, Privilégié ! Toi qui lui as conféré
 son excellence !
Emplis-moi, toi le Meilleur, et que de mon cœur sourdent les vérités
               [d'Ahmad !

---

[35] Il s'agit du Calame suprême avec lequel, selon la tradition, Dieu a inscrit tous les destins sur la Table du Destin. Il représente aussi le Verbe divin reçu et transmis par le prophète Mouhammad.

[36] Textuellement « irrigation » ; de même, plus loin, nous traduisons par « imprégner » le verbe peul utilisé qui est « abreuver, arroser ».

[37] Trône et Dais divins sont des éléments importants de la topographie céleste dans la mystique musulmane. Lors de son ascension miraculeuse, le Prophète eut la vision de Dieu en gloire, sur son trône céleste et les sept (soixante-dix ou soixante-dix mille, selon les auteurs) voiles qui le dissimulent se sont pour lui écartés. La « double imprégnation » (textuellement « abreuvement » ou « arrosage ») dont il est ici question est soit celle de la science et de la toute-puissance, soit celle des deux coupes de la chance en ce monde et de la félicité en l'autre monde.

[38] Il s'agit de la Table céleste sur laquelle se trouvent inscrits les décrets et les révélations divines ou bien du grand Tableau sacré, situé au septième ciel et sur lequel un ange inscrit les actions des hommes, passées, présentes et à venir.

[39] Cette Corne-de-Lumière est la Trompette du Jugement dernier. Al-Ghazâli la décrit en ces termes : « À ce moment Dieu ordonnera à Isrâfil de souffler dans la trompette en se tenant debout sur le rocher de Jérusalem. La trompette est une corne de lumière ayant quatorze cercles ; chacun de ces cercles est comme la périphérie du ciel et de la terre. La trompette a autant de trous que la Création compte d'esprits et les esprits de la Création sortent alors avec un bruit semblable au bourdonnement des abeilles /.../ chaque âme rentre dans son corps /.../ alors on souffle une seconde fois dans la trompette et ils sont tous là, debout et dans l'attente » (*op. cit.*, p. 38).

Kasen jeeɗɗi aljannaaji ɗii fuu e maa njari　　　　　　　87
yo aan toowni ɗun darjaaji, aan hokki ɗun ŋari !
Walaa baawɗo faamnude yimɓe sifa mun mo haawnori !
Ko haawni e aljannaaji fuu, Gaaɓɗo, aan horii !
Hoyˋam ngoonga hokkam ɓoggi hoolaare Ahmada !

Nulaaɗam heyˋam hoolnam ngaɗaa kam mi neɗɗo maa　　88
ɓutaa kam e yiɗi maa yillitaa kam e sirru maa
ngaɗaa suura am deenaaɗo abadan no suura maa
ngaɗaa kam moɗiiɗo e nuuru montirɗo[ar] darja maa
dariiɗo no waylita ɓerɗe fuu feewta Ahmadaa !

Walaa jukketeeɗo e yiite ana yˋeɓti suura maa　　　　89
sanaa waylitee tagitee se ittee no suura maa
se suuree no suura ngiroowu baayraaɗo gawlu maa
fa ɗun timma dee tippee e nder ɓulli Jahannama !
Reworɓam, nanee mbattande kala bannjo[as] Ahmada !

Reworɓam, ngaree tiinnee njiɗen Baaba-Qaasimi　　　90
mbedee mbudu njogii-ɗon oo tefee kaŋŋe min tami !
Woteeji[at] ngaɗii nder worɓe lamndaaɓe fuu ɓami
minen no e jeeɗɗi saffooji fuu kanko min cuɓi
miɗon peccodoo e Nulaaɗo min njokka Ahmada !

Miɗen njokka Gaaɓɗo fa joote mun yarna min siro[au]　　91
wanaa siro men koo koo ko sigirinta min doro
nji'aa doole doro kon haama faa ɓilla min ɓiroo

Var. :

89. (1) ... ana yˋeɓti nuuru maa
90. (3) ... nder yimɓe lamndaaɗo fuu ɓami

[ar] Formation peule sur un emprunt au français « monter ».
[as] *bannjo : banyɗo.*
[at] *woteeji* : emprunt au français « vote ». Voir aussi, v.92, *wotanɓe.*
[au] *siro* : emprunt au français « sirop », lui-même dérivé de l'arabe [širb] (boisson).

Les sept Paradis, c'est encore de toi qu'ils se sont imprégnés !
C'est toi qui en as rehaussé la gloire, toi qui leur as donné leur splendeur.
Nul ne peut en faire aux hommes concevoir l'image tant elle est merveil-
leuse !
Et encore, tout ce qu'aux Paradis il y a de merveilleux n'est-ce, Privilégié,
que derniers reflets de ta lumière !
Gave-moi de vérité et me dote des liens de la confiance en Ahmad !

Mon Envoyé, sois tout pour moi, rends-moi confiant et fais de moi ta
personne,
comble-moi de ton amour et m'admets dans l'intimité de ton mystère !
Fais que mes qualités[40] soient à jamais préservées comme tes qualités !
Fais de moi un être immergé dans ta lumière et rehaussé par ta gloire,
et qui, debout pour convertir tous les cœurs, marche droit vers Ahmad !

Nul ne sera châtié par le feu infernal s'il a assumé tes qualités
à moins qu'il n'ait été transformé et recréé, privé de tes qualités
et reproduit à l'image d'un porc, à qui fut refusée ta parole
pour être, à la fin, précipité au fond des puits de la Géhenne !
Mes frères, entendez la triste fin de tout homme qui hait Ahmad !

Mes compagnons, venez, soyez assidus, aimons le Père-de-Qâssim[41]
Jetez le plomb que vous tenez et venez chercher l'or que nous gardons au
creux de notre main !
Des choix ont été soumis et, parmi les hommes, chacun, sollicité, a fait le
sien :
nous, parmi les sept cohortes[42] c'est celle-là que nous avons choisie
et nous mettant à l'écart avec l'Envoyé, nous nous joignons à Ahmad !

Nous joignant au Privilégié, le désir que nous avons de lui nous abreuve
de nectar,
mais ce nectar-là n'est certes pas comme cette bière de mil qui nous grise
et dont tu peux voir la force prendre sur nous le dessus jusqu'à nous faire
parler sans retenue[43].

---

[40] Textuellement « ma forme, mon image, ma manière d'être ».

[41] Qâssim fut le fils que le Prophète eut de sa femme Khadidja, avant la révélation.

[42] Le poète fait ici allusion aux sept catégories d'hommes promis au Paradis et que Dieu fera se ranger en cohortes pour traverser le Sirât : Envoyés, Prophètes, Justes, gens de bien, Martyrs, croyants et enfin savants. À chaque file Dieu remettra un étendard et désignera un chef pour l'escorter et lui faire passer le pont.

[43] Le verbe peul fait image « nous nous trayons ».

fa joom-ɗomka fuu ɓattiiɗo yarnee fa ẏooltoroo
haqiiqa haloo nder waalde halfiinde Ahmada !

To Yiiraay too ndeen waalde barkinde hawrata   92
walaa gooto ndaartoyteeɗo hen gooto faljataa
fa kala jamma fuu jaadiiɗo batu maɓɓe woortataa
wotanɓe Nulaaɗo ko selli taẏoral ɓe njaltataa !
Nanee sifa worɓe Nulaaɗo woodanɓe Ahmada !

Yahooɓe e dow yambiroore Laamɗo se kawrita   93
se kaalda haqiiqa se kawra fay gooto yeddataa !
Illaahi ko hiiti fuu waɗii kamɓe ngollata
duŋaaɓe na pirritoroo haqiiqa ɓe toonyataa !
Nanee sarwanooɓe[av] Nulaaɗo saahiiɓe Ahdama !

Fa nugabaa'u'en nujabaa'u'en Burɗo hawrata   94
fa rufagaa'u'en rugabaa'u'en sirri njaarata
fa budalaa'u'en xawsaa'u gaaɗii mo baddata
yoga e kumalu al-amwaatu'en mbeeyu ngartata
ɓe quɗubuuɓe njeeɗɗo yeɗooɓe en barke Ahmada !

Nanee batu waalde Nulaaɗo ndee bonɗo jillataa   95
fa Ibliisa faŋataa toon melew sakko bonnitaa
walaa pirritoowo amaana Burnaaɗo yeenataa

Var. :

91. (5) ... waalde hantiinde Ahmadaa.
93. (1) ... yambiroore Allaa...
94. (4) ... ɓee ɗuu ngartata

[av] *sarwanooɓe* : formation peule à partir d'un emprunt au français « servante », « servir ».

Au contraire, tout homme assoiffé qui s'en approche en sera tant abreuvé
    qu'il sera gorgé
de vérité et animé d'une mâle vertu[44] parmi la phalange qui s'est confiée
                       [à Ahmad !
C'est à Yîrâye[45] qu'alors se réunira la phalange bénie
dont nul n'aura à être recherché, car nul ne s'égarera,
chaque nuit, aucun des participants habituels à son Conseil ne manquant
    d'y venir
et ceux qui ont opté pour l'Envoyé ayant l'absolue certitude de n'en ja-
    mais être exclus !
Entendez la description des hommes de l'Envoyé, qui sont voués à Ah-
                       [mad !
Guidant leur pas sur l'ordre du Seigneur, ils s'assemblent
et n'ont de paroles que de vérité, unanimes et sans contestation.
Tout ce que mon Dieu a décrété qui soit fait, eux l'accomplissent
et, en ayant l'agrément, ils jouissent du bonheur de la vérité sans porter
    préjudice.
Entendez ce que sont les serviteurs de l'Envoyé, les compagnons d'Ahmad !

Puis les Gouverneurs[46] et les Généreux, le Meilleur les rencontrera,
et les Compagnons et les Gardiens apporteront les secrets,
et les Relais et le Secours, le Juge avec eux tiendra conseil,
et certains parmi la foule des défunts dans l'éther reviendront,
ce sont les sept Pôles chargés de nous accorder la bénédiction d'Ahmad !

Apprenez qu'au Conseil de la phalange de l'Envoyé, ne se mêlera point un
car Iblîs ne s'y aventurera pas, encore moins y portera-il le mal ! [méchant.
Pour un parjure, le Privilégié sera sans complaisance[47].

---

[44] Textuellement : « il sera viril, il sera un étalon ».

[45] Yîrâye : nom d'un lieu de la Mekke.

[46] Tous les termes qui vont apparaître dans les vers qui suivent font référence à des termes « techniques » de la mystique musulmane. Selon les explications données par Rinn (*Marabouts et Khouan*, Alger, 1884) et par l'*Encyclopédie de l'Islam* (article *wālī*), le « Refuge-du-Monde » est constitué d'une légion de quatre mille (ou trois cent cinquante-six, pour d'autres) saints ou bienheureux qui se divisent en sept classes dont la première est tenue par le « Secours » (*ġawṯu*), capable de prendre à sa charge une partie des péchés des croyants, la seconde par le « Pôle » (*quṯbu*), Saint qui, à chaque siècle porte et dirige l'axe du monde etc. Puis on y trouve aussi « ceux qui s'échangent » (*buhalā'u*) c'est-à-dire ceux qui se remplacent chaque fois que l'un d'eux disparaît (ils sont au nombre de quarante à soixante-dix), les « Gouverneurs » (*nuqabā'u*) au nombre de trois (ou trois cents, selon les auteurs) et les « Nobles » ou « Généreux » au sens étymologique du terme (*nujabā'u*). À ceux-ci s'ajoutent les « Meilleurs » (*hiḫāru*) et les « Piliers » (*awtādu*). Plusieurs mystiques ont reçu en leur temps le titre de « Pôle ». C'est le cas, par exemple, du Cheikh Djounaïdou.

[47] Textuellement « incorruptible » ; le verbe utilisé évoque l'achat du silence de quelqu'un par un cadeau approprié.

jokolɓe jogiiɓe yagiinu yaŋwirde hikumata
hirooɓe Nulaaɗo hikaaya hiɓɓiiɓe Ahmada !

Batooɓe ɗo mballa tageefo ngoo fuu e rahmata   96
so peccaa e men neemaaji bala'uuji ndunyditaa
jeɗaaɗo e duniyaa laamu fuu kamɓe ndokkataa
hoy̌aaɓe rassul-Allaahi hokkaaɓe rif'ata.
Nanee konsey[aw] Burɗo tageefo'en koode Ahmada !

Fa guɗubuujo fuu wardan e konu mum mo famɗataa   97
fa rawhaana'en e malaa'ikaaɓe ɓe njummbata
se ɗun hawritii ana mirminii hiisa moomtataa !
Nulaaɗo nde yaaliri fuu walaa gooto dillataa
walaa baawɗo kaaldal makko say xawsu Ahmada !

Nulaaɗo nde yaaliri fuu laɗaa-l-xawsu jooɗotoo   98
wakiilu faa sotta ɗo jooɗinoo xawsu jooɗotoo
kanyum naata nder saffuuji faa Burɗo ferritoo
Nulaaɗo so haalii timminii fuu ko laatotoo
yahan ɗalda xawsu-l-xalgi yambiroore Ahmada !

Nulaaɗo nde jooɗii fuu nji'aa nuuru ana guja   99
nji'aa kaawɗe oo kaananke ɗee may̌e ana may̌a
malaa'ika'en ana naati hen pirritoo pija
e ngee yiite wulnge waroowe woɗɗiima ɗon duja !
Illaahi, waɗam paydinɗo paamanɗo Ahmada !

Nulaaɗo nde immii fuu yo ndeen xawsu wartata   100
ɗo wonnoo faa jooɗoo, fuɗɗa haalde ko haalata.
Walaa cuuyɗo ɗoon ɓattaade sey xawsu Ahmada
Nulaaɗo ko yoppata ɗoon yo nuuru-l-jalaalata
kinaa xawsu yara dee yarna ɗum worɓe Ahmada !

[aw] *konsey* : emprunt au français « Conseil » (dans le sens politique).

[N'y siègeront] que de jeunes preux férus de certitude et armés de sa-
    gesse,
qui sont des émules de l'Envoyé en leurs propos, des intimes d'Ahmad !

Ici réunis en conseil, ils prêteront à la création entière leur aide miséricor-
    dieuse,
ayant entre nous dispensé les bienfaits et de nous écarté les fléaux.
À qui fut ici-bas octroyé le commandement, ceux-ci ne l'accorderont
    point
mais, à ceux qui se sont gorgés de l'Envoyé de Dieu, a été accordé un
    haut rang.
Apprenez que le Conseil du Meilleur parmi toutes les créatures, ce sont
                                                    [astres d'Ahmad !

Puis chaque Pôle arrivera avec sa cohorte qui ne sera point mince
et les âmes et les anges les escorteront, dansant de joie en leur honneur !
Et de tout ce rassemblement fourmillant, on ne saurait faire le compte !
Mais sitôt l'Envoyé présent, plus personne ne bougera.
Nul ne peut avec lui s'entretenir, hormis le Secours d'Ahmad !

Sitôt l'Envoyé présent, c'est à la place du Secours qu'il s'assiéra,
puis un délégué cédant bientôt sa place, le Secours à son tour s'assiéra,
celui-ci pénètre alors dans les rangs et enfin le Meilleur se relève[48].
Et l'Envoyé, sitôt qu'il aura prononcé la dernière parole sur ce qui doit
    advenir,
s'en ira, laissant le Secours-de-la-Création avec les instructions d'Ahmad.

L'Envoyé n'a pas plus tôt pris place qu'on voit flamboyer une lumière
et les merveilles de ce Souverain éclater en éclairs !
Et voilà qu'entrent des Anges, rayonnants de bonheur et faisant fête !
Et le feu brûlant qui déjà s'approchait, s'est éloigné laissant place à l'obs-
    curité !
Mon Dieu ! Fais de moi un homme efficace et ouvert à la connaissance
                                                    [d'Ahmad !

Dès que l'Envoyé se lève, c'est alors qu'à son tour le Secours revient
s'asseoir où il se trouvait et commence à dire ce qu'il a à dire.
Nul qui ose d'ici s'approcher hormis le Secours d'Ahmad !
Ce que l'Envoyé laisse là c'est la lumière de la Majesté divine
dont le Secours n'aura plus qu'à s'abreuver et à abreuver les hommes
                                                    [d'Ahmad !

---

[48] « se déplie » (évoquant le mouvement d'une personne qui, assise à la turque, se relève).

115

Fa ndeen xawsu oo yeɓa ɗun e quɗubuuɓe peccora   101
fa njara njarna waalde Nulaaɗo ndee fuu fa kennyora
fa homo fuu yeɗee heɓa hen ko waaworta ƴeptora.
Mi nyaagiima Joomam yarnoram hen mi yaŋwira
mi wona haqqilante kaliiɗo nder yimɓe Ahmada !

Nulaaɗo waran saamaaji wardan e yimɓe mun   102
yi'ooɓe muraadu-l-haqqi yirwirɓe sirri mun
sahaabaaɓe nayo ɓee wondude e yimɓe galle mun
so xawsuujo oo wirniima faamooɓe haala mun
haliiɓe haɓooɓe jihaadi halfiiɓe Ahmada !

Nulaaɗo nde wirnii fuu yo suuryande kaalata   103
lugaaje malaa'ika'en de moodiɓɓe caarhataa
de Munjidu nanditaa de Gaamuusu fiirtataa
yo miilooji anniya tan e faandaaji paamrata !
Nanee annde worɓe Nulaaɗo njari nokku Ahmada !

Gini yaa hafiizun min ar-riya'i wa summatu   104
ngaɗaa kam e moyƴuki maaɗa neɗɗanke guduwatu
mi wona omtiraaɗo haqiiqa kempirɗo guwwatu
mi heɓa ijtihaadu Nulaaɗo naɓa kam e oo batu
mi wona jillitiiɗo jiɗaaɗo nder yimɓe Ahmada !

Ti al-horma kala kawroowo hen fuu se humpitoo   105
e nder sirri Laamɗo ko xawsu haaldaa ko laatotoo
ti al-horma aalu-r-raa'i'en fuu ko njaabotoo
ti al-horma jumla warooɓe hen tan e mbirfitoo
waɗam kulɗo Alla kulaaɗo koolaaɗo Ahmada !

Var. :

101. (1) Yo xawsuujo oo yeɓa...
103. (1) ... yo suuryamɓe kaalata
104. (4) mi heɓa ijtimaa'u...

Lors le Secours la répartit entre les Pôles qui se la distribuent
pour s'abreuver et abreuver la phalange de l'Envoyé tout entière, faisant
    diligence
pour que chacun reçoive sa part, y trouve la force et un moyen de s'élever.
Je supplie mon Maître de m'en abreuver et que j'y puise mon énergie,
que je sois un homme sensé et d'une mâle vertu parmi les gens d'Ahmad.

L'Envoyé viendra de temps à autre, il viendra accompagné de ses gens,
qui voient l'objet de la vérité suprême et ont large accès à son mystère :
les quatre compagnons et, avec eux, les gens de sa maison,
qui, même une fois le Secours voilé à leurs yeux, connaissent bien sa
    parole,
hommes d'une mâle vertu qui mènent la Sainte Lutte et se sont mis entre
                              [les mains d'Ahmad !

Sitôt l'Envoyé disparu à leurs yeux, c'est en langue syrienne qu'ils parlent,
les langues des Anges, certes, même des lettrés ne les peuvent interpréter,
ni le Moundjid[49] ne leur correspond ni le Gamoûs ne les peut traduire,
c'est par la réflexion qu'ils auront seulement une idée de ce qu'elles veu-
    lent dire et des voies à suivre.
Apprenez que les savoirs, les hommes de l'Envoyé les ont bus auprès
                              [d'Ahmad !

Garde-moi de n'agir que pour paraître et avoir bonne réputation !
Fais de moi, de par ta bonté, une personne exemplaire,
que j'aie la révélation de la vérité et la consolide avec énergie
que j'obtienne par la recherche assidue de l'Envoyé d'accéder à cette as-
    semblée,
et que je sois un familier, un homme aimé parmi les gens d'Ahmad !

Au nom[50] de tous ceux qui se sont joints à eux dans l'espoir d'apprendre,
dans l'intime secret du Seigneur, ce dont le Secours annonce l'avènement,
au nom de toute la lignée du Pasteur et de leur réponse,
au nom de l'ensemble de ceux qui n'ont fait que venir là pour s'en retourner,
fais de moi un homme qui craint Dieu, Le Redouté, et mérite la confiance
                              [d'Ahmad !

---

[49] *Moundjid*, « Aide » et *Gâmoûs*, « Abîme de la mer » ou « Océan », sont les noms de deux diction-
naires.
[50] Textuellement « au nom du respect dû à... »

Ti al-horma ngoonga Nulaaɗo noddaa se gunndora 106
ti al-horma kaafa mo hamri Badri e Xaybara
ti al-horma nasru e nuuru Joomam mo faabora
ti al-horma sirri ndi siiɓinooɓe mo kalkira
kariimu waɗam kalhaldi nder sewre Ahmada !

Ti al-horma innde Nulaaɗo am noddi femmbiri 107
fenooɓe fa hawi ɗun kunci ɗun kalji faa peri
ti al-horma konu giɗo makko Jibriila waddori
ti al-horma jumla jokolɓe wallooɓe munziri
yo Joomam waɗam e jogiiɓe deeseeje Ahmada !

Ti al-horma dewtere Gaaɓɗo reworiinde korsa mun 108
ti al-horma worɓe Nulaaɗo winndooɓe wahyu mun
ti al-horma konngol Gaaɓɗo al-horma golle mun
ti al-horma azwaaji-n-nabiyyi e ɓiɓɓe mun
waɗam pewjondirɗo Nulaaɗo pemmboowo Ahmada !

Mi moomtira worɓam ngoonga moomtoo fa kawrita 109
mi fonndira worɓam ngoonga faa ndartitoo pota
mi feewtan e fewre fa deeseewal am mi firrita
mi femmbira ngoonga mi yuura toye gaawe am muta
mi hawa konu fewre mi naata nder fedde Ahmada !

Mi naatan e fedde Nulaaɗo femmbirde ngoonga mun 110
se hunciti niɓe ɗe huɓɓii fitiilaaji diina mun
mi limtee e worɓe Nulaaɗo wuurtinɓe sunna mun !
Reworɓam, ngaree mballee Nulaaɗam e ngoonga mun
kiren ardinooɓe adiibe'en rewde Ahmada !

Au nom de la vérité dont l'Envoyé fut appelé à partager le secret,
au nom du sabre avec lequel il combattit à Badr et à Khaybar[51],
au nom du concours et de la lumière de mon Maître dont il reçut le se-
au nom du prodige qui anéantit ceux qui l'avaient dédaigné[52]   [cours,
Puissant, fais de moi un étalon au sein du troupeau d'Ahmad !

Au nom du Nom qu'invoqua mon Envoyé pour combattre
les menteurs jusqu'à ce que, vaincus, réduits à l'exode, ils se lancent
au nom de l'armée que son ami Gabriel amena,   [dans une fuite éperdue,
au nom de l'ensemble des preux qui apportèrent leur concours à l'Aver-
    tisseur,
que mon Maître me mette au nombre des porte-étendards d'Ahmad !

Au nom du Livre du Privilégié auquel, par vénération pour lui, on obéit,
au nom des hommes de l'Envoyé qui ont écrit ce qui lui a été révélé,
au nom du verbe du Privilégié et au nom de ses œuvres,
au nom des épouses du Prophète et de ses enfants,
fais que je sois associé aux desseins de l'Envoyé et un soldat d'Ahmad !

Je grouperai mes hommes au nom de la vérité et ils se grouperont ne fai-
    sant plus qu'un,
je donnerai pour but à mes hommes la vérité et ils se redresseront, bien
je ferai face au mensonge et déploierai mon étendard,   [alignés,
je combattrai au nom de la vérité, enferrant l'ennemi jusqu'à ce que dis-
    paraisse la pointe de mes lances,
je vaincrai l'armée du mensonge et entrerai dans la troupe d'Ahmad !

Je m'engagerai dans la troupe de l'Envoyé pour combattre au nom de sa
et, dissipées les ténèbres et allumé le flambeau de sa religion,   [vérité
je serai compté au nombre des hommes de l'Envoyé, qui raniment sa Tra-
    dition.
Mes compagnons, venez apporter votre concours à mon Envoyé et à sa
    vérité !
Soyons les émules de ceux qui furent les premiers des lettrés à suivre Ah-
                                                        [mad !

---

[51] Badr et Khaybar désignent les deux batailles décisives qui marquèrent l'avènement de l'islam : la première, qui eut lieu le 16 mars 624, vit la victoire des partisans de Mouhammad – aidés, selon la tradition, par les anges – sur les Mekkois ; la seconde, en mai 628, mit un terme au siège de l'oasis de Khaybar, habitée principalement par des Juifs.
[52] Le verbe utilisé ici est très expressif : il désigne une attitude physique traduisant tout à la fois une dénégation dédaigneuse et un scepticisme moqueur : on détourne légèrement la tête avec une moue s'accompagnant de l'émission d'un bruit qui est produit par une aspiration d'air et de salive entre les joues et la mâchoire inférieure.

119

Kiren yimɓe am Siddiiqi, kewten na barke mun   111
kiren Sayyid-al-Faaruuqu nguurden na ngoonga mun
kiren Zuu-nuurayni ti yaage muuɗun e needi mun
kiren Aba-l-Hasanayni ti anndal e golle mun
nanee guurti gumpi Nulaaɗo coo gorɗi Ahmada !

Kiren golle Saadu, kiren na golle Saa'idu mun   112
ko Dalhata golli kiren, kiren na Jubayru mun
kiren Ibun-Zarraa'ii, kiren Ibun-Awfi mun
ti al-horma ɓee ɓe Nulaaɗo seedii e ngoonga mun
yo ngoongam tutee fuɗa dow ɗaɗol ngoonga Ahmada !

E ndee waalde min peccii so min ciini jokkude   113
fa Ibliisangel min peewti min ciini femmbude
e ɗii njinngi min ngoni Burɗo min ciini wallude
Illaahi mo yidii oo yimɓe fuu haani wondude !
Reworɓam, ngaree, nduncen mbifen fooyre Ahmada !

E nder waalde Burɗo tageefo ndeen moyƴo fuu woni   114
fa kala annabaaɓe ɓamiino hen aadi timmini
Nulaaɗo so wardi haqiiqa fuu kanko goomɗini
nde Qur'aana ngal jippii so tafsirɓe maandini.
Walaa deenotooɗo e men kanaa dewɗo Ahmada !

Var. :

113. (5) Ngaree, yimɓe am, nduncen...
114. (5) ... sanaa dewɗo Ahmadaa.

Soyons, mes frères, les émules de Siddiq et ayons accès à sa bénédiction,
soyons les émules de Sayyid-al-Fâroûq et vivons dans sa vérité !
Soyons les émules de Zoû-Noûrayni, pour son éducation et sa bonne con-
    duite !
Soyons les émules du père des deux Hassan pour son savoir et ses actes[53] !
Entendez les taureaux meneurs sur les pistes de l'Envoyé, gloire aux
                                            [mâles [capitaines] d'Ahmad[54] !

Soyons, en leurs actes, les émules de Sâdou et de son Sâ'idou !
Ce qu'accomplit Talhat, soyons-en ses émules comme aussi de son Zou-
soyons les émules d'Ibn-Zarâ'i, les émules de son Ibn-Aoufi[55] !   [bayr,
Au nom de ceux-ci, dont l'Envoyé témoigna qu'ils étaient dans sa vérité,
que ma vérité soit entée et pousse sur les racines de la vérité d'Ahmad !

En cette phalange nous nous sommes répartis, bien résolus à nous y join-
au vil Iblîs, nous avons fait face, bien résolus à le combattre   [dre,
et ainsi nous sommes faits ardents partisans du Meilleur, bien résolus à
    lui donner notre appui !
Qui fut l'objet de la dilection divine, tous les hommes doivent être avec lui.
Mes compagnons, venez, ranimons et attisons la flamme radieuse d'Ah-
                                                            [mad !

Dans la phalange du Meilleur-de-la-Création se trouve tout homme de
    bien
de sorte que s'est accompli l'engagement qu'avaient en cela pris tous les
L'Envoyé, apportant la vérité, l'a aussi lui-même confirmée   [prophètes.
puisque le Coran est descendu et que les exégètes en ont explicité le sens.
Nul ne sera parmi nous préservé qui n'aura pas été disciple d'Ahmad !

---

[53] Ces qualificatifs désignent les quatre califes déjà évoqués au vers 102 sous le terme de
« compagnons ». *Siddiq*, « Véridique » désigne Abou-Bakr, le premier calife ; *Sayyid-al-Fâroûq*,
« Le Seigneur-qui-Distingue » désigne Oumar, le second Calife ; *Zoû-Noûrayni*, « Détenteur-de-
deux-lumières », désigne Ousman, le troisième calife : ce sont ses mariages successifs avec deux des
filles du Prophète qui lui valurent cette dénomination ; il est aussi parfois appelé « Possesseur-de-
trois-lumières », la troisième étant la connaissance du Coran. Enfin *Aba-l-Hassanayni*, « Le-Père-
des-deux-Hassan », désigne le calife Ali qui épousa Fatima, fille du Prophète, qui lui donna les
jumeaux Hassan et Houssein.

[54] Les termes utilisés dans ce dernier vers sont spécifiques du vocabulaire des pasteurs de cette
région de la boucle du Niger : les *guurti* désignent des taureaux grands et puissants et les *gumpi*, les
pistes tracées par le passage des troupeaux dans les pâturages aquatiques du bourgou.

[55] Sâdou (ou Sa'd), un général arabe tôt converti, fut avec Sâ'idou et Talhat – l'instaurateur de la
'umra (pèlerinage à la *Ka'ba*) – l'un des premiers compagnons du Prophète Mouhammad, qui
combattirent dans les batailles contre les Mekkois et auxquels le Prophète promit le Paradis. Zoubayr
fût aussi un combattant auquel le Prophète confia le commandement dans plusieurs de ses batailles
contre les Mekkois. Quant à Ibn-Aoufi, il participa à la fameuse bataille de Badr.

Ngaree, yimɓe am, tiinnee fa kemren na ngel wune   115
njiɗen Mustafaa cellen ɗalen bonɗo o'o sunee
ɗalen yiɗde koongu e huunde fuu waɗde faa manee
celee yiɗde oo wanya oo e konnaagu dow pene
njiɗen ngoonga ndewren ndeeno-ɗen yeeso Ahmada !

Nulaaɗo heyɓi deenaaɗo deenoowo juulɗo fuu   116
Nulaaɗo heyɓi kaananke balloowo looɗo fuu
Nulaaɗo heyɓi giɗo Alla konne e bondo fuu
Nulaaɗo heyɓi kaafaawi coppirki fewre fuu
Nulaaɗo heyɓi joom-ngoonga, ngonden e Ahmada !

Nulaaɗo heyɓi kaananke kammu e leydi fuu   117
Nulaaɗo heyɓi wartirde yimɓe e jinna fuu
Nulaaɗo heyɓi pa'eteeɗo darngal nde juuti fuu
Nulaaɗo heyɓi koolaaɗo faa ɓuri neɗɗo fuu
Nulaaɗo heyɓi curanoowo en Alla Ahmada !

Nulaaɗo heyɓi miftaahu anabiyemme fuu   118
Nulaaɗo heyɓi mixlaagu nuldaaɗo ngoonga fuu
Nulaaɗo heyɓi almaami jokkuɗo Alla fuu
Nulaaɗo heyɓi nantinde en haala Tagɗo fuu !
Nanee nantinoowo mo yeenataake yo Ahmada !

Nulaaɗo heyɓi samsu-d-duhaa ɓurnge naange fuu   119
Nulaaɗo heyɓi badru-l-dujaa ɓurndu lebbi fuu
Nulaaɗo heyɓi bahru-n-nadaa ɓurngo maaje fuu
Nulaaɗo heyɓi sooninke coobiiɗo nyannde fuu !
Nanee dokko doomtuɗo aaya Allaa yo Ahmada !

Var. :
(3) ... bahru-n-nidaa

Venez, mes gens, efforçons-nous de gagner, au dépens du Vil[56], la consi-
    dération !
Chérissons le Meilleur, restons sains et laissons au méchant l'angoisse !
Renonçons à briguer la première place et à faire toute chose en vue d'être
    loués !
Cessez d'aimer l'un et de haïr l'autre, avec une hostilité injustifiée !
Aimons la vérité, servons-la fidèlement et nous assurons le salut auprès
                                                                [d'Ahmad !

L'Envoyé est par excellence l'être préservé, protecteur de tout croyant !
L'Envoyé est par excellence le monarque qui secourt tout faible sujet !
L'Envoyé est par excellence l'ami de Dieu, l'ennemi de tout méchant !
L'Envoyé est par excellence le sabre qui fauche tout mensonge !
L'Envoyé est par excellence le détenteur de la vérité, allions-nous à Ah-
                                                                [mad!
L'Envoyé est par excellence le roi du ciel comme de la terre !
L'Envoyé est par excellence ce qui peut remettre sur la voie les hommes
    comme les génies !
L'Envoyé est par excellence celui vers qui l'on ira lorsque longue sera la
    station[57]
L'Envoyé est par excellence celui en qui, plus qu'en tout autre, on peut
    avoir foi !
L'Envoyé est par excellence celui qui se fera notre avocat auprès de Dieu,
                                                                [Ahmad !
L'Envoyé est par excellence la clef de tous les prophètes !
L'Envoyé est par excellence le sceau de tous les messagers de vérité !
L'Envoyé est par excellence le guide suprême de tous ceux qui ont suivi
    Dieu !
L'Envoyé est pour nous le meilleur interprète de tout le Verbe du Créa-
Apprenez que l'interprète incorruptible, c'est bien Ahmad !   [teur !

L'Envoyé est par excellence le soleil matinal, qui surpasse tout soleil !
L'Envoyé est par excellence la pleine lune, dans les ténèbres, qui surpasse
    toutes les lunes !
L'Envoyé est par excellence l'océan de générosité, qui surpasse toutes les
    mers !
L'Envoyé est par excellence le munificent, prompt à donner, chaque jour !
Apprenez que le généreux qui a veillé sur la révélation divine, c'est Ah-
                                                                [mad !

---

[56] Il s'agit d'Iblîs, contre lequel est engagé un combat permanent.
[57] Il s'agit de l'attente de la Résurrection.

123

Nulaaɗo heyɓi azaliyyi puɗɗoɗe huunde fuu   120
Nulaaɗo heyɓi abadiyyi battande huunde fuu
Nulaaɗo heyɓi daariyyu anndanɗo huunde fuu
Nulaaɗo yo daymuumiyyi sordude huunde fuu
mo barrun baduuhun buuhu, nan innde Ahmada !

Nulaaɗo heyɓi anndinɗo en Laamɗo Tagɗo fuu   121
Nulaaɗo heyɓi buuwanɗo en laawi ngoonga fuu
Nulaaɗo heyɓi newnanɗo en golle njuulu fuu
Nulaaɗo heyɓi heedoode meeɗen e sarri fuu
Nulaaɗo heyɓi giɗo men njaɓen yiɗde Ahmada !

Nulaaɗo heyɓi ardiiɗo oo ɓurɓe fuu ndewi   122
Nulaaɗo heyɓi anndal yo ɗoon annde fuu iwi
Nulaaɗo heyɓi beembal yo ɗoon neema fuu sowi
Nulaaɗo heyɓi ngesa am yo ɗoon jikke am fawi
Nulaaɗo heyɓi kam e jago miɗo jamma Ahmada !

Nulaaɗo heyɓi kam gaa mo njamman-mi nyannde fuu   123
Nulaaɗo heyɓi kam gaa mo njelotoo-mi saanga fuu
Nulaaɗo heyɓi kam gaa mo mbakkil-mi haaju fuu
Nulaaɗo heyɓi tuugaaru am gaa e yeeso fuu
Nulaaɗo heyɓi ballam mi balmiima Ahmada !

Nulaaɗo heɓii toowal e ŋarrade kammu mun   124
Nulaaɗo heɓii teelal e gunndeede Joomi mun
Nulaaɗo heyɓi birfal e juulnoyde yimɓe mun
Nulaaɗo heɓee waddande en aaya juulde mun
Njaɓen na ko Joomam haali, njuulen e Ahmada !

L'Envoyé est par excellence l'origine éternelle des germes de toute chose !
L'Envoyé est par excellence l'infinitude même du terme de toute chose !
L'Envoyé est par excellence la source pour qui est savant en toute chose !
L'Envoyé c'est la pérennité de la protection pour toute chose !
Pour celui dont sont manifestes vertu et sincérité, entends le nom d'Ahmad !

L'Envoyé est par excellence celui qui nous a fait connaître le Seigneur,
    Créateur de toute chose !
L'Envoyé est par excellence celui qui pour nous fraya les chemin de toute
    vérité
L'Envoyé est par excellence celui qui nous rendit aisé l'accomplissement
    de toute prière !
L'Envoyé est par excellence l'écran qui nous abrite de tous maux !
L'Envoyé est par excellence notre ami ! Aimons de notre plein gré Ahmad !

L'Envoyé est par excellence le guide que tous les meilleurs ont suivi !
L'Envoyé est par excellence la connaissance dont tout savoir est issu !
L'Envoyé est par excellence le vaste grenier où furent engrangés tous
    bienfaits !
L'Envoyé est par excellence mon champ où est ameulonné mon espoir !
L'Envoyé est pour moi l'unique commerce tandis que je célèbre le nom
                                                   [d'Ahmad !

Mon Envoyé me suffit ici-bas, lui que chaque jour je célèbrerai !
Mon Envoyé me suffit ici-bas, lui qui à tout instant est l'objet de mes
    vœux !
Mon Envoyé me suffit ici-bas, lui entre les mains duquel je remets tous
    mes problèmes !
Mon Envoyé est pour moi l'unique soutien tant ici-bas que pour le futur !
L'Envoyé est pour moi l'unique secours et j'implore Ahmad !

L'Envoyé eut la grâce d'être haut emporté lors de son ascension au ciel !
L'Envoyé eut la grâce d'être seul à partager un intime entretien avec son
    Seigneur[58] !
À l'Envoyé seul fut donné d'en revenir pour aller islamiser ses gens !
L'Envoyé eut le privilège de nous apporter la révélation de sa prière !
Acceptons donc ce qu'a dit notre Maître et invoquons en nos prières Ah-
                                                       [mad !

---

[58] Allusion au *Mirʿāj* ou ascension du prophète Mouhammad jusqu'au septième ciel où il eut le privilège de rencontrer Dieu et de recevoir l'enseignement des cinq oraisons qui fondent la pratique religieuse de l'islam.

Alfaa Bookari Mahmuudu

Mi ɗoftiima Joomam koo mi juulii e 'Burɗo fuu   125
nde sowa funngo duniyaa fuu e leydeele jeeɗɗi fuu
nde sowa koode kammu e duule muuɗun e baade fuu
nde sowa Kursi sowa kammuli jeeɗɗi e Arsi fuu
nde wona dow Nulaaɗo e juulɗo fuu dewɗo Ahmada !

J'ai obéi à mon Maître en ayant appelé sur le Meilleur de tous une prière
égale au multiple de toute la végétation de ce monde, avec ses sept terres,
égale au multiple des astres du ciel et de ses nues avec toutes leurs gout-
    tes de pluie,
égale au multiple du Trône divin, au multiple des sept Cieux et du Dais
    céleste,
une prière qui s'étende sur l'Envoyé et sur tout croyant, disciple fidèle
                                                    [d'Ahmad !

TROIS POÈMES

POÈME I

I

Yaa duumoriiɗo moƴƴuki   1
faabam mi ŋarɗa njuɓɓuki
wakfuuji ŋeenya porruki
mi yetta Ɓurɗo joom-ŋari !

Yaa Joomiraaɗo zu-l-wafaa   2
yo a lootu ɓernde am kefaa
nde laaɓa ŋarɗa nuurɗa faa
no luulu maa no jawhari

Fa mi haalta Ahmadaa nabii   3
nde ɓanngunoo e Aarabi
so forri diina oo hobi
so wardi goongaᵃ huɓɓiri !

Ɓurnaaɗo jemma ŋarrorii   4
so hewti gunndodal ɓuri
e jaalogal so wartiri
mo Laamɗo ɓurni kaa ɓuri.

Nde weeti Gaaɓɗo haalani ɓe   5
ko Joomiraaɗo yambiri ɓe
ɓe mbelsindii e nder niɓe
ɓe mawnitii ɓe njankiri.

Ɓe immodii e jankiral   6
e haasidaade ngal ɓural
iwngal to Laamɗo moyŋaral
ngal ɓurɗo fuu e mum sori.

Ɓe naati haalde pankari   7
ɗi waayde haalde ɗum ɓuri
ɗi torrataa so fii wari
wardi e goonga tannyori.

Won jalɓe hen so mbii : « Nanee   8
no gooto hemri oo wune
ŋarrade kammu ardinee
tageefo fuu no yirwiri ! »

ᵃ *goonga : ngoonga.*

I

Ô Être infini en ta bonté
aide-moi à composer un beau poème
aux vers justement cadencés
à la gloire de l'Excellent le Sublime !

Ô Seigneur, Maître-du-Trépas
puisses-tu laver mon cœur et le curer
qu'il soit pur, beau et radieux
comme perle ou gemme

Afin que je rappelle comment le prophète Ahmad,
apparu en Arabie
juste comme déclinait la religion,
apporta une vérité qui en ranima l'éclat.

Le Préféré, de nuit, monta aux cieux
y obtint un entretien secret et, doté de précellence,
en revint victorieux :
celui que Dieu a privilégié, certes, a précellence !

Au matin, le Bienheureux leur rapporta
les commandements du Seigneur :
dans leurs ténèbres, ils les négligèrent
et, pleins d'orgueil, refusèrent d'y croire.

Ils s'engagèrent dans la dénégation
et la jalousie envers cette précellence
émanant du Seigneur et splendide,
où tout excellent trouve abri.

Ils se mirent à tenir de méchants propos
dont il vaut mieux ne pas parler
mais qui ne causeront aucun tort, le fait advenu
étant porteur de vérité, c'est là certitude.

Il y en eut, parmi eux, pour dire, se gaussant : « Apprenez
comment un homme a eu cet honneur
de monter au ciel et d'être mis en tête
de toute la création si étendue soit-elle ! »

Won wiiɓe hen ɗun kaa yelaa 9
ɗun laatataako fes walaa !
Annii njahoo annii mbilaa
mbildaama goonga kalkori.

Won wiiɓe hen na anndunoo 10
mo keenyen ɗo mo wonno noo
ma innda tooru mun hunoo
faa lo'ona goonga halkori !

Won wiiɓe hen na kecci mo 11
ngam hiisa duuɓi ɓurdi mo.
Yeew no ko bonɓe mbayri mo
wanyeede Laamɗo halkori !

Won wiiɓe hen : « Mo ɓii amen, 12
no mo hemri ɗum e nder amen ?
Ɗum timmataa e dow amen ! »
Tiinnii e ɗun fa halkori !

Won wiiɓe : « Mustafaa suka ! » 13
Ɗum tan ɓe itti hen sika !
Annii njahoo annii nduka
oo ndunndaraaku halkori !

Won wiiɓe tooru laamɗo mun 14
suka oo wi'ii yo sel e mun,
selataa ko tawri baaba mun
mballii e goonga halkori !

Won wiiɓe jawdi kam ɓuri 15
e ɓeyngu mun na haawtorii
noon nimre bonnde ommbori
e ɓernde mun so halkori !

Qur'aana ɓe mbii yo hiila tan 16
mo Aarabo baawɗo kaalki tan
eɓe mbaawi ɗun ɓe nyemmbi tan
pene bonɗe bonɓe kalkori.

134

Il y en eut pour dire : « Ça, c'est un souhait,
mais c'est totalement irréalisable ! »
Ainsi protestaient-ils, ainsi s'emportaient-ils :
à s'irriter contre la vérité, ils ont couru à leur perte.

Il y en eut pour dire qu'ils l'avaient connu
et que, la veille, c'est encore là qu'il se trouvait,
ou bien qui, au nom de leur idole, faisaient serment
d'affaiblir la vérité : ils ont couru à leur perte !

Il y en eut pour dire qu'ils étaient plus âgés que lui
car ils le dépassaient de bon nombre d'années.
Vois à quel point des méchants l'ont haï :
à être hostile au Seigneur, on court a sa perte !

Il y en eut pour dire : « C'est notre enfant,
comment lui seul parmi nous a-t-il pu obtenir cela ?
Cela ne peut s'accomplir en dehors de nous ! »
Ils s'enferrèrent en cela jusqu'à aller à leur perte !

Il y en eut pour dire : « Élu, un si jeune homme ! »
Rien que pour cela, il l'exclurent, pour sûr !
Ainsi protestaient-ils et se récriaient-ils :
et cette outrecuidance les mena à leur perte !

Il y en eut pour dire qu'une idole était leur dieu,
que le jeune homme avait dit de s'en écarter
mais qu'on ne s'écarterait pas d'une tradition ancestrale :
à faire obstacle à la vérité ils ont couru à leur perte !

Il y en eut pour dire que c'était de sa grande fortune
et de sa famille qu'il se prévalait :
ainsi de funestes ténèbres recouvrirent-elles
leur cœur pour les mener à leur perte !

Le Coran, dirent-ils, n'est qu'une tromperie,
ce n'est qu'un Arabe qui sait bien parler,
et, en étant capables, ils n'ont fait qu'imiter :
méchants mensonges menèrent méchants à leur perte !

Joom-goonga jaabataako ɗun   17
ɗun bonɗi tan fa metta ɗun
so tannyorii ko hilli ɗun ?
Mo Laamɗo waddi kaa warii.

Mo Laamɗo walli jaalike !   18
Muuyi gondinee muuyi ɓakee
muuyi jalnoree fa fekkitee
fernee no ɓurɗo yuultiri.

Be mbii Muhammadun Lamin :   19
« Yaa waddu aaya, hollu min
no gooto hemri ɓurde min
faa sennda min e pankari ! »

Mi tampataa e limtude   20
ko Ɓurɗo fuɗɗi hollude !
Mo seerataa e yiidude
Tagoowo nee ko suŋliri ?

Joomen yo baawɗo huunde fuu   21
e taŋre ndee ko muuyi fuu
Muxtaar yo ɓurɗo huunde fuu
ɓadaade Laamɗo ġaadiri.

Joomen yo baawɗo ronkataa   22
maahin yo nyaago[b] waasataa
ngam needi kaa mo ndaarataa
kaafaawi tan mo jaalori.

Ɓurnaaɗo holli ndeen ɓure   23
ɗe nyemmbataako dowrowe
kaawniiɗe sanne moyŋare
faa hannden ɓurɗo fuu sori.

Faa taskotooɗo fuu ejii   24
faa ɓernde paamɗo fuu mojii

---

[b] *nyaago : nyaagoowo.*

Qui détient la vérité n'a pas à répondre à cela[1]
ce ne sont là que méchancetés pour le blesser,
mais quand on a certitude, de quoi se soucier ?
Celui que Dieu a amené, certes, est advenu.

Celui que Dieu a aidé a eu la victoire !
Y croie qui le veuille, dénigre qui le veuille,
s'en moque qui le veuille, jusqu'à s'esclaffer !
Qu'on le fasse émigrer, comme s'exila l'Excellent !

Ils dirent à Mouhammadoun Lamin :
« Apporte donc un signe et montre-nous
comment un seul a pu obtenir de valoir mieux que nous
pour nous séparer de ce qui est laid ! »

Je ne me fatiguerai pas à énumérer
ce que l'Excellent a été le premier à montrer !
Qui ne se départit pas de la fréquentation
du Créateur, de quoi peut-il s'inquiéter ?

Notre Maître est Celui qui peut toute chose
en la création, quel que soit son désir,
l'Élu est celui qui, plus que toute chose,
est proche du Seigneur Tout-Puissant.

Notre Maître est Celui dont le pouvoir est infaillible
Serviteur[2] est un être dont les prières ne seront pas insatisfaites
car par bonne éducation il n'a point d'exigences :
un glaive suffit à lui donner la victoire.

L'Élu montra alors des qualités
inimitables, sublimes,
tout à fait stupéfiantes, magnifiques,
et jusqu'à ce jour tout être d'excellence s'y abrite

Au point que quiconque y prête attention craint l'avenir,
que le cœur de celui qui comprend se drape d'humilité

---

[1] Dans ce vers et les trois suivants, le poète fait en même temps allusion à sa propre situation : il fut en effet en butte aux critiques et aux persécutions de ses contemporains au point de devoir quitter Ouro-N'dia (*Wuro-Ngiya*) et se réfugier à Kouboulou, le village de sa mère ; c'est ainsi que, à la fin du vers 18, il compare son exil à celui du Prophète.
[2] Épithète désignant Mouhammad.

faa sirwi Ɓurɗo faa najii
faa wirfitii fa guftorii.

Ndeen bonɗo fuu immii humi   25
kalkiiɗo fuu yo ndeen wumi
ndeen kaasidiiɗo fuu ɓami
konnaagu mun no suŋliri.

Aan hormoraa ti goonga mun   26
aan bonɓe njawri mbajju mun
aan Laamɗo wii yo ballo mun
aan horsinaa aan min cori.

Aan bonɓe konninoo mbanyi   27
aan jaayɓe ɗuurtinoo mbenyii
aan ɓurɓe njokki faa nganyi
faa ɓurdi ɗun faa mbaastori.

Aan bonɓe kaasidii njawi   28
faa pemmbu-ɗaa ɓe aan hawi
faa ngulli mbii « ɗal min ndewi ! »
Kala dewɗo ngoonga faydori.

Aan lo'oni bonɓe ronkini   29
aan nuski ɗun fa njurginii
aan furni ɗun fa ɓawlini
faa anndi goonga joon warii !

Ndeen taŋre ndee feccaa ɗiɗi   30
fodanaaɗo fuu rew maa yiɗi
ɗowtii e batte maa soɗii
soobii e ɗum fa nuurɗiri.

Heddiinde nde yeɓtaa ɗiɗi   31
fuu bonɗo fu joomen huɗi
Ibiliisa peccodii njeɗi
njokkii e bonɗo kalkori !

que, troublé devant l'Excellent, frappé d'émerveillement,
il revient sur ses pas pour enfin s'amender.

Lors, tous les méchants préparèrent leurs armes,
c'est alors que tout damné fut aveugle,
alors, que tout envieux commença
et son hostilité lui fut cause de tourment.

C'est toi qui fus honoré en raison de Sa vérité
toi que les méchants ont méprisé à propos de Son unicité
toi que Dieu a dit être Son auxiliaire
toi qui es objet de dilection, toi qui es notre abri !

C'est toi que les méchants avaient combattu et haï
toi dont les vauriens s'étaient détournés en te contestant
toi que les meilleurs ont suivi, y trouvant avantage
si bien qu'étant grâce à cela meilleurs, ils en tirèrent gloire !

C'est toi que les méchants ont envié et mésestimé
mais tu les as combattus et vaincus
au point qu'ils s'écrièrent : « Laisse, nous obéissons ! »
Qui à la vérité se dévoue, en a tiré avantage.

C'est toi qui as affaibli les méchants, les vouant à l'échec,
toi qui les broyas, les laissant abattus tête basse,
toi qui les fis passer de la poussière grise à la noirceur[3]
sachant bien que la vérité était alors advenue !

C'est alors que la création fut en deux partagée :
tout homme destiné à t'obéir voulut le faire,
et suivit tes traces de très près,
plein de zèle en cela, et en fut illuminé.

Le reste en deux groupes fut réparti :
tous les méchants que notre Maître a maudits
ont eu pour lot de rejoindre la compagnie d'Iblîs :
ayant suivi les pas du Méchant, ils ont couru à leur perte !

---

[3] Cette image figure la victoire du combattant qui met à terre son ennemi, le couvrant de poussière jusqu'à le rendre noir ; le terme de « noirceur » connote aussi, dans ce contexte, la notion de paganisme.

Alfaa Bookari Mahmuudu

Keefeero ciinɗo yankiri
e bonɗo biiɗo en rewi
marsoowo jaayɗo kaafiri
yonnyoowo yoyre halkori.   32

Ila ceeri ndeen ɗi ndentataa
faa hannden bonɗo moyyataa
mo Laamɗo woonni bontataa
kala bonɗo goonga yankiri.   33

Mi ndaardu Laamɗo Tagɗo fuu
heyam e sarri bonɗo fuu
kala bonki[c] mun ki wardi fuu
o humpitii o seedorii.   34

Yaa Mustafaa aan[d] tuugi-mi
e Joomiraaɗo ngondu-mi
kala bonɗo fuu aan kollu-mi
konnaagu mum mo ɓanngiri.   35

Kasen nii ndaarde gonɗude
joom-goonga fuu e jokkude
golleeji maa e nyemmbude
mi nyeenya gaa e laaxiri.   36

Joom-goonga fuu aan nyemmbini
so goonga muuɗum semmbini
so nyemmbinaay ma kaa feni
ma taw yo bonɗo suuɗori.   37

Kala bonɗo ndeen acci donoo
e taŋre ndee annii munoo
na haala fewre billinoo
na haasidoo na yankiri.   38

Faa hannden nanngu bonɗo fuu
ganyo Alla naafigiijo fuu
marsoowo yaa-wartaajo fuu
ngam joote jaayɓe aybiri.   39

---

[c] *bonki : mbonki.*
[d] *aan :* compté ici comme une brève dans la scansion.

Païen enferré dans le refus de croire
et méchant, prétendant avoir été fidèle,
hypocrite, vaurien, dernier des païens,
dupeur, que sa ruse a mené à sa perte !

Depuis qu'ils l'ont rejetée, ils n'ont pas rejoint (la communauté) :
jusqu'à nos jours un méchant ne sera pas bon
et celui que Dieu a fait bon ne deviendra pas mauvais !
Tout méchant a refusé de croire en la vérité.

J'ai demandé à Dieu, Créateur de toute chose,
de me tenir à l'écart des dangers de tout méchant :
de tout mal qu'il ait pu apporter
il est au courant et en a pu témoigner.

Ô Élu c'est en toi que j'ai trouvé appui
et en compagnie du Seigneur que je vis,
tout méchant, c'est à toi que je le montre :
c'est son hostilité même qui le dénonce !

Et aussi je te demande d'être sincère
dans ma dévotion pour tout détenteur de vérité
dans mon imitation de tes actions
et que j'y sois expert ici comme en l'autre monde !

Tout détenteur de vérité c'est toi qu'il a imité
si bien que sa vérité en a été renforcée,
s'il ne t'a pas imité, certes, il a menti
ou peut-être est-ce un méchant qui s'est dissimulé.

Tout méchant, dès lors, a renoncé à en hériter
avec toute la création le voilà qui fait l'hypocrite
disant mensonge en invoquant le nom de Dieu
et, dans son égoïsme, refusant de croire !

Jusqu'à nos jours, tiens pour assuré que tous les méchants
tous les ennemis de Dieu, les hypocrites,
tous les dupeurs, colporteurs de calomnies,
à cause de leur cupidité, sont vauriens déshonorés !

Alfaa Bookari Mahmuudu

Yaa Mustafaa yaa punfuɗo   40
gomɗinɗoe fuu wan ɗum giɗo
ardin ɗum wi' ɗum wardu ɗo
nder laawi maaɗa moyŋari.

Faandam e yimre ndee gasii   41
ko moomtinoo e am fusii
siiwiima worɓe am ndesii
na ndeeni ɗum na ndeentorii.

Mi juula ɓurnde nuurɗude   42
nde misku nyemmbi uurude
dow 'Burɗo belɗo yiidude
duniya e nyannde laaxiri

e aalo'en e dewɗo fuu   43
e nyemmbinoowo Gaaɓɗo fuu
nde yirwa huuɓa juulɗo fuu
gonɗinɗof nyannde laaxiri.

---

[e] *gomɗinɗo : goomɗinɗo.*
[f] *gonɗinɗo : goonɗinɗo, goomɗinɗo.*

Ô Élu, ô toi qui fus le tout premier,
de tout homme de foi fais un ami
fais-en un guide, dis qu'il vienne ici
en suivant tes voies splendides.

Mon intention s'est en ce chant réalisée,
ce qui, en moi, s'était amassé a rompu ses digues,
s'est écoulé mot à mot et mes gens l'ont conservé,
sauvegardé et en cela ont trouvé protection.

J'appelle la plus radieuse des bénédictions,
dont la fragrance imite le musc,
sur l'Excellent, d'un si doux commerce,
en ce monde et aux jours futurs en l'autre monde

ainsi que sur sa famille, sur tout fidèle,
sur tout homme qui a pris pour modèle le Bienheureux !
Qu'elle s'étende largement et comble tout croyant
qui a foi en la vie future en l'autre monde !

POÈME II

II

Yaa duumiingal e laamu   1
aan dee ɗaɓɓir-mi faamu
salimnii yaa salaamu
banngal wasuwaasu kala !

Miɗo faaftori maa a Baawɗo   2
miɗo fawi jikkam e Laamɗo
no mi laatoo anndinaaɗo
anndudo joom-goonga kala.

Joomam miɗo noddu maa   3
mi ɗoftori ɗum gawlu maa !
Aan wii min noddu maa
Qur'aan ngal waddi kala.

No mi nodde so nooto-ɗaa-mi   4
no mi zumba so njaafo-ɗaa-mi
ɓure maa tan tuugorii-mi
banngal neemaaji kala.

Miɗo mawni e maaɗa jikke   5
anndude aɗa mawni dokke
Laamɗo mi jillaali sikke
aan weemtata beemɗo kala.

Aan woni kaananke dokko   6
aan ardii ŋarɗi jokko
ɓure maa dee limtataako !
Aan tagi aan beembi kala.

Fay henndu so wibbitii   7
e dow weli maa ɗun foti !
Aan ɓuri faa wellitii
aan jaalii huunde kala.

Aan tagi al-Arši toowni   8
aan tagi Kursiyyi yannyi

II

Ô toi dont éternel est le règne,
toi, vraie raison de ma quête d'intellection,
donne-moi la paix, oui, la paix,
à l'approche de toute tentation !

Je cherche secours auprès de toi, qui as la puissance,
je mets tout mon espoir en Le Seigneur :
qu'ainsi je devienne un homme instruit,
qui connaît bien le détenteur de toutes vérités.

Mon Maître, si je t'appelle
c'est pour me laisser guider par ta parole !
C'est toi qui as dit que nous t'appelions,
que le noble Coran a tout apporté.

Que je t'appelle et que tu me répondes
que je pèche et que tu me pardonnes,
je n'ai d'appui qu'en ta précellence
pour ce qui est de tous bienfaits.

J'ai grand espoir en toi,
connaissant ta générosité,
à ma foi en Dieu n'ai aucun doute mêlé :
c'est toi qui, à tout égaré, rends son bon sens.

C'est toi, le souverain généreux,
toi, qui es en tête et as un beau suivant[1],
tes qualités sont innombrables !
C'est toi qui as tout créé et tout engrangé.

Même un vent qui arrache tout,
c'est à ton bon plaisir qu'il doit sa force !
C'est toi qui l'emportes au delà de tout,
toi qui as victoire sur toute chose !

C'est toi qui as créé le Pavillon céleste et l'a élevé,
toi qui as créé le Trône divin et l'a éployé,

---

[1] C'est-à-dire le Prophète.

147

aan yarrii naange yaayni
aan tagi kammuli kala !

Aan tagi ngal alluwal   9
aan nuurɗini ngal lewal
aan holliti ngal dewal
yimɓe e jinnaaji kala !

Yiite yo aan ɗoftani   10
Aljanna yo ɗoon woni
colindiiɗo ma kaa boni
waasii neemaaji kala.

Aan tagi ndii leydi foɗi   11
aan waɗi hen funngo fuɗi
ko aaw-ɗaa laa budda fuɗi
yaa puɗɗuɗo huunde kala !

Aan feyƴiti kaayè ili   12
aan wummbiti maaje ƴoli
aan newni so ɓulli njuli
aan waɗi neemaaji kala !

Yaa dowroo[a] marɗo doole !   13
Aan tagi aan toowni baamle
aan hiinnii tomni duule
eɗe ndewe aɗa reena kala !

Maannuɗo[b] ɓure marɗo baawɗe   14
Hee ! Min njiirii ma kaawɗe !
Aɗa naɓa wartira nyalaaɗe
fadde ma wartande kala.

Baawɗo mo tuugaaki goɗɗo   15
aan tagi nder reedu ɓidɗo
faa wafi ƴoƴi wonti mawɗo
faa annditi huunde kala !

Aan muuyi so yimɓe anndi   16
aan holliti yimɓe binndi

---

[a] *dowroo : dowroowo.*
[b] *maannuɗo : maanduɗo.*

148

toi qui as accepté que le soleil brille,
toi qui as créé tous les cieux !

C'est toi qui as créé cette noble tablette,
toi qui as donné son éclat à cette belle lune,
toi qui as fais prendre conscience des devoirs religieux
aux hommes comme aux génies !

Le Feu c'est à toi qu'il est soumis
le paradis c'est là qu'il est !
Qui t'a négligé pour sûr est mauvais
et privé de toutes faveurs.

C'est toi qui as créé et étendu cette terre,
toi qui as fait que végétation y pousse
et que ce que l'on sème à coup sûr y pousse
ô toi, à l'origine de toutes choses !

C'est toi qui as fendu les rocs d'où coulent les sources,
toi qui as déversé à flots les fleuves en crue,
toi qui as facilité le creusement des puits,
toi qui es l'auteur de tous bienfaits !

Ô Très-Haut à qui appartient la puissance !
C'est toi qui as créé et élevé les collines,
toi qui as pris soin de faire pleuvoir les nues
dociles à tes ordres tandis que tu veilles sur tout !

Toi dont éclatante est l'excellence, détenteur des pouvoirs,
eh ! Nous t'avons vu à travers des miracles !
Tu assures la ronde des jours
en attendant de venir à ton tour pour tous [au jour du Jugement].

Tout-Puissant qui ne se fonde sur nul autre,
c'est toi qui dans un ventre crées un enfant
jusqu'à ce qu'il en sorte, que s'éveille son esprit, qu'il devienne adulte
et qu'il acquière connaissance de toutes choses !

C'est toi qui as voulu que les hommes aient la connaissance,
toi qui as révélé aux hommes les écrits,

haa ko mi haforaama binndi
birniingal taŋre kala !

Joomam faabam mi annde   17
gila keenyen faa e hannde
aan moomtiri fuu e annde
aan anndini anndo kala !

Aan anndini ledɗe kaali   18
aan wowlini pooli mbowli
aan wahyii ɗun e nahli
aan wadi weli juumri[c] kala !

Aan anndini ankabuuti   19
ɓurngel lo'ode e buyuuti
aan wadi korndolli moomti
faggudu nguureeji kala !

Yaa Alla mulxuyuubi !   20
Yaa sattaral uyuubi !
Aan annndini fay e ɓuuɓi
innde nde noddirte kala !

Aan tagi aan wuurni liɗɗi   21
anndin-ɗaa ɗun maraadi
nder maaje yo duumoriiɗi
sennude Joom-taŋre kala.

Aan ɗali waasuuji jeerɗe   22
aan wadi daabaaji geenɗe
aan reeni ɗe fu e giɗaaɗe
eɗe ndewu ma nyannde kala.

Aan tagi aan wii yo rewe !   23
Aan yidi aan yirwi ɓure !
Laamɗo mi weerii ma ɓure
aan hokkori keɓɗo kala.

Alimnii yaa aliimu !   24
Irhamnii yaa rahiimu !

---

[c] *juumri : njuumri.*

– c'est même à cause des écrits que j'ai été en butte au mépris –,
toi qui restes voilé aux yeux de toute la création !

Mon Maître, aide-moi à te connaître,
depuis les temps passés et aujourd'hui encore
c'est toi qui as un condensé de tous les savoirs,
toi qui as accordé la connaissance à tout homme instruit !

C'est toi qui as appris aux arbres la parole,
toi qui as donné aux oiseaux leur ramage,
toi qui, aux abeilles, as inspiré un savoir secret,
toi qui as fait la suavité de tout miel !

C'est toi qui as enseigné à l'araignée
la plus fragile des maisons,
toi qui as fait que les fourmis amassent
une profusion de vivres !

Ô Dieu, Seigneur des mystères !
Ô toi qui voiles les défauts !
Cest toi qui, même aux mouches, as appris
tous les noms dont on doit t'appeler !

C'est toi qui as créé et donné vie aux poissons
leur apprenant leur état de sujets
qui, dans les fleuves, se sont à jamais voués
à invoquer la sainteté du Maître de toute la création.

C'est toi qui as laissé les fauves dans les brousses,
toi qui as mis les animaux domestiques dans les villages,
toi qui les as tous autorisés à suivre leurs goûts
puisque conformes à ta volonté, chaque jour.

C'est toi qui as créé, toi qui as ordonné qu'on t'obéisse !
C'est toi qui as voulu, toi dont immenses sont les qualités !
Dieu, je mendie auprès de toi des qualités,
toi qui en as doté tout homme qui en es pourvu.

Accorde-moi la connaissance, ô Connaissant !
Sois pour moi clément, ô Clément !

Alfaa Bookari Mahmuudu

Risnii yaa ilwahiimu
inndaangal kulle kala.

Basirnii yaa basiiru   25
axbirnii yaa xabiiru
nawirnii yaa muniiru
nuurɗiingal koode kala !

Sawibnii yaa sawaabu   26
hukumuuji e nder xiɗaabu
kaaldal maaɗa e jawaabu
fa mi jaaboo lamndi kala !

Aan waawi no neɗɗo malee   27
aan muuyata duu so salee
mi wardii ɗun faa mi tole
hanndam fa mi annda kala !

Aan waawi no ɓernde annda   28
faa anndal mayre ɓennda
ngal wafa kala muuyɗo winnda
ngal hawra e goonga kala.

Aɗa anndi nde neɗɗo bilaa   29
waasidu hawraali walaa !
Aɗa gunndoo ɓernde jalaa
aan weli ɓuri belɗo kala !

Aɗa woowra e ɓernde faa   30
nde laatoo nde zu-l-wafaa !
Aɗaa meennora ɓernde faa
wanya meeɗde ko haaɗi kala.

Aan sappii min ɗati   31
aan munyi min aan huti !
Joomam ana humpitii
miilo e golleeji kala.

Xaybu yo aan huncitita   32
aan yiɗi aan yillitita !

Secours-moi, ô Dieu[2]
vénérable dont toutes choses célèbrent le nom !

Transmets-moi le message, ô Porteur de la Bonne Nouvelle
instruis-moi, ô le Bien Instruit,
éclaire-moi, ô l'Éclairant
qui à toutes les étoiles a donné leur éclat !

Mets-moi sur la juste voie, ô Guide
pour les connaissances et dans des débats
où l'on a entretien avec toi et réponse
afin que j'ai réponse à toutes questions !

C'est toi qui peux faire qu'un homme ait le bonheur éternel,
toi aussi qui peux décider qu'il lui soit refusé,
c'est ce qui m'a amené à chercher refuge auprès de toi :
guide-moi pour que j'aie totale connaissance !

C'est toi qui peux faire qu'un cœur accède à la connaissance
et que son savoir mûrisse,
qu'il éclose, que qui le désire écrive,
et qu'il rencontre toute vérité.

Tu sais quand quelqu'un est courroucé,
sans l'intervention d'un intermédiaire, pas besoin de cela !
Du secret des cœurs tu as claire vision,
c'est toi, le plus doux de tous les doux !

Tu te fais compagnon familier d'un cœur jusqu'à
ce qu'il devienne celui d'un homme qui accomplit la promesse
et tu fais goûter au cœur (ta douceur) au point
qu'il déteste goûter à toute chose amère.

C'est toi qui nous as indiqué les voies,
toi qui as pour nous patience ou réprobation !
Mon Maître, tu es au courant
de toutes pensées et de toutes actions.

Ce qui est caché, c'est toi qui le dévoiles,
toi qui aimes, toi qui [nous] admets dans ton amour !

---

[2] L'épithète désignant ici la divinité, *ilwahiimu*, désigne Dieu tel qu'il est appelé dans la Genèse, Eloïm, mais évoque aussi la notion de « concepteur » ([whm]).

Alfaa Bookari Mahmuudu

Joomam wallam mi hewta
goonga mi sela fewre kala a

Aan yiɗi aan yillitii   33
aan wirnii y̆ellitii !
Ko tagu-ɗaa koo fu no foti
a nanndaa hen huunde kala.

Aan tagi fuu aan mari   34
aan ɓuri ɗun fuu ŋari
aan laamii duumorii
kiɓɓal neemaaji kala !

Allaahu yo innde maa   35
nde inndir-ɗaa jaati maa
nde anndin-ɗaa yimɓe maa
so ana kewtira neema kala.

Aan aɗa yiiree e koyɗi   36
aan aɗa haaldee e ɗoyɗi
konnguuli paamniiɗi belɗi
beembuɗi yoga annde kala.

Oo ngeɗu noo yirwinaama   37
dunkey mun'en njeɗaama !
Keɓɗo ma fuu faydinaama
faalaaka ko waasi kala.

Miɗo waɗa ngeɗu oo misaalu   38
paamee gaa yaa rijaalu !
Mi fammina kala joom-su'aalu
cuɲlirɗo e faamu kala.

Duulal jippiima toɓii   39
waabili wayliima yeɓii
nabbe e waadiije keɓii
kemnii podanaaɗoo kala.

Dillere dillii e ladde   40
faaɗuɓe paamrii nde nannde
ɗomɗuɓe ceyoriima yarde
ceeri e ɗomkaaji kala.

154

Mon Maître, aide-moi à atteindre
la vérité et à m'écarter de tous mensonge !

C'est toi qui aimes, toi qui es un ami intime,
toi qui es caché mais qui vois tout !
Dans toute ta création si abondante soit-elle,
tu n'as aucune chose à ta semblance !

C'est toi qui as tout créé et en es le maître,
toi qui es plus beau que tout cela,
toi qui as autorité éternellement
sur la totalité des grâces !

Allâh est ton nom
par lequel tu as nommé ton essence
et que tu as enseigné à tes gens
de sorte qu'ils en obtiennent toutes faveurs.

On te voie dans les songes
avec toi l'on s'entretient dans le sommeil :
propos clairs et agréables
engrangeant bon nombre de connaissances.

C'est par lui que faveur, dans toute son étendue,
à ses fidèles fut en partage accordée !
Qui t'a atteint en a eu bénéfice
et n'a plus connu aucun besoin.

Je vais donner de la faveur divine une image,
et comprenez, ici, ô hommes !
J'éclairerai tout poseur de questions
soucieux de comprendre toute chose.

Une immense nue s'est abattue en pluie
une tornade s'est déversée, se distribuant,
mares et rivières en ont reçu,
et chacun a été doté de ce qui lui était destiné.

Un tumulte retentit dans la brousse
que même l'ouïe des sourds put entendre
et les assoiffés se sont réjouis de pouvoir boire,
et ont été délivrés de toute soif !

Wodɗuɓe nootiima ngarii   41
toowtuɓee beegaaɓe njarii
ɗomɗuɓe wondaaɓe mberii
mbeeraama e neema kala.

Hay ɓee dee njurmini !   42
Gonɗuɗo[d] fu ɓe mbii : « A fenii ! »
Maayruɗo nii kaa bonii
hawraali e goonga kala.

Homo majji so woorti goonga   43
wadi kam tan anndi goonga ?
Goonga yo ngeɗu taguɗo goonga
dokkoowo mo muuyi kala.

A noddii min awwalan   44
min nootori maa balaa
gila binndol fuu walaa
ahraa joom-binndi kala.

Gila Aadamangal tagaaka   45
loopal mun fes mahaaka
yoga fuu ndeen meennoraaka
sako meennoraa gooto kala !

Yoga meeɗii sukkitiima   46
yoga haarii wempijiima[e]
yoga yooltike hewtinaama
kaattule darjaaji kala.

Ndeen moyƴere fuu yeɓaa   47
ndeen fii oo fuu heɓaa
ndeen belko'o fuu suɓaa
ndeen seeri e bonɗo kala.

Yeewee ɗee dokke Laamɗo   48
njetten neemaaji Laamɗo
ɗalden sabi Joomiraaɗo
ngayngu e konnaagu kala !

---

d *gonɗuɗo, gomɗuɗo : goonɗuɗo, goomɗuɗo.*
e *wempijiima : wemmbinya.*

Même ceux qui étaient loin sont venus, répondant à l'appel,
même ceux qui étaient à l'écart, pleins de dévotion, ont bu
tandis que des assoiffés, qui étaient là, sont restés obstinés
et ont été écartés de toute faveur divine.

Las ! voilà des gens bien pitoyables !
À tout homme de foi, ils disent : « Tu as menti ! »
Tout homme qui meurt dans cet état est dans le malheur
n'ayant rallié aucune vérité.

Quel homme est égaré au point de manquer la vérité
en faisant comme s'il était seul à la connaître ?
La vérité, c'est le lot accordé par le créateur de la vérité
qui l'attribue à qui il veut.

Tu nous as appelés en premier
et nous t'avons répondu par un « oui ! »
avant même qu'existe toute écriture
à plus forte raison tout lettré !

Avant que le célèbre Adam n'ait été créé
ni même que sa glaise n'ait été pétrie…
La plupart [des saints] d'alors n'ont pas eu l'heur d'y goûter[3]
alors encore moins tout un chacun !

Certains y ont goûté et se sont épanchés,
certains s'en sont gorgés presque à s'épandre !
Certains pleins à en déborder ont eu l'heur d'atteindre
aux limites de tous les honneurs.

C'est alors que fut distribué tout bien
alors, que fut aboutie toute affaire
alors, que tout bienheureux fut élu
alors, qu'il rejeta tout méchant.

Considérez ces dons de Dieu,
rendons grâce pour les bienfaits de Dieu
et renonçons pour l'amour du Seigneur
à toute hostilité, à toute agressivité !

---

[3] La plupart des hommes qui ont répondu à l'appel de Dieu n'ont pas pu pour autant « goûter » à la lumière de la connaissance et à tous les savoirs. Le poète défend ici, semble-t-il, la primauté de la foi sur l'érudition, répondant ainsi aux critiques de ses coreligionnaires.

Mi nyaagiima Oo Taguɗo kala 49
nasru e ganyo Alla kala
mi gomɗina joom-goonga kala
mi seera e joom-fewre kala !

Ibiliisa mo moolorii-mi 50
bi-l-qur'aani-l-aziimi !
Yo mi reena e oo rajiimi
marsi e kayduuji kala.

Mi hormorii Araabu oo 51
Muhammadu giɗo Alla oo
deentiinɗo e Alla oo
deenaaɗo e sarri kala !

Yo mi yiiru giɗam 'iyaanan 52
faa 6eydana kam bayaana
moyŋaro ahdi e amaana
Ahmada ardiiɗo kala !

Yo mo laatano en hijaabu 53
faa newnane-ɗen hisaabu
yo mo laatano en sabaabu
keewtal neemaaji kala !

Aamiina e oo du'aa'u ! 54
Yo o hawru e saa sawaa'u
corden en fuu liwaa'u
6urngal deeseeje kala !

Miɗo juula e dow Nulaaɗo 55
curanoowal en cu6aaɗo
ki66iingal Joomiraaɗo
kiinoowal torra kala.

Je demande à Celui qui a créé toutes choses,
aussi bien l'auxiliaire que l'adversaire de Dieu,
de pouvoir prêter foi à tout homme de vérité
et rejeter tout homme de mensonge !

Contre Iblîs j'ai cherché protection
auprès du Livre Majeur !
Puissè-je me protéger de ce Réprouvé
qui dupe, usant de tous artifices !

Je révère l'Arabe
Mouhammad, l'ami de Dieu,
qui [nous] assure la protection de Dieu
et a été préservé de tout mal !

Puissè-je voir de mes yeux mon ami
afin qu'il éclaire pour moi le sens des choses,
lui dont splendides sont l'engagement et la loyauté,
Ahmad, le premier des guides !

Qu'il devienne pour nous un voile protecteur
afin que nous soit facilité le compte (au jour du Jugement)
et qu'il soit pour nous source
d'une abondance de toutes grâces !

Ainsi soit-il de cette invocation !
Qu'il soit là à l'heure douloureuse
et que nous puissions tous nous réfugier sous sa bannière,
lui qui est le meilleur de tous les oriflammes !

J'appelle la bénédiction sur l'Envoyé
notre insigne défenseur, l'Élu,
si proche du Seigneur,
et qui sauve de tout tourment.

POÈME III

III

Mi yetti ma yaa joom-baawɗe jaaliiɗo taŋre fuu   1
baroowo so wartira yonki faa terɗe njanwora[a].

Taguɗo Arsi noon Kursiyyi noon lawhi wa-l-galaam   2
taguɗo yiite tagi aljanna, bi'eteeɗo Faaɗiraa !

Ti ngam korsa ɓurɗo tageefo yimɓe e jinni fuu   3
mo hono mum walaa sabu'u samaawaati wa-s-saraa.

Mi juulan e makko e aalo'en e sahaaba'en   4
nde sellan mi barjee barke mayre mi nuurɗora.

Ɓural juulde ndee difa kam mi yottoo Nulaaɗo am   5
mi yara horde goonga[b] mi siŋra haasa mi wullora !

Mi ooloo mi looyoo goonga gonɗo e ɓernde am   6
nde wi'a faande jokkita sawtu am faa nde saamora.

Mi yambiraama haaltude goonga, paamee reworɓe am,   7
fa kala nanɗo ɗum jaɓa annda goonga fa tannyora.

Mi humoriima wafunude[c] goonga fa mi nanna yimɓe am   8
fa podanaaɗo yiitude goonga rewa ɗum fa gomɗora[d.]

Mo fodanaaka ɗuurtoo, yawra ɗum ti wowliinde am   9
faa ferata fa feefoo woorta goonga faa halkora.

Mi faandiima yuɓɓude yimre fulfulde hemrunde   10
keɗiiɗo nde yawri nde goonga fuu yedda fiirtora.

Mi faandiima yuɓɓude yimre guftirde hoore am   11
mi horfira wonki am goonga fa haayoo fa ɗaatora.

---

[a] *janwora : jaŋwora.*
[b] *goonga : ngoonga.*
[c] *wafunude :* pour *wafinde.*
[d] *gomɗora : goomɗora, goonɗora.*

III

Je te rends grâce, ô Tout-Puissant, qui as domination sur toute la création,
qui donnes la mort et ramènes la vie pour que se raniment les corps !

Créateur du Pavillon céleste et du Trône divin, de la Table et du Calame,
Créateur du Feu et qui créa le Jardin, celui qu'on appelle Créateur !

Par dilection pour le meilleur de toute la création, hommes et génies réu-
pour celui qui n'a pas son pareil aux sept cieux ni sur la terre,   [nis,

J'adresserai pour lui, sa famille et ses compagnons, une prière
qui m'assurera d'avoir en retour bénédiction et lumière !

Que l'excellence de cette prière m'arrache, que j'atteigne mon Prophète,
que je boive à la coupe de vérité et m'en grise, bien loin toutefois d'en
                                                              [crier[1] :
je geins, hoquète pour expulser la vérité logée en mon cœur
qui est bien près de suivre le chemin de ma voix jusqu'à en choir !

J'ai reçu ordre de répéter la vérité, comprenez, mes frères,
afin que quiconque, entendant cela, accepte et apprenne la vérité et en ait
                                                              [certitude.

Je me suis ceint les reins pour faire apparaître la vérité et l'inculquer à
   mes gens
afin que qui a été destiné à rencontrer la vérité, y soit fidèle et véridique

et qui n'y a pas été destiné, s'en détourne avec mépris malgré mes paroles
pour partir fort loin et, manquant la vérité, courir à sa perte !

J'ai pour but de composer un poème en peul accessible à tous :
que quiconque, l'ayant ouï, en a négligé la vérité, le récuse et s'en dégage !

J'ai pour but de composer un poème pour me mettre moi-même en garde,
mettre à genoux mon âme devant la vérité pour l'éduquer et l'assouplir.

---

[1] Sous-entendu, « comme le ferait un ivrogne ».

Mi faandiima yuɓɓude yimre wa'zaade yimɓe am 12
reworɓe am fa ndeenta fa ndewra ndewa Alla paydora.

Reworɓam ngaree, ndeenten ndewen Laamɗo taguɗo en 13
kulen hiira weeta na ɓuyta baalɗe fa timmora.

Reworɓam ngaree, ndeenten ndewen Laamɗo taguɗo en 14
juhoore liɓoore heloore gole wonki waddiraa.

Reworɓam ngaree, ndeenten ndewen Laamɗo tagɗo en 15
wati nde tawru en solindaare yeebaade laaxira !

Reworɓam ngaree, ndeenten ndewen Laamɗo njambo-ɗen 16
adunya ta adoo jambaade en liɓa jalnora !

Reworɓam ngaree, ndeenten ndewen Laamɗo njaago-ɗen 17
jaleede faa daasee janngo weefee fa aybora !

Reworɓam ngaree, kumoree haqiiqa faa pemmbiren 18
e Seyɗaani femmbere goonga ndiiwen mo halkora !

Reworɓam ngaree, ndeenten ndewen Laamɗo, njarro-ɗen 19
fa njanwen fa njaaloro-ɗen ɗun goonga duu fuurora !

Kumee pemmbiren mo, reworɓe, nanɗe e jiile men 20
ɗemngal yo tuugol makko ngol omo nanngira !

Kumee pemmbiren mo, reworɓe, juuɗe e koyɗe 21
faa kulen ɓuudde^e deedi faa falta faa farji yaŋwora !

Kumee pemmbiren mo, reworɓe, ɗuurtaade pankari 22
e tuuyooji bonɗi ngufen ne ɓerɗe faa mbancora !

Reworɓam ngaɗen ne ko Laamɗo wii wati lunndo- 23
ɗen jakawɗo so yambiri looɗo ana haani gollora !

---

^e *ɓuudde* : *ɓuutude*.

J'ai pour but de composer un poème pour conseiller mes gens,
mes frères, pour qu'ensemble, ils suivent fidèlement la loi de Dieu et en
[ait bénéfice.

Mes frères, venez et tous ensemble obéissons au Seigneur notre Créateur
craignons-le, le temps qui passe[2] diminue nos jours et les mène à leur terme.

Mes frères, venez et tous ensemble obéissons au Seigneur notre Créateur
c'est, liée à celle qui abat par surprise et brise les joues[3], que la vie est ad-
[venue.

Mes frères, venez et tous ensemble obéissons au Seigneur notre Créateur
afin que la mort ne nous trouve pas dans l'insouciance et négligents de
[l'autre monde !

Mes frères, venez et tous ensemble obéissons au Seigneur et trahissons
ce bas monde avant qu'il ne nous trahisse, nous abatte en se riant de nous.

Mes frères, venez et tous ensemble obéissons au Seigneur, ayons honte
d'être ridiculisés et traînés demain, déconsidérés et même humiliés.

Mes frères, venez, ceignons nos reins pour la vérité afin de mener contre
Satan le combat pour la vérité, que nous le chassions et qu'il aille à sa per-
[te !

Mes frères, venez et tous ensemble, obéissons au Seigneur et l'agréons
afin d'y puiser force, que la vérité nous donne victoire sur lui, et qu'il
[échoue !

Ceignez vos reins et luttons contre lui, frères, avec notre ouïe, nos yeux
et notre langue, qui sont ses pièges, avec lesquels il capture !

Ceignez vos reins et luttons contre lui, frères, avec pieds et mains !
Et redoutons les panses enflées à en avoir satiété et sexe revigoré !

Ceignez vos reins et luttons contre lui, frères, tournant le dos à la laideur,
et, contre désirs pervers, mettons en garde les cœurs pour qu'ils en aient
[aversion !

Mes frères, faisons ce qu'a dit le Seigneur et ne nous opposons pas
au fort lorsqu'il ordonne au faible comment il convient d'agir !

---

[2] Textuellement : « passe le soir, passe le matin »
[3] C'est-à-dire « la mort ».

Rewor6am kulen ne ngaɗen ne yambiroore Joomi men   24
ɗalen ne welsindaare e boofi miilen nee laaxira !

Rewor6am ngaɗen ne ko Laamɗo wii wati gollu en   25
ko hollaa6e goonga so ɗuurtori ngayngu gollora !

Ngaree yim6e am, ndewren mo goonga faa ndeeno-   26
ɗen, ɗalen haasidaaku kulen ko Ibiliisa halkira !

Ngaree, yim6e am, ndewren mo goonga faa ndeeno-   27
ɗen, ɗalen ndunndaraaku kulen ko Fir'awna halkira !

Ngaree, yim6e am, ndewren mo goonga faa ndeeno-   28
ɗen mbaxilaaku haddeᶠ farilla Qar'uuna halkira !

Wo noon mawnawaaku rewor6e am, nguftoree, kulee   29
ko coowaaɗo laamɗo kuɗaaɗo Qur'aana halkira !

Kasen yidde koongu faa woorta goonga, rewor6e am,   30
kulen Ibun Aada e yim6e Aadin ko kalkira !

E honnaade garduɗo goonga humoroo faa fenna ɗum   31
kulen yim6e fennu6e Nuhun ɗufaanu kalkira !

Rewor6am, ɗalen haforaade goonga ti loore mum,   32
yo ɗum yim6e Luuɗu e yim6e Saalihu kalkira !

Rewor6am, ɗalee moo6taade jala goonga fekkitoo   33
Nulaaɗo so wari fuu goonga mun wardi, fenniraa !

ᶠ *hadde : hadɗe ; de même, au vers 30,* yidde : yidɗe.
ᵍ *wanyje : wanyude.*
ʰ *laamnu : laa6nu ; de même au vers 43,* funnu : fuɗnu.

Mes frères, craignons notre Maître, et faisons ce qu'il a ordonné
abandonnons négligence et erreurs et songeons à l'autre monde !

Mes frères, faisons ce qu'a dit le Seigneur afin qu'Il ne nous traite pas
comme ceux qui, bien qu'on leur ait montré la vérité, s'en sont détournés
[avec aversion.

Venez, mes gens, servons-le, fidèles à sa vérité[4], pour assurer notre salut
renonçons à l'égoïsme et redoutons ce qui a mené Iblis a sa perte !

Venez, mes gens, servons-le, fidèles à sa vérité, pour assurer notre salut
renonçons à l'arrogance et redoutons ce qui a mené Pharaon à sa perte !

Venez, mes gens, servons-le, fidèles à sa vérité, pour assurer notre salut !
C'est l'avarice, obstacle aux prescriptions divines, qui a mené Quaroûn à
[sa perte !

C'est aussi de l'orgueil, mes frères, que vous devez vous garder, craignez
ce qui a mené à sa perte le soi-disant Seigneur, maudit dans le Coran !

Et de même l'amour du pouvoir au point de manquer la vérité, mes frères,
craignons ce qui a mené à leur perte le fils de Âda[5] et les gens d'Âdin !

Et l'hostilité envers celui qui apporta la vérité, et l'acharnement à le dé-
menti :
craignons la façon dont périrent, avec le Déluge, les hommes qui accusè-
[rent Noé de mensonge !

Mes frères, cessons de sous-estimer la vérité prétextant sa faiblesse
c'est cela qui a mené à leur perte Loth et les gens de Sâlif !

Mes frères, délaissez les réunions où l'on se gausse de la vérité !
Chaque fois qu'un Prophète est venu, apportant sa vérité, on l'a accusé de
[mensonge !

---

[4] Textuellement « obéissons-lui à cause de la vérité ».

[5] Après avoir évoqué les habituels exemples de châtiment infligés aux personnages illustrant, dans la tradition islamique et biblique, les fautes et les impiétés les plus graves (Pharaon, pour son goût du pouvoir et son orgueil arrogant, Qaroûn pour son goût des biens terrestres et son avarice), le poète ajoute l'exemple de personnages, souvent cités dans le Coran, qui refusèrent le message des divers prophètes anteislamiques : les gens de ᶜĀd, vieille tribu arabe qui fut anéantie par un ouragan en punition de son impiété, le peuple de Lût et de Sâlih (cf. sourates Qâf, v. 12-13, Hûd, v. 89 etc.) ; quant à Ba-Diâli (Abû Djahl), il représente, parmi les adversaires de Mouhammad, l'opposant Mekkois le plus en vue.

Reworɓam, ngaree, njokken nee goonga, ɗalen pene   34
e al-aada bonɗo, Kuraysi(nkooɓe) ndewnoo faa kalkira !

Reworɓam, ngaree, njokken ne goonga, ɗalen pene   35
ɗe Saylamaatun kazaabi gam pene halkira !

Reworɓam, ngaree, njokken ne goonga ɗalen pene   36
e ɗuurtaade jiituɗo goonga Ba-Jaali halkira !

Nanee yiide goonga, saloo faa fenna baaraaji mun   37
yo maayrude bayngol goonga ɗala goonga banngora !

Nanee yiide jiituɗo goonga wanya ɗum ko saabotoo   38
ngayngu Nulaaɗo e hoyde jaango faa aybora.

Mi mooliima Joomam wanyjeᵍ goonga ɗo feenyi fuu   39
e lollirde pene hoomteede Sayɗaani faajira.

Mi mooliima ɗum Joomam heyᵃm miin e yimɓe am   40
e nyeemtude yimɓe saliiɓe goonga faa kalkora.

Mi nyaagiima Joomam sawru ɓerndam e sarri fuu   41
mo hollaande goonga nde yiita rewa ɗum faa maayora.

Mi nyaagiima Joomam laamnuʰ ɓerndam yo hollu nde   42
pay goonga terɗam ngolla goonga mi gomɗora !

Mi nyaagiima Joomam funnu goonga e ɓernde am   43
mi fuufa e ɓerɗe reworɓe am goonga nguurtora.

Mi sappoo ɓe goonga ɓe njokka njiita haqiiqa am   44
ɓe njarroo ɓe njanwira muyna goonga ɓe ngaatora.

Mi enta mi biira ɓe entugol biirki Ahmadaa   45
faa gite worɓe am nji'a goonga faa noppi paamora.

Mes frères, venez, suivons la voie de la vérité et laissons les mensonges :
c'est cette mauvaise habitude suivie par les Koraychites, qui les a perdus !

Mes frères, venez, suivons la voie de la vérité et laissons les mensonges :
ce sont les mensonges qui ont mené à sa perte Saylamât l'imposteur !

Mes frères, venez, suivons la voie de la vérité et laissons les mensonges :
leur mépris pour celui qui avait rencontré la vérité, a mené les Ba-Diâli
[à leur perte !

Apprenez que avoir vu la vérité et la refuser en niant ses grâces,
c'est mourir par haine de la vérité et lui faire barrage.

Apprenez que voir qui a rencontré la vérité et le prendre en aversion fera
que l'aversion envers l'Envoyé provoquera demain honte et humiliation !

Je prie mon Maître de me protéger de la haine de la vérité où qu'elle soit
    apparue,
de la diffusion de mensonges et des séductions de Satan le Trompeur !

Je prie mon Maître de m'en protéger suffisamment moi et mes gens
comme de l'imitation de gens que leur refus de la vérité mène à leur perte !

Je supplie mon Maître de guérir mon cœur de tout mal
et que celui dont le cœur, ayant eu révélation de la vérité, la reconnaît, lui
[reste fidèle à en mourir !

Je supplie mon Maître de purifier mon cœur et de lui montrer
l'exacte vérité, que mon corps fasse œuvre de vérité et que je sois véridi-
[que !
Je supplie mon Maître de faire germer la vérité en mon cœur,
que je l'insuffle au cœur de mes frères et que la vérité leur redonne vie !

Que je leur indique le chemin de la vérité pour qu'ils le suivent et rencon-
    trent ma vérité,
qu'ils l'acceptent, s'en fortifient, et tètent la vérité jusqu'à en éructer !

Que je les élève[6] et les éduque suivant l'éducation d'Ahmad
de sorte que les yeux de mes hommes voient la vérité et que leurs oreilles
[la comprennent !

---

[6] Textuellement « que je les sèvre et les éduque », le poète poursuivant ainsi la métaphore du fidèle comparé à un nourrisson qui « tète la vérité et éructe » et dont il doit assurer l'avenir.

Mi ooran mi onngita worɓe am faa e goonga am   46
mi dura ɗum faa faya fayfayru goonga faa faltora.

Mi soggan mi jaccina yarna yaayre Nulaaɗo am   47
ɗi njeettan ɗi njeedira goonga faa lelgo ŋarɗora.

Mi naannan ɗi nder howraango goonga so fiiltori   48
haqiiqa ɗi mbanya fuu nanndi goonga ɗi tannyora.

Ɗi tabitan ɗi njirwira jinngu kala jiɗɗo Ahmada   49
mi annditiree anndinde goonga mi lollora.

Xabaaruuji am njiiloo e nder yimɓe Ahmada   50
fa kala nanɗo ɗum yiɗa goonga seyoroo fa wuurtora.

Mi nyaayan mi jokkita yimɓe jootaaɓe Joomi am   51
mi hewtoo ɓe mi heya nder maɓɓe, worɓam, mi nyaayora.

Mi nyaagiima Joomam jokkinam miin e yimɓe am   52
e taɓe yimɓe yiituɓe goonga nafi ɗum faa naftora.

Mi nyaagiima Joomam jokkinam miin e yimɓe am   53
e taɓe yimɓe yiituɓe Laamɗo laaɓi xawaaɗira.

Mi nyaagiima Joomam jokkinam miin e yimɓe am   54
e taɓe yimɓe yiiɓe Nulaaɗo nuurɗi basaahira.

Mi juulii suɓaande e juulɗe teddirnde ngam yiɗi   55
yirwunde faa fiiltii Arši dow saafi'u l-waraa.

Mi juulan e aalo'en e loontiiɓe Ahmadaa   56
ɓural mayre maawoo e neɗɗo kala jiɗɗo Haasira.

Je mènerai d'un bon train le troupeau de mes hommes jusqu'à ma vérité
l'y faisant paître jusqu'à ce qu'il prospère et s'engraisse de vérité !

Je conduirai, ramènerai le soir et abreuverai à l'étang[7] de mon Envoyé
le troupeau qui s'installera, ruminant au calme la vérité et en ayant belle
[litière.
Je les ferai entrer dans un enclos de vérité qu'entoure une haie de
vérité, ils détesteront tout ce qui de vérité n'a qu'apparence, et auront
[certitude !

Ils resteront fermes et épanouis dans l'amour de tout homme qui aime Ah-
et je serai connu pour enseigner la vérité et en tirerai ma notoriété. [mad !

Que mes propos circulent parmi les gens d'Ahmad
si bien que tout ceux qui les entendent aiment la vérité et, à cette joie, reprennent vie !

J'irai plein d'assurance sur les pas des hommes épris de mon Maître,
que je les rattrape et trouve place parmi eux, mes hommes, et en tire gloire !

Je supplie mon Maître de me faire marcher, moi et mes gens,
sur les traces des hommes à qui la rencontre de la vérité a été utile et qui,
[grâce à cela, sont utiles aux autres.

Je supplie mon Maître de me faire marcher, moi et mes gens,
sur les traces des hommes qui, ayant rencontré le Seigneur, ont de pures
[pensées.
Je supplie mon Maître de me faire marcher, moi et mes gens,
sur les traces des hommes qui ont vu l'Envoyé et ont la lumière de l'An-
[nonce !
J'élève une prière choisie entre toutes, toute empreinte d'amour,
et se diffusant jusqu'à envelopper le Pavillon au-dessus de l'intercesseur
[du genre humain.

J'appellerai la bénédiction sur la famille et les successeurs d'Ahmad
et que son excellence se répande sur chaque personne qui aime l'Authen-
[tique !

---

[7] Dans ce vers, le terme peul *yaayre/yayre* crée une ambiguïté bienvenue du fait qu'il signifie soit
« une étendue plane où l'eau peut former une mare », soit « une luminosité, un éclat lumineux » ;
dans ce cas, l'image perpétuerait la métaphore de « l'abreuvement de lumière » chère aux mystiques.

ÂMADOUN FÔDIYA MOUSSA

ÂMADOUN FÔDIYA MOUSSA

Les poèmes intitulés *Geloobal* (Chameau), *Pucci* (Chevaux/Cavaliers) et *Lewla* (Gazelle), forment une trilogie célèbre due à Âmadoun Fôdiya Moussa qui vécut à la fin du XVIIIe siècle et au début du XIXe au Farimaké où l'on situe son tombeau, à Sokondéma. On dit qu'il fut appelé à Hamdallâye par Chêkou Âmadou en 1818, dès le début de l'instauration de la Dîna (ou Empire peul du Massina).

Le premier de ces poèmes, *Geloobal*, a en réalité deux auteurs, les quinze premiers vers ayant été composés par le poète lui-même et les treize derniers par son neveu, Hammadoun.

Les vers suivent la métrique appliquée, dans la poésie arabe, au genre de la *qaṣīda* : ce sont des « vers longs » dits *tawīl*, scandés sur le mètre dit *fa'ūlun mafā'īlun*, soit la succession suivante de syllabes longues (—) et de syllabes brèves (^) :

- premier hémistiche : ^ — — ^ — — —
- deuxième hémistiche avec des variantes : ^ — —   { ^ — — —

                                                  { ^ — ^ —

         { ^ — —

l'ensemble constituant un *bayt*.

Ces trois pièces sont composées en *ḫamis*, c'est-à-dire en vers constitués de cinq sections (*bayt*), les quatre premières comportant une même rime qui toutefois peut varier d'un vers à l'autre, tandis que la cinquième reprend tout au long du poème une rime unique commune à tous les vers.

Dans ces textes, toujours chantés, la scansion impose une prononciation longue de la syllabe finale de chaque section ; prononciation qui, dans la dernière, s'accentue davantage encore, en un mélisme plus ou moins prononcé qui met en relief la rime, celle-ci s'étendant fréquemment à tout un mot : nom du Prophète, nom d'un saint, attribut de Dieu ou bien un terme fortement connoté dans le contexte religieux tel que les mots « vérité », « foi », etc..

Cette trilogie offre un exemple d'une poésie qui, bien que d'inspiration religieuse, n'est pas sans rappeler certains traits stylistiques de la poésie anté-islamique. C'est ainsi que, à l'écoute du *Chameau*, on ne peut s'interdire d'y entendre un écho des *Mu'allaqât*[1], et en particulier de la dixième, due au poète Ṭarafa Ibn al-'Abd (543-569 ?) et intitulée « Le jeune homme et la mort », ; ode où se trouve développé (v. 11-44) dans des termes très proches ce motif traditionnel de la chamelle, motif incontournable de la *qaṣīda*, qui s'est perpétué depuis la poésie bédouine ancienne jusque dans la poésie touarègue actuelle.

Dans *Les cavaliers*, c'est encore le souffle épique mais aussi le motif du cheval et des chevauchées guerrières venu du fond des odes anciennes, qui inspirent le poète. On y retrouve les descriptions exaltées qui animent les vers d'Antara (525-615) évoquant ses combats dans les guerres tribales.

Quant à *La gazelle*, la longue évocation préalable qu'on y trouve d'une pluie miraculeuse venue mettre fin à la cruelle sécheresse sévissant sur la Mekke, elle emprunte moins aux versets coraniques qu'aux récits hagiographiques rapportés dans les *ḥadīṯ* ; c'est en particulier au cours de ses expéditions dans le pays des *Ṯamūd* que le Prophète, par une invocation, fit apparaître un nuage lourd de pluie qui vint éclater sur la terre et les hommes brûlés par le soleil. Et l'histoire qui constitue le cœur du poème, l'intervention du Prophète auprès du chasseur en faveur de la gazelle, prend moins des accents de parabole que de conte populaire.

Pourtant, la rime – Ahmad/Mouhammad – commune à tous ces poèmes signe bien l'authentique dévotion qui préside à l'expression tout à la fois poétique et spirituelle de leur auteur, Âmadoun Fôdiya Moussa ; mais c'est surtout la puissance d'évocation de son style qui embrase l'âme de ses auditeurs. Et sans doute est-ce là ce qui explique la longévité de ce répertoire poétique qui s'est perpétué comme faisant partie des grands « classiques » de la littérature religieuse du Mali.

Ces trois poèmes ont été enregistrés par mes soins à Bandiagara, en 1973 ; ils étaient chantés par le chanteur aveugle *Aamadun Kunnje* dit *Missi* qui fut un élève de Tierno Bôkar Sâlif.

La transcription du texte a été établie avec la collaboration d'Almâmi Malîki Yattara et vérifiée auprès de Môdibbo Bâba Tembéli, à Bandiagara.

---

[1] Cf. Berque J., *Les dix grandes odes arabes de l'Anté-Islam, Les Mu'allaqât* traduites et présentées par (Paris, Sindbad, La Bibliothèque arabe, 1979), pp. 148-159.

GELOOBAL
CHAMEAU

GELOOBAL

Wa yaa Ahmada-l-Haadi[a] wa yaa Sayyid-al-waraa !　　　　　1
Tomontaare maa ndee barke maa tan nde hoolnora[b] !
Tageefoo so tampii faa nganyoyi Alla ana cera
minen min tawee ley ɗowdi moyŋarɓe ana ngara
miɗen ɓattinaa njarameeje koɗu maa Muhammada !

Se naange fuɗii homo waawi haɗde nge rawnude ?　　　　　2
Se lewru wafii homo waawi haɗde ndu nuurɗude ?
Se koode mbafii homo waawi haɗde ɗe jalɓude ?
So Allaahu hokkii dokke homo waawi teetude ?
Enen ngoni koode e lebbi, naange yo Ahmada !

Kala naange fuu funnoonge mutoyii fa wartataa !　　　　　3
Kala lebbi nuurɗanooɗi mbirniima ɓanngataa !
Kala koode jalɓanooje majjii fa ngartataa !
Kala lebbi meeɗen e koode meeɗen ɗe naatataa !
Nde naangeeji fuu munnoo, ɗalii naange Ahmada !

Samadu Jeyɗo en toonyaali kono[c] toonyɗo hoore mun[d]　　　4
se rewi Alla yiɗi Ɓurnaaɗo ma O humtu haaju mun
so wadi moyƴi gootel winndanee sappo lobbi mun
so yeccitii harmini goofi ko O laato Jaɓɗo ɗun !
ɗun fuu yo giɗgol Alla yiɓɓe Muhammada !

Almuudo nyiiɓɗo e boofi Bal'aama ko ceerno mun　　　　　5
galo mo nafkataa waasndoolɓe Qar'uuna woni giyʴun

---

[a]　Pour toutes les expressions en arabe, on pourra se reporter au glossaire des termes arabes. N'y sont signalées que les citations mais non les nombreux emprunts à la langue arabe qui ont été intégrés dans la langue peule et dont les exemples abondent, en particulier dans le registre du vocabulaire religieux (*barke, nuurɗude, nafkataa, harmini* etc.)

[b]　Prononcé *hoolnoraa*, toutes les syllabes finales étant allongées dans le chant, quelle qu'en soit la longueur originelle. La rime terminale de chaque vers, en particulier, fait l'objet d'un mélisme accentué.

[c]　*kono* : pour *kanaa.*

[d]　*mun : mum* (variation dialectale de la prononciation).

CHAMEAU[1]

Ô Ahmad, le Guide ! Ô Seigneur du genre humain !
Ta création, en ta bénédiction seule, puise sa confiance !
Tandis que s'époumoneront toutes les créatures qui à haïr Dieu s'épuisèrent
on nous trouvera, nous, sous des ombrages où viendront des êtres splen-
    dides[2]
et nous seront offerts les breuvages de ton hospitalité, Mouhammad !

Quand a point le soleil, qui le peut empêcher d'épandre sa clarté ?
Quand s'est levée la lune, qui peut l'empêcher de briller ?
Quand sont sorties les étoiles, qui peut les empêcher de scintiller ?
Quand Dieu a dispensé des dons, qui peut les retirer ?
Si nous sommes étoiles et lunes, le soleil, c'est Ahmad !

Tout soleil, une fois levé, a sombré pour ne plus revenir !
Toutes les lunes qui ont brillé ont disparu pour ne plus reparaître !
Toutes les étoiles qui ont scintillé se sont évanouies sans retour !
Toutes nos lunes comme toutes nos étoiles n'apparaîtront plus
et quand auront sombré tous les soleils, restera le soleil d'Ahmad !

L'Éternel notre Maître ne fait de mal qu'à celui qui s'en fait lui-même
mais à qui obéit à Dieu et chérit l'Élu, Il dénouera ses problèmes !
À qui fait le bien, le moindre de ses actes sera inscrit comme dix bonnes
    actions[3]
et qui, revenu de ses erreurs, a juré de n'y plus tomber, Dieu l'agréera !
Tout cela, c'est l'amour de Dieu pour ceux qui aiment Mouhammad !

L'élève enraciné dans les erreurs, Bal'âm[4] est son maître !
Le riche qui ne sacrifie rien aux miséreux, Kar'oûn[5] est son ami !

---

[1] Nous utilisons ici le terme de chameau, au lieu du terme exact de dromadaire, pour des raisons euphoniques. Par ailleurs nous gardons le terme générique, alors que, comme on le verra au cours du texte, il s'agit en fait d'une chamelle, que le poète lui-même masculinise à maintes reprises, pour exalter sa vaillance.

[2] Évocation concise des délices du Paradis.

[3] Allusion précise au feuillet portant témoignage de toutes les actions commises par chacun, et devant être présenté lors du Jugement dernier.

[4] Personnage biblique, apparaissant dans les *Nombres* comme devin et magicien soudoyé par Balaq pour maudire Israël mais à qui l'Éternel imposa ses oracles. L'ambiguïté du personnage en a fait, pour les mystiques musulmans, le symbole du « spirituel dévoyé par la concupiscence et l'orgueil » (cf. *Encyclopédie de l'Islam*).

Aamadun Foodiya Muusa

laamiiɗo mo so nuunɗaali Fir'awna raaɓi ɗun
kijjoyɗo daraja e maalu Ibliisa noddi ɗun !
Yo en nooto Ibraahiima juuraade Ahmada !

Yo Allaahu rokkam baa ba rimataa ba riwndataa   6
ɓiraaka e yummun kaa ɗo min mbaali waalata !
Nji'aa geloobal wono sooro mahraango wurjataa
ɓaleewa kirim ley naawɗe mun daawle nyemmbataa !
Goral wulla miila koɗorɗe miin miila Ahmada !

Yo Allaahu rokkam ngaari mbiirdaandi tampere   7
ndimaandi e nder cefe mawɗe mboownaandi faltere
ndi muynudi gilla e ɓesngu haa yiiti yoorere
ndi yummun wanaa ndeweteeba sako saama fuu ɓiree !
Yo Allaahu nuldam baa mi yaara to Ahmada !

Rimaaka e nder ceeɗuuli sako miila yolbere   8
rimaama e baade adiiɗe laatiima doyɣere
nde muyna to yummun haara durngol e wiltere
so jaaɣiima fanŋataa raande ana satti jarwere
njakawba e nder naagaajiᵉ njarriiba Ahmada !

Nyannden ba warata e am ba wardan e kemmagolᶠ   9
ba tawa miin mi lanndindiiɗo mi waldaa e taakagol
mi huya saanga oon faa sanne fa mi ɓeyda jaaragol
mi yowa kaake am dow ngaari njarriindi tampugol
yo en nyallu jam jooɗiiɓe miɗo joowta Ahmada !

ᵉ *naagaaji* (sg. *naagaawa*) : ar. [naqat], « chamelle ».
ᶠ *kemmagol* : *kimmagol*.

180

Le souverain qui n'est pas sincère, Pharaon[6] l'a contaminé !
Qui, dans le pèlerinage, cherche gloire et fortune, c'est à l'appel d'Iblis[7] !
Puissions-nous, répondant à l'appel d'Abrâham, aller visiter le tombeau
                                              [d'Ahmad !

Puisse Dieu m'accorder une chamelle ni reproductrice ni bête de somme,
dont la mère ne fut pas traite et qui passe la nuit où nous la passons !
Vois : une chamelle telle une maison bâtie pour ne jamais crouler
aux ars d'un noir profond dont les corbeaux ne sont que le reflet !
La vaillante[8] pleure, songeant aux campements quand moi, je songe à
                                              [Ahmad !

Puisse Dieu m'en accorder une qui soit telle un mâle rompu à la fatigue
né parmi de vastes troupeaux et toujours bien repu,
un mâle qui téta de sa naissance et jusqu'à ce qu'il vît tarir le pis,
dont la mère ne fut pas de ces femelles poursuivies par le mâle ou que
        sans cesse l'on trait !
Puisse Dieu me l'envoyer pour que, sur elle, je fasse route vers Ahmad !

N'étant pas née au cœur des grandes chaleurs, pour avoir idée de ce qu'est
        la faim,
mais aux toutes premières pluies, elle aurait bientôt pris de l'embonpoint
à téter sa mère qui, à satiété, se repaît de brout tendre.
Au retour de pâture, n'irait point à l'attache tant elle serait fougueuse
pleine d'énergie parmi les chamelles et de bonne volonté envers Ahmad !

Le jour où elle viendra à moi, ce sera pleine d'un zèle empressé
et moi, elle me trouvera tout prêt, et ne m'attarderai point !
Si grande en cet instant sera ma joie que je redoublerai d'actions de grâce !
Je hisserai mes bagages sur un mâle à la fatigue consentant
et « bonne journée, les sédentaires ! », je vais saluer Ahmad !

---

[5] [Qārūna], l'un des ministres incroyants et de mauvais conseil qui présidaient à la Cour de Pharaon, est souvent évoqué dans la poésie religieuse ; châtié pour l'orgueil impie qu'il tira de son immense richesse, il fut englouti dans la terre avec tous ses palais.
[6] Pharaon, l'ennemi de Moïse, est toujours évoqué comme l'exemple même du potentat tyrannique et resté aveugle à la vérité.
[7] Iblîs est le nom propre du Diable qui ne fut dénommé Satan qu'à partir du moment où il fut chassé du ciel.
[8] Textuellement : « un grand mâle » ; nous verrons qu'en plusieurs vers le poète utilise un lexique masculin pour qualifier sa chamelle, notamment au vers suivant où le terme *ngaari* désigne un « taureau ». Ces termes sont appliqués couramment, même aux humains, lorsqu'on veut leur attribuer des vertus considérées comme viriles, telles que la vaillance, le courage, la persévérance, l'esprit de décision etc.

Aamadun Foodiya Muusa

Ba lelnana kam daangal mi yaaɓa ba rujjitoo   10
mi toowan e dow naagaawa am orma rujjitoo
ba huya taawre takka e gannde miin duu mi joottitoo
ba jokkina jaawo mi yuɓɓa siiri[g] mi ɗoylitoo
miɗon mbeyta dow naagaaji fulfulde Ahmada !

Ba toowan e dow tule ceene cikkaa yo waasowel   11
ba riggito e nder pale daaуe jaawgol mbi'aa bojel
ba yaawa e dow tule perre wono kodda caafawel
ba huɓɓa e dow ngooуuure wono wiige buugawel
ba diwna corooji mi dimma yottaade Ahmada !

Ɓe mbi'a : « Taalibel ! Fiy arda naagaawa maa doya ! »   12
Mi fiiran ba piigol seese gorbal folan foya
mi toownan gimol am dow faa yaadiiɓe am kuya
mi daɗa settewal naagaaji mbaɗɗam soɓaa hoyaa
mi kulo Laamɗo kuy-huyo kuurtaniiɗo Muhammada !

Fa mi tammbitii coomaaɗi dow gewɗi ana ndira   13
no min tampiri e jaagol nanaa gewɗi ana para
so non miin mi tampii kaa mi dimmaali ɗo mi sora
wo non kuyo ɓeydortoo e jaariiɗo Haasira[h] !
Mi siinii mi foowtaa han mi yottaaki Ahmada !

Ba koyngal mbi'aa nyiɓe biire darnaaɗo ley gasal   14
ba taawre mbi'aa wono mahdi mbi'iraandi ommbogal

---

[g] *siiri* : ar. [ši°r], « poésie, vers ».
[h] *haasira* : ar. [ḥāšir], « rassembleur »

Pour moi elle tendra son long cou, j'y poserai mon pied et, d'un coup,
  elle s'ébranlera
je serai haut perché sur ma chamelle qui, blatérant, s'ébranlera.
Dans sa joie, du pied elle se frappera la panse[9] et moi, j'assurerai mon
  assiette,
elle continuera, à vive allure, et j'égrènerai mes vers au rythme de son
  pas[10].
Et nous voilà chantant en peul, du haut de nos chameaux, un poème à la
                                          [gloire d'Ahmad !

Elle s'élèvera sur les dunes sableuses, on croirait voir un jeune fauve,
elle dévalera les berges herbues avec la vélocité d'un levraut,
elle ira bon train par les buttes pierreuses tel un dernier-né de lycaon,
elle brillera sur les hamadas telle une jouvencelle tourterelle
elle lèvera un vol de passereaux et j'aurai bon espoir d'atteindre Ahmad !

Ils diront : « Petit élève, frappe, va de l'avant sur ta chamelle au pas léger ! »
Je la frapperai à petits coups et la vaillante à grandes foulées filera !
J'élèverai bien haut mon chant pour enflammer mes compagnons de route !
D'une longue caravane de chamelles je suis le premier : ma monture est
  sans souillure et n'est pas sans valeur !
Je suis homme qui craint le Seigneur et vais, avec l'allégresse d'une jeune
                              [épousée, rejoindre Mouhammad !

J'ai enfin rehaussé les ballots sur les chameaux, qui quittent la place[11]
la marche nous a tant fatigués ! On entend les chameaux renâcler
mais si grande soit ma fatigue, je n'aspire pas même à une ombre où me
tant s'exalte la ferveur de qui célèbre le Rassembleur[12] !   [glisser
Je suis résolu à ne prendre aucun repos avant que d'avoir atteint Ahmad !

Elle, sa jambe, on dirait les piquets d'un abri de tisserand dressé droit dans
sa sole, on dirait l'une de ces poteries appelées couvercles,   [sa fosse,

---

[9] On voit couramment les chameaux plier une jambe antérieure et se frapper le ventre de la sole, lorsque leur maître leur donne le signal du départ ; ce mouvement est interprété comme un signe d'accord donné par l'animal.

[10] Rappelons que le rythme du pas du dromadaire est considéré comme à l'origine même du premier système prosodique de la poésie arabe, héritière des chants de chameliers bédouins.

[11] On remarquera que, dans cette évocation imaginaire de son voyage vers le Prophète, le poète varie les temps, passant du futur au passé narratif, emporté qu'il est par l'espoir de la réalisation de son projet.

[12] Épithète qui s'applique au Prophète Mouhammad, faisant allusion au rôle qui lui sera imparti lors de la résurrection, après le Jugement dernier.

nofoy ndaɓɓiɗii ceeɓii wo non palɗe yeru palal giital paa-
porii tatteeji toni baa mbi'aa laral
yo baa y̆epti kam faa njim-mi rawda Muhammada !

Mi hiirndii mi hiiriima yaade faa jemma laaliima   15
nde ɓadinoo-mi rawda Nulaaɗo uurngol ana feenya
mo nan-ɗaa e uurngol fuu mbi'aa ɗun tawee wanaa
nji'aa nuuruwal ngal huɓɓa nanndoore fuf[i] walaa
ngeloobam[j] a foowtii han a yottiima Ahmada ![*]

Jinnaaji jiigol Gaaɓɗo jooɗii e hoore am   16
ɗi njaayi̇ e hagille am ko miɗo yimra hunnduko am
wallaahi ! wondo wanaa ko Sayɗaani nanngi am
Podoowo yo fodanam jooni fa[k] mi y̆eewta hoore am
walaw se tawee joon maay-mi yo mi yi' Muhammada !

Mi nyaagiima yaa Allaahu ! Faabam e jaaragol   17
Mo woɗɗina Sayɗanuuji laatiiɗi puuntagol
Mo woɗɗina en haalaaji laatiiɗi luundagol !
Ndewen Alla annden Gaaɓɗo ceeren e jeebagol !
Mo anndaali fuu miin kaa mi yeyy̆aali Ahmada !

Mi fodanaaka yaade tafen[l] sikaa ɓernde juuriima   18
sikaa yiɗɗe non yiɗaneede kala Alla nyaagaama.
No yaawnaa garal ndii ngaari tawa jaado ɓattiima !
Mi giɗo Alla jiɗɗo Nulaaɗo fuu miin mi jaariima
sako jiɗɗo jaadal am to juuraade Ahmada !

---

[i] *fuf* : l'auteur emploie les deux formes *fuh* et *fuf* (variante dialectale).
[j] *ngeloobam* : ici le poète applique la prénasalisation de la consonne initiale.
[*] Les quinze premiers vers sont attribués à Hammadoun Fôdiya Moussa et les treize derniers à Âmadoun, son neveu, qui, au vers 19, explicite qu'il s'est fait le compagnon de route du poète dans son pélerinage au tombeau du Prophète (pour une présentation plus détaillée, cf. Seydou Chr., « "Le Chameau", poème mystique ou ... pastoral ? », in *Itinérances... en pays peul et ailleurs...*, t. 2, Mémoires de la société d'ethnologie, 1981, pp. 25-52).
[k] Pour des raisons de métrique, sont utilisées soit la forme normale *faa* soit la forme abrégée *fa*.
[l] *tafen* : ou *tafon*.

ses petites oreilles sont courtes et pointues, quant à ses jambes, elles sont
    comme bois de lit,
ses gros yeux sont exorbités et ses lèvres, on dirait du cuir !
Puisse-t-elle me porter haut pour que je chante le tombeau de Mouhammad !

Parti au soir, j'ai toute la soirée marché jusqu'à ce que la nuit agonise
et aux abords du tombeau du Prophète, un parfum s'en exhale tel que
de tout homme réputé pour sa fragrance, tu dirais qu'il semble n'en avoir
Et l'on voit briller une lumière immense à nulle autre semblable ! [point !
Ma chamelle, tu peux te reposer, à ce jour tu es parvenue à Ahmad[13] !

La folie de voir le Privilégié en moi s'est ancrée,
a envahi mon esprit et voilà le chant que ma bouche entonne !
Par Dieu, à moins que Satan n'ait eu emprise sur moi,
fasse Celui-qui-décide-des-destins qu'à présent je recouvre mes esprits
et dussé-je en mourir sur-le-champ, que je voie Muhammad !

Je t'en supplie, ô Dieu ! aide-moi dans mon chant d'action de grâce
en éloignant les démons qui se font tromperie,
en nous éloignant des propos qui se font contestation !
Obéissons à Dieu, reconnaissons le Privilégié et bannissons la négligence !
S'il en est dans l'ignorance, je n'ai, quant à moi, pas oublié Ahmad !

Si le destin ne m'a pas encore permis d'y aller, mon cœur du moins l'a
    visité !
Aimer et en vouloir autant pour chacun, voilà ce qu'à Dieu l'on demande !
Que prompte soit la venue de cette chamelle[14] et alors s'avancera un
    compagnon de route.
Dieu m'est cher et à tout homme qui chérit l'Envoyé, moi, je rends grâce
et plus encore à qui veut avec moi faire route pour visiter le tombeau
                                           [d'Ahmad !

---

[13] Ici s'arrête la partie du poème composée par l'oncle, Âmadoun Fôdiya, que va poursuivre le neveu, Hammadoun, qui s'est fait, comme il le précisera au vers 19, le compagnon de route du poète dans son pèlerinage imaginaire au tombeau du Prophète. On verra que cette seconde partie fait figure de variation non seulement sur le thème mais aussi sur les motifs et même sur le lexique des quinze premiers vers. Elle apparaît comme un exercice de démarquage ou d'imitation pour rivaliser avec l'œuvre du maître.

[14] Textuellement : « de ce mâle ». On retrouve chez le neveu la même ambiguïté dans la qualification de cette chamelle, désignée dans le même vers (v. 20) tout à la fois comme *gorbal* (« gros mâle ») et comme *naagaawal* (« grande chamelle »).

Aamadun Foodiya Muusa

A tokaram a giɗo am non a laatiima jaado am !   19
Mi jaariima Gaaɓɗo kasen a laatiima jiɗɗo kam
sikaa jiɗɗo jimɗo Nulaaɗo oo woni gooto am !
Yo Allaahu wan en waɗɗodiiɓe ngelooba am
gite am et gite maa ceedo-ɗen na Muhammada !

Ciforba munyal jeereende gorbal a jaaraama   20
wa yaa naagaawal soobe sifa maaɗa fuɗɗaama :
walaa yonngo suuyo jogii lu'al kaa ba waynaama
walaa cenki darnde jogii sikaa barke hokkaama
kofiiba golal koyniiba kumaniiba Ahmada !

Ɓoriiba kofal ɓornoy e nder perre codditaa   21
keniiba kinal sooynoy tonoy leɗɗe muccitaa
wero taawre taccoy perre paaten to Ɗaybata
no tampir-ɗaa fuu hokku tiinnaare munyitaa
munyaa tampugol faa njotto-ɗen na Muhammada !

Yiɗaa burgu yeewaa njaayri tolo kaa ba miilataa   22
ruso-gannde sarnyiɗa-samme sapatooje yakkata
walaa cenki sewa-hambuure dow ceene nyallata
ko non leɗɗe nyallata nyaamde jale nyiiye nyemmbata
sikaa kanji laatii hoore jawdi Muhammada !

Var. :

22. (1) Yiɗaa burgu yeewaa...

186

Tu es mon homonyme ainsi que mon ami et tu t'es fait mon compagnon
    de route !
Je rends aussi grâce au Privilégié de ce que tu m'as pris en affection :
car qui chérit et chante l'Envoyé ne fait qu'un avec moi !
Puisse Dieu nous faire ensemble monter ma chamelle
et que moi, de mes yeux et toi, des tiens, nous soyons des témoins de
                                      [Mouhammad !

Toi, connue pour ta résistance au désert, vaillante, te voilà célébrée !
Ô grande chamelle de persévérance, voici ta description commencée :
n'a point de bosse mais le dos bombé, quant aux cornes, elle en est
    dépourvue,
n'a point d'élégance mais haute taille et, certes, de bénédiction fut bien
    dotée,
ganache anguleuse et regard hautain, mais toute dévouée à Ahmad[15] !

Avec tes genoux pelés, à travers les brousses pierreuses, enfonce-toi et
    coupe au plus court
larges naseaux humant le vent, promène au loin ton regard en suçotant
    des arbres,
avec ta sole épatée coupe à travers les brousses et dirigeons-nous vers
    l'Exquise[16] !
Si grande soit ta lassitude, montre obstination et endurance,
supporte patiemment la fatigue jusqu'à ce que nous parvenions à Mou-
                                        [hammad !

Elle ne veut point du bourgou[17], n'a pas un regret pour la plaine ni pour
    l'île herbue une pensée !
Poitrail pelé, toupillon clairsemé, elle mâchonne des tiges de *sapoto*[18],
elle est sans élégance, a croupe étroite, mais va, tout le jour, sur plaines
    sableuses
et tout le jour, mange des arbres, ses dents sont comme des houes !
Voilà pourtant ce qui était la principale richesse de Mouhammad !

---

[15] Textuellement : « qui s'est ceinte, équipée pour Ahmad », expression qui peut se comprendre tout aussi bien au sens propre qu'au sens figuré, qu'elle a d'ailleurs le plus souvent, comme dans l'expression biblique équivalente, « qui a ceint ses reins pour... » pour signifier une ferme résolution et le dévouement à une cause.

[16] Qualificatif désignant la ville de Médine.

[17] Le *bourgou* est une association de végétaux aquatiques (principalement *Panicum stagninum*, *Echinochloa stagnina* et *pyramidalis*) dont les troupeaux sont très friands.

[18] *Tephrosia purpurea*.

Aamadun Foodiya Muusa

Ba siforaaka teew asangal ko'al mabba moodowal   23
ba gaykaaje dow gite mun mbi'aa wono miimowal
welaa ƴeewde weli newdaade coo yaawa-cuudowal !
Kofiiba golal koyniiba non toowa-kinihinal
munyoowa so tiiɗii murnaniiba Muhammda !

Ba rokkaama munje ko tiiɗi ŋari kaa ba yeggitaa   24
ba ɓurnaa ko maretee fuu sikaa darja woɗɗita
ko joom-yonki jogotoo e yelde fuu nyiinde yaltata
wa yaa naagaawal soobe kanyun tonndu feɗɗitaa
ba ŋarɗaa e duniyaa kaa ba ngaari Muhammada !

Yaa Rabbi ! wondo mi dayno[m] naagaawa moyŋara   25
cuɓaaba e nder naagaaji muuyniiba tiɓɓara
munyoowa so tiiɗii e jeerɗe miiloowa Ɗaahira
ba yeƴa kam mi yeyra Nulaaɗo siiruuji faa cara
ba ɗoyloo ba ɗosa daangal mi jaaroo Muhammada !

Yaa Rabbi ! wondo mi dayno mbiirdaaba tampere   26
ba leylan nahaaran[n] fuu ba miiloowa ɓurtere
ba juse-juse mun fu yo ɓorɗe mbarriiba fooftere
ba hulataa e jaagol jemma ngoɗɗiiba majjere
mi riwndoo e dow baa faa mi yottoo Muhammada !

Ba hulataa so nimre waɗii ba selataa ba oonyataa   27
ba ɓafataa ba mafataa non dojol tan ba miilata
walaw yaadu foti isiruuna yawman[o] ba rijjataa
wulaare e ɓuuɓol fuu kuyam tan ba ɓeydata
ba herataa e nii faa nyannde njottii-mi Ahmada !

Salaatu illaahi won e ardiiɗo winndere !   28
Salaatu illaahi duumo dow nyifuɗo majjere !
Siraaju-l-hudaa[p] annoora jaaliiɗo niɓɓere
miɗen mbasori maa gilla duniya fa nyannde wemmbere !
Yo min njuul e maa yaa annabiijo Muhammada !

---

[m] *dayno* : *danyno.*
[n] *leylan nahaaran* : ar. [laylan nahāran], « nuit et jour ».
[o] *isiruuna yawman* : ar. ['išrūn yawman], « vingt jours ».
[p] *siraaju-l-hudaa* : ar. [sirāj al-hudāt], « flambeau des guides ».

Elle n'a guère hanche charnue et sa grosse tête est comme auge de bois !
Les salières, au-dessus de ses yeux, tu les peux comparer à des jattes !
Guère agréable à l'œil, elle l'est pour sa docilité, ô chamelle à l'amble
Ganache anguleuse, regard hautain et naseaux haut placés,   [alerte !
endurante dans l'épreuve, rien ne la peut distraire de Mouhammad !

Elle fut bien dotée d'endurance à l'épreuve, mais pour la beauté, fut
      oubliée !
De tous les biens elle est le préféré, pourtant bien lointaine est la gloire.
S'il est être vivant pourvu de dents espacées et saillantes
c'est bien elle, ô chamelle de persévérance, avec sa lèvre fendue !
Elle est sans beauté ici-bas, mais elle est un vaillant mâle pour Mouham-
                                             [mad !

Ô Seigneur ! Si j'avais pu avoir une chamelle splendide
élue parmi toutes les chamelles, attirante et pleine d'allant,
endurante à l'épreuve et, dans les déserts, songeant à la Pure[19] !
Bercé par son pas, je célèbrerais en mes vers les mérites de l'Envoyé !
Elle irait de son pas dansant, le cou tendu, et je me ferais le chantre de
                                             [Mouhammad !

Ô Seigneur ! Si j'avais pu en avoir une bien rompue à la fatigue
qui, au long des nuits et des jours, n'eût d'autre pensée que de se surpasser
qui, bien que pelée partout où, couché, son corps touche terre, se passât
      de repos,
qui ne redouterait pas la marche de nuit, ne risquant pas de s'égarer,
je m'installerais sur son dos pour parvenir à Mouhammad !

L'obscurité venue, elle serait sans crainte, ne ferait écart ni détour,
n'aurait ni jambes traînantes ni échine fourbue, avec pour seule pensée :
      le départ avant l'aube !
Le voyage durât-il vingt jours, elle n'en réduirait point son allure !
Qu'il fît chaud, qu'il fît froid, son enthousiasme ne ferait que croître
et elle serait ainsi, toujours égale, jusqu'au jour où j'aurais atteint Ahmad !

La bénédiction divine soit sur le Guide de l'Univers !
La bénédiction divine soit éternellement sur Celui qui a éteint l'ignorance !
Flambeau des Guides, Lumière qui triompha des ténèbres !
Tu es notre recours dès ici-bas et jusqu'au jour du Désarroi[20] !
Prions sur toi, ô Prophète Mouhammad !

---

[19] Qualificatif désignant Médine.
[20] C'est-à-dire au jour du Jugement dernier.

PUCCI
CAVALIERS

PUCCI

Ko wee6i wadaa Muxtaar so wadɗiima beetawe[a]   1
ɗi cooboo e yaadu ɗi paadi nyalloyde dow nawe
nanaa ceŋlugol keebeeje wono ceŋlugol jawe
nji'aa nguli iwki e kirke naatii e ley kawe
jawaal naange jambiral maa ɗi njippoo Muhammada !

Di kuuwrii bi'aangol makko oon saama nii ndara 2
tunaale tunaale ɗi njipporii bannge Haasiraa
labaale colaa nukureeji teeŋoodi fuu njora
dimaadi ɗowaa paaraa to ndiyameeje faa njara
jokol6e 6e kulataa keppi kiirndol Muhammada !

Tubal dee so tappii garɗo fuu warda 6ernere 3
mo wi'ana 6e : « Nootee diina paaten e moyyere ! »
Dimaadi cofoo Aaraa6e paapoo e ley gure
woɗee6e gite woojoo6e gaawe e femmbere
ngari ngardi soobe mbii : « Ko mbii-ɗaa Muhammada ? »

Jokol6e Muhammadu keppi yambiroore Mustafaa 4
yoga e ma66e 6ernan sanne faa gondi mun[b] ndufa
sukaa6e na paapoo, maw6e haggil6e ana ngufa
Nulaaɗo fanii wadɗiima wii : « rabbunaa kafaa[c] ! »
Walaa huunde fuu seynii foti e mbadɗu Ahmada !

Jonal waktu caggal juulde kirkeeji ɗii njowaa 5
kasen 6aawo mbadɗuki makko ndeen ardi ɗii lawaa
cappanɗe nayi paltaa se joy goɗɗi duu njowaa

Var. :

1. (1) Ko feewi fota...

---

[a] Les voyelles finales, tant dans les hémistiches que pour la rime du vers (*Ahmadaa*) subissent un allongement métrique très marqué. Nous respecterons ici la transcription exacte des formes grammaticales.
[b] Le chanteur prononce *mun* au lieu de *mum* (en particulier devant une consonne dentale ou prénasalisée à l'initale du mot suivant).
[c] ar. [rabbunā kafā], « notre Seigneur suffit ».

CAVALIERS

Quoi d'aussi beau pour l'Élu que sa chevauchée matinale !
À vive allure ils prennent résolument le chemin des mares où passer le
l'on entend cliquetis d'étriers comme cliquetis de bracelets,   [jour,
et l'on voit sous la selle la sueur sourdre, glisser le long des sangles !
Au soleil déclinant, à ton commandement, ils mettent pied à terre, Mou-
                                                                    [hammad !
Obéissant à son ordre, à l'instant même, ils font halte
et par groupes mettent pied à terre aux côtés du Rassembleur.
Mors sont retirés, relâchées toutes les courroies tendues,
et sous escorte les destriers sont conduits vers les ondes où s'abreuver
tandis qu'intrépides brûlent les preux de partir au soir avec Mouhammad !

Sitôt battu le tambour, chacun plein de fougue accourt,
il leur dit : « Répondez à l'appel de la foi ! Le Bien soit notre but ! »
Les destriers sont choisis et les Arabes s'élancent hors de leurs camps
les yeux embrasés et leurs lances rouges encore des combats,
et les voilà aussitôt, pleins d'ardeur, disant : « Que dictes-tu Mouham-
                                                                    [mad ? »

Les hommes de Mouhammad brûlent d'entendre l'ordre de l'Éminent
il en est parmi eux de si fougueux que leurs larmes ruissellent.
Des jeunes s'élancent et des vieux pleins de raison les refrènent.
L'Envoyé a récité une bénédiction, enfourché sa monture et dit : « Notre
    Seigneur suffit ! »
Rien d'aussi plaisant que la façon de monter d'Ahmad !

Sitôt venue l'heure suivant la prière, les chevaux sont sellés.
Et après sa chevauchée, il prend la tête du peloton choisi :
quarante mis à part auxquels sont cinq autres adjoints,

193

wo ɗii ardotoo konu makko se ko teddi koo rewa.
Kuyam heewti oon kiikiiɗe sagataaɓe Ahmada !

Ɗume nde arɗi ɗii njambiraa kanaa ndee ɗi ɗoppitii   6
nde de ɗi ndillunoo ana egga faa colla ŋabbitii
dimaaɗi moɗii jeereende commbalde tollitii
taraa baynahum[d] annoora Mahmuudi yaccitii
so naange mutii ɗala jalbugol yeeso Ahmada !

Nji'aa caaji cawndoo Gaaɓɗo keddoo annii para   7
daneeji talaw waɗɗiiɓe tama gaawe ana ndira
nji'aa booli boowtuɗi wolde faa becce mun ngura
kowi ɗi koolɗe nyiɓi e leydi ana kuufi Haasiraa
kanaa jam ko faddii fuu ɗi ƴaɓɓoo Muhammada !

E nder eggagol lee ceedo-ɗaa gaawe ana palee   8
silaamaaji cawndoo tatte kirkeeji ana ɓilee
ɗi njortoo e ley pale tan ɗi ɓamtoo e dow tule
mo ɗii kawri fuu laabudda tuubal wanaa bele
konu mo tummbi-ɗaa oo fanɗanii ma[e] Muhammada !

Guuji ɗi tampataa taƴataa taƴii taccitii tifal   9
to ɗi kiirndunoo woɗɗiima nder yaadu jemmawal
e nder yaadu hen ŋari makko ana danni leelawal !
Ɗi ɓooyi e eggude Mustafaa wii ɗi jippogal
labaale ndifaa laamlaamɓe mbati daaka Ahmada !

Dimaaɗi kumaa dow jugge ana miila kujjugol   10
ɗi keddii e taaraade difagol e ŋawlugol

Var. :

6. (3) ... tullitii.
   (4) ... yajjitii.
9. (5) labaale mbifaa...

---

[d] ar. : [tarā bayna hum], « tu vois parmi eux... »
[e] Le chanteur prononce « *maa* », avec un allongement métrique de la voyelle.

voilà ceux qui prendront la tête de la colonne tandis que suivra le gros de
    la troupe.
La passion est à son comble, en ce soir, chez les preux d'Ahmad !

Lorque le peloton de tête en a reçu l'ordre, alors seulement il détale
et après leur départ, tandis qu'ils s'éloignent, s'élève nuée de poussière,
les destriers s'enfoncent dans l'infini du désert comme en un refuge :
et l'on voit parmi eux irradier la lumière du Digne-de-louanges
lors même qu'a sombré le soleil, demeure encore l'éclat du visage d'Ah-
                                                  [mad !

L'on en voit, au poitrail blanc, groupés autour du Privilégié, attendre tout
des blancs immaculés foncer, leurs cavaliers lances en main, [renâclants,
l'on en voit de bais-cerise tant habitués des combats que leurs flancs
    grondent,
des bruns aux genoux noirs, sabots fichés en terre, enserrent le Rassem-
sans la paix, leur seul frein, ils devanceraient Mouhammad !   [bleur :

Dans leur périple on les peut voir, lances en équerre
et sabres, de part et d'autre des selles, accrochés,
dévalant au fond des ravins et remontant les dunes !
Qui croise leur route n'a plus qu'à se soumettre, de force, non de son gré.
L'armée qui t'entoure est pour toi trop modeste, Mouhammad !

Inlassables, les étalons ne s'arrêtent pas, bien résolus à couvrir une
    nouvelle étape !
Partis au soir, c'est loin que les a conduits leur course nocturne
et tandis qu'il va parmi eux, sa splendeur passe le clair de lune !
Ils ont fait longue route, l'Éminent leur dit de faire halte :
mors sont retirés et les chefs de guerre s'assemblent au campement d'Ah-
                                                  [mad !
Les destriers, à leurs piquets, songent déjà au départ avant l'aube
ils attendent à l'enclos, tirant sur leur licol, hennissant !

Aamadun Foodiya Muusa

jokolɓe ɓe keewaa ɗoyɗi mbaaldii e guftagol
ko jaalii e ɗoyngol maɓɓe ŋoŋdii e mernagol
re'al jemma waawaa juhude wondiiɓe Ahmada !

Nde fajiriiji peernoo daaɗe sunnaaji njuuloraa   11
farillaaji tottaa salminaa summa zaahira
du'aa'u nde du'anoo juulde Muxtaari ommboraa
salaatuuji maa mboppaaka bada'aa wa aaxiraa
tabaleeji ngoonga ndukii e dow hoore Ahmada !

Nji'aa gorko ŋayloo heetta dow toowngu kirkewal   12
so taamake'en mooɓiima ngara kuufa deesewal
walaa fuu mo nji'ataa hen e jogitiiɗo malfawal
silaama e gaawal tan e bakkiiɗo ɓaaruwal
wo ɗee Allaa nyimniri diina Annabi Ahmada !

Di eggiri e juuɗe ɗi njottorii wolde saama oon   13
ɗi njehi seeɗa nii fa ɗi ẏelliti e nokku wolde oon
silaamaaji cortaa gaawe ndoondaa e waktu oon
dimaaɗi ndirii faa leydi dimmbii e nokku oon
ko tawa sella fuu naataali naɓanaa Muhammada !

Di ngaɗi dente dente e leyɗe sera ngeenndi njokkinii   14
jokolɓe ɓe kulataa maayde dow majji njonkinii
heɗaade ko imri to makko ɗun tan ɓe kettanii
walaa looɗo fuu nji'ataa yo haɓo tan ɓe kimmanii
kulol naatataa humaniiɓe walloyde Ahmada !

Nasru naati nder ci'e maɓɓe heeferɓe nduubaama   15
ci'al waaẏi faa sollaare mun toowti fa'e samaa.
Be ardini moyẏuɓe maɓɓe ndari wiide mbay'iima
wi'anooɓe suuyɓe e maɓɓe nanngaama kaɓɓaama
sukaaɓe e rewɓe ɓee fuu ɓe ngoni jawdi Ahmada !

Var. :

14. (1) Di mbaɗi...
    (2) ... dow majji njonkindii / njonnginii.
    (3) heɗaade ko yuuri...
    (4) ... tan ɓe culŋanii (*i. e.* cuŋlanii).
15. (3) ... moyẏuɓe maɓɓe ngari...

Les preux dorment peu, toute la nuit s'exhortent à la patience,
tout au plus ne font-ils que somnoler ou s'assoupir :
l'agonie de la nuit ne saurait surprendre des compagnons d'Ahmad !

Sitôt l'aube éclose des voix récitent les oraisons rituelles,
prescriptions sont observées, prière est dite et salut final clairement énon-
avec la bénédiction divine invoquée, se clôt la prière de l'Élu.   [cé,
Tes prières point ne furent négligées, de la première à la dernière.
Les tambours de la vérité grondent au-dessus de la tête d'Ahmad !

On voit un cavalier dominant de sa haute taille son pommeau de selle
et quand une foule de fantassins se vient masser autour de l'étendard
on n'en voit pas un seul qui soit muni d'un fusil :
ils n'ont que sabre, lance et carquois en bandoulière !
Voilà avec quelles armes Dieu a édifié la religion du Prophète Ahmad !

Partis par escadrons, ils arrivent en formation de combat, à cette heure
ils avancent un peu pour embrasser du regard tout le champ de bataille
sabres sont dégainés et lances brandies, en cet instant !
Les destriers foncent et le sol de l'endroit en est tout ébranlé !
Tout ce qui se trouve dehors ne rentrera plus : sera conduit à Mouham-
                                                          [mad !

Regroupés par pelotons aux alentours d'un bourg, ils se mettent en files
des preux qui ne craignent point la mort sur leurs montures se haussent
pour écouter les ordres venant de lui, à cela seul attentifs.
On n'en voit aucun de las, ils n'ont d'autre pensée que le combat,
la crainte ne touche pas des hommes résolus à porter leur concours à Ah-
                                                          [mad !

La victoire ayant investi leurs cités, les païens sont terrorisés !
La cité bouillonne tant que poussière en monte jusqu'aux cieux.
Ils font avancer leurs hommes de bien qui s'arrêtent et font soumission
et ceux qui avaient eu velléité de braver sont saisis et attachés,
femmes et enfants sont tous propriété d'Ahmad.

Nanee muujizaaje ɗe Alla yeɗi jeysu Ahmadaa 16
ɓe koyaali kulol yi'ataake nder fedde Ahmadaa
fatuhu iwruɗo to fattaahu faabii Muhammadaa
malaa'ika'en njippii kaɓa e wolde Ahmadaa
boyinaaji ngulli e biille honniiɓe Ahmada !

Ko haawnii e ɓee sagataaɓe so ɓe pa'i to femmbere 17
jaleeɗe e yoomtere maɓɓe wono faaɓe fummere
Be iwataa e yoomtere ndeen walaw keɓɗo barmere
ko haanii waɗii sabi fedde tijjinde moyƴere
baraaji ɗi nde'ataa yomretee fedde Ahmada !

Nanee sifa daaru-l-xuldi kala naanɗo maayataa 18
nde toownde tulal ɓamtinde mahdi nde yirbataa
yirwunde beraaji e cuuɗi kala naanɗo yaltataa
nde inndaama danyi-waasaa walaa fuu ko hultataa
nde fodanaama ɓeen wuurtinɓe sunnaaji Ahmada !

Luuluu e marjaanu cuuɗi aljanna ɓanniraa 19
zawhar e zaafara leese aljanna aafiraa
kaafuura miski e ammbari ɗun ɗe uurniraa
hariire fitaa faa ɗaati dow kaŋŋe ɗaanniraa
ɓe tuggoo e dow tallaaji eɓe njetta Ahmada !

Be njooɗoo e dow aafaaɗi eɓe njeewta eɓe njala 20
kore keewɗe konnjam muusagol hoore fuu alaa
ɓiraaɗam e njuumri e zanjabiilaa bilaa « walaa »
tasniimi aynin nyaamdu maɓɓe muzallila
ɓe njooɗoo e yoomtere neema ngam barke Ahmada !

Be nduumoo e arsike Alla keewɗo mo timmataa 21
wanaa suuno fuu woni toon ɓe ndolataa ɓe ɗomɗataa
wanaa baasi fuu woni toon ɓe nyawataa ɓe pa'angataa
ɓe nji'ataa nguleeki e jaali hay huunde torrataa
ɓe nduumoo e ɗun abadan ɓe hoɗdiiɓe Ahmada !

Var. :
10. (1) ... kala naadɗo (< *naatɗo).

198

Oyez les miracles dont Dieu gratifia l'armée d'Ahmad :
point de lâches, et inconnue la peur dans la phalange d'Ahmad !
Une victoire émanant du Maître-des-Victoires porta secours à Mouham-
    mad :
les Anges descendirent prendre part au combat dans les rangs d'Ahmad
et les chacals ont pleuré sur les cités en ruines des adversaires d'Ahmad !

Ce qui en ces preux stupéfie, c'est, lorsqu'ils partent en guerre,
leurs ris et leur joie, comme de gens se rendant à la fête,
et que, de cette joie ils ne se départissent, pas même qui est blessé :
ce qui sied bien à une phalange confiante en la faveur attendue !
Infinies, les récompenses dont sera gratifiée la phalange d'Ahmad !

Oyez la description de la Demeure Éternelle : qui y entre aura l'immorta-
Au sommet d'une éminence, elle dresse ses murs, infrangible !   [lité.
Elle a larges places et vastes demeures : qui y entre n'en ressortira !
Elle a nom « Gain-sans-perte » et il n'y est rien de redoutable,
elle a été promise à ceux qui perpétuent les Traditions d'Ahmad !

Perle et corail voisinent avec les demeures du Paradis,
joyaux et safran ornent les couches nuptiales du Paradis,
camphre, ambre et musc, voilà dont elles embaument,
la soie assouplie au battoir y rend l'or plus moelleux !
Appuyés sur des coussins, les voici qui rendent grâce à Ahmad !

Ils s'installent sur les couches apprêtées, devisant gaîment ;
coupes pleines d'une bière qui n'entête point
de lait frais, de miel et de vin, inépuisables,
et du nectar d'une source : voilà leur délicate nourriture !
Ils s'installent dans la sérénité du bien-être, par la grâce d'Ahmad !

Ils sont à jamais dans la faveur divine totale et infinie !
Il n'est là-bas nul besoin : ils n'y souffrent ni faim ni soif !
Il n'est là-bas nulle peine : ils n'y souffrent ni maladie ni migraine,
n'y connaissent chaleur ni froidure, rien qui les puisse tourmenter
et ils y demeurent ainsi à jamais, dans la compagnie d'Ahmad !

Ɓe paarna e ɓoli aljanna eɓe nyaaya eɓe ndoya   22
ɓe ndawa nyannde fuu eɓe hiirnda Muxtaari[f] hownoya
ɓe njooɗoo e batu ɓurnaaɗo eɓe njeewta eɓe nguya
malaa'ika'en piiltoo ɓe ko ɓe muuyi ngaddoya
ɓe mbeeɗondiree kore njuumri nder joonnde Ahmada !

Cereeli e iliililkaaje ɗun tan ɓe nyaldata   23
suruuran e bayli e bawɗi beldi ɗi ndeyyataa
yarawooji nyallan waala fay saa'a tayrataa
e nder neema aljannaaji hen tan ɓe luttataa
ɓe njettira ɗun Allaahu ardinɗo Ahmada !

Nanee sifa Huuru-l-'ayni naywoowo fuu walaa   24
nji'aa worɓe aljannaaji nyawsoowo fuu walaa
tawaa yimɓe aljannaaji miskiinu fuu walaa
ngaree neema aljannaaji faddeede fuu walaa
ngaree yimɓe ndeer-ɗen naadde saare Muhammada !

Ti al-'alaamaa Muxtaari kala keɓɗo waasataa   25
mahaa toowi ŋarɗiniraa ti-zaabu e fiɗɗata
kuɓeeje e soorooje walaw hiisa moomtataa
ŋabbooɓe ɓee dow kaŋŋe maa cardi njaaɓataa
hariire sannyaa dimmborɗi fedde Muhammada !

E dow laaɓɗi tekkuɗi yimɓe aljanna njooɗotoo   26
e dow cewɗi ŋarɗuɗi fedde Muxtaari fooccotoo
tamarooje jaabe moraaɗe hen tan ɓe ngottotoo
hawadeeji kala yarngooji pooɗee ɗi ɓattitoo
« kulu wa sarabuu[g] ! » newaniima on yimɓe Ahmada !

Kala yeeso njii-ɗaa hen mbi'aa lewru jalbata   27
kala jalɗo hen cikkaa yo ɗun uurdi uurdita
wanaa haala fuu woni toon kanaa jam e rahmata

Var. :

24.(2) ... nyafsoowo / nyaktoowo...

---

[f] L'auteur emploie couramment les termes arabes consacrés pour désigner le Prophète Mouhammad : [muḥtār], [muṣṭafā], « élu ».
[g] ar. : [kulū wa šarabū], « mangez et buvez ».

Ils parcourent les voies du Paradis d'un pas glorieux et léger,
s'en vont chaque jour, matin et soir, saluer L'Élu,
siègent en l'assemblée du Préféré, conversant et discutant,
des Anges circulant autour d'eux, leur apportent ce qu'ils désirent,
et ils s'offrent des coupes de miel, au lieu de séjour d'Ahmad !

Flûtes et youyous, voilà ce qui tout au long du jour les accompagne,
réjouissances, arcs[1] et tambours charmants jamais ne se taisent,
beuveries jour et nuit pas un seul instant ne tarissent :
choses possibles, dans la félicité paradisiaque, sans contredire la loi,
et ils en rendent grâce à Dieu qui pour guide donna Ahmad !

Oyez le portrait des Belles-aux-grands-yeux : nulle ne vieillira !
Vois, les hommes du Paradis : nul ne verra décliner sa verdeur !
On ne trouve, parmi les gens du Paradis, aucun nécessiteux.
Venez ! Au bonheur paradisiaque, il n'est point d'entrave !
Venez, bonnes gens ! Ayons pour vœu ardent d'entrer en la Cité d'Ah-
[mad !

Par le Signe de l'Élu, chacun, nanti, n'y connaît point le besoin,
de hauts édifices s'y dressent, enjolivés d'or et d'argent,
des palais et demeures on ne saurait faire la somme
et ceux qui y montent y foulent or et argent,
de soie sont tissés les hamacs des compagnons d'Ahmad !

Sur sièges propres et solides s'asseyent les gens du Paradis,
sur couches délicates et splendides s'étendent les compagnons de l'Élu,
dattes et jujubes sans noyaux, de cela seul ils se restaurent,
bassins de boissons variées sont mis à leur portée.
Mangez et buvez, ce vous est permis, hommes d'Ahmad !

Tout visage que l'on y voit, semble lune rayonnante !
Que l'un rie et l'on croirait parfum qui embaume !
Il n'est là-bas d'autre parole que de paix et de miséricorde !

---

[1] Il s'agit de l'instrument de musique appelé arc musical.

201

koofnaali moyƴi e teddungal tan e darjata
salaamu aleykum fedde rewnoonde Ahmada !

Ko ɓuri ɗun ko ɓuri ɗun fuu nji'en jaati Joomi men   28
Kariimu Rahiimu Moyƴo Moyƴinɗo jikke men
woni muntahaa hattorde neemaaji ndokka-ɗen
alaa neema danyetee ɓaawo holleede Joomi men
sanaa hamdiraade ɗo Alla juulde e Ahmada !

Salutations, bienfaits, considération et prestige !
La paix soit sur vous, compagnons qui aviez suivi Ahmad !

Mais plus que tout, plus que tout, puissions-nous voir l'essence de notre
    Seigneur,
Le Généreux, Le Clément, Le Parfait Qui donne corps à nos espoirs !
C'est là le terme ultime des bienfaits qui nous puisse être accordé !
Outre la vision de notre Seigneur, il n'est plus d'autre bonheur !
Ne reste plus qu'à rendre grâce à Dieu et prier avec Ahmad !

LEWLA
GAZELLE

LEWLA

Ayaa layta wonɗo mi anndu biiru e zamzami[a] !   1
To nder de'eele Makka Quraysi miɗo anndi Haashimi[b]
tawee ɗemgal am ana waawi jammirde ɗee gime.
Nde Makkata wi'inoo : « Wallu min baaba Qaasimi
funngooji ɗaylii, yimɓe ɗomɗii, Muhammada ! »

Nulaaɗo duyii[c], funnaange gindii wanaa hidii   2
ɓaleere[d] kirim ngal gaaci piila e mum jadi
faa laatoo ana senna joom-koode Fargadi[e]
waɗii bipoole, gindii nde lamyíndii[f]
dirooji ndiyam cappiima galluure Ahmada.

Nde keni seeɗa ɓaleere nii woni nde sudditii   3
nde fíyi bawɗi mayre ndiyam nde saayí nde rawniti
nde waɗí juuɗe juuɗe boliiji beelti nde junniti
nde liɓi diwle mayre, nde omti boorooji mbeɗɗitii
nde diccii nde sujidani Annabiijo Muhammada.

Nde nyiɓi becce mayre dow Makka beetal nde ruuyniti   4
ilaali ndiyam keli baafe faa Makka wullitii
naɗɗilde e tulde ɗo wonnoo fuu ndeentiti poti

---

[a] ar. [ᶜayā] : interjection d'appel ; [layt] : plût à Dieu que... ; [bīr] : « puits » ; *Zamzam* : [zamzam], « (eau) abondante », nom du puits de la Mekke.
[b] La voyelle finale de chaque section de vers ainsi que celle de la rime est prononcée longue dans tout le poème, qu'elle le soit ou non originellement.
[c] *duyii* : *du'ii*.
[d] s.e. *duurde*, « nuée ».
[e] ar. [farqad] : nom de deux étoiles voisines du Pôle.
[f] Verbe quelque peu incongru ici ; est-ce une image ou un lapsus pour *laancitii* ?

GAZELLE

Ah ! Plût à Dieu que j'aie connu le puits de l'intarissable Zamzam[1] !
À sillonner les quartiers de La Mekke qoraïchite, je connaîtrais le Haché-
mite !
Mais peut-être ma langue saura-t-elle en ces vers chanter sa gloire !
À l'appel des Mekkois : « Secours-nous, père de Qâssim !
Flétries sont les plantes et les hommes assoiffés, Mouhammad ! »,

l'Envoyé invoqua Dieu et l'Orient gronda sourdement sans éclat de ton-
nerre,
une nue ténébreuse où crinières et queues enroulaient l'orbe[2] de leur
course,
pour qu'enfin se dégage en sa pure clarté le Seigneur-des-Étoiles-Far-
gad[3],
étendit ses ailes et, dans un grondement sourd, lécha le ciel de ses
éclairs[4],
et les fougueux destriers de l'onde visèrent droit la cité d'Ahmad !

Quelques sautes de vent et voilà soudain la sombre nuée libre de tous
ses voiles,
elle battit ses tambours de pluie et dans un gai tumulte recouvra sa
clarté,
elle tendit mille bras vers les gourdes suspendues au ciel, les renversa
puis, jetant bas ses charges, elle ouvrit les outres, qui se répandirent,
et, genoux en terre, elle se prosterna devant le Prophète Mouhammad.

Elle immobilisa son poitrail au-dessus de la Mekke et au matin s'y rua
en tempête,
des trombes d'eau rompirent les portes si fort ! que la Mekke en cria
merci !
Tout ce qui naguère était ravin ou dune, nivelé, ne fit plus qu'un.

---

[1] Cette invocation initiale est une référence littéraire conventionnelle à l'*Ishrîniyât*, poème célèbre en l'honneur du Prophète (composé par le panégyriste cordouan du XIIIe siècle, al-Fazâzî), dont la rime change tous les dix vers – comme son nom l'indique – et qui commence par « Plût à Dieu que par mon poème je m'achemine vers Tayba d'où jaillit une lumière merveilleuse » ('ayā layta šičrī hal 'asīranna munjidā...), c'est-à-dire « plût à Dieu que le vœu exprimé par ce poème soit exaucé ».

[2] Textuellement : « une très noire où des crins enroulaient des pistes » (tracées par le passage des troupeaux).

[3] Épithète désignant le soleil. Fargad est le nom donné à deux étoiles voisines du pôle.

[4] L'image rendue par le verbe est celle de « se lécher les doigts un à un, après avoir mangé ».

nde toɓi baalɗe jeeɗɗi ɓe mbii Nulaaɗo ɓe ɗomɗitii.
Mo wii : «Luurde, ɗoofa ! », nde wii mo : «Moyyii, Muhammada ! »

Nde wiftii nde ɗali gemmbuuje toon fuu waɗii tolo   5
wuddaalde ɗo wonnoo ɓaynii soltinii solo
laylayndi waaɓii piindi muuɗum waɗi ndulo
mbarullaaje faa piilii e poyulle mum huroo
faa leɗɗe ngaɗi bulafooje nyannden Muhammada.

Muhammada dannii jumla nulanooɓe fuu geɗal   6
a riiwii caɗeele e torra, woɗɗaade maa kaɗal !
jamaanuuji heccidiri ɓural maa e neeminal
du'aa'uuji kawritini jamaanuuji dawnital
ko funnoo so wojjitii ɓawliri saabe Ahmada !

Nde nodduno-ɗaa Joomaa ko muuy-ɗaa e noddugol   7
Muhayminu hono ɗum doomi noon henyii jaabagol
Mo yambiroore fii mun doomi woɗɗaade[g] lanndindagol
mo wii : « luurde waanya ! », nde waanyorii kaddi baa-
laatoo nde waanyii faa ɓe ngoytii Muhammada.   [nyagol

Ɓe ngoytiima juunngol mayre bi[h] hulde gurjugol   8
ɓe mbii : « Mustafaa, ndaar Joomaa nanŋta nde nanŋ-
   tugol ! »
Muhammada feewi luurde mo sappii nde sappagol
mo wi'ani nde : « Hawa aleyna[i] ! », nde ɗoofiima e eggu-
kulol eggi hinne heddii ngal barke Ahmada.   [gol

Var. :

8. (4) ... nde ɗoofiima e ɗoofagol.

---

[g] *doomi woɗɗaade : ana woɗɗii doomde.*
[h] *bi : fi.*
[i] *hawa aleyna : déformation de l'arabe [hawwil 'alaynā] , « détourne-toi de nous ».*

Sept jours durant tomba la pluie ! Ils dirent au Prophète leur soif étan-
    chée.
Il ordonna : « Nue, retire-toi ! » et la nue lui dit : « Très bien, Mouham-
                                     [mad ! »

Et, se retirant aussitôt, elle laissa tout alentour les champs devenus îles,
ce qui naguère était cuvette, imbibé d'eau, rebourgeonna d'herbe nou-
    velle,
ipomées prospérèrent à l'envi, leurs fleurs éclatantes de couleur,
tiges poussèrent bientôt leurs feuilles engainantes sur leurs nouures ca-
    chées
et les arbres, le jour même, donnèrent des fruits hâtifs, Mouhammad !

Mouhammad, de tous les Envoyés réunis, a eu la meilleure part !
Tu as chassé tracas et tourments ! S'éloigner de toi est à proscrire !
Pour des générations ce fut le renouveau grâce à ton excellence et ta
    générosité.
Les oraisons rassemblèrent des générations sous une clarté restaurée !
Si la végétation nouvelle, rubescente, verdit, ce fut bien grâce à Ahmad !

Dès que tu eus invoqué ton Seigneur, aux désirs qu'exprimait ton appel,
Témoin de la Création à cela aussi attentif, Il répondit sans tarder.
Celui dont l'ordre s'exécute sans délai ni apprêt
dit à la nue de s'épandre et elle s'épandit à profusion,
et tant elle s'épandit... qu'ils en firent doléances à Mouhammad !

Ils se plaignirent de voir se prolonger l'averse, craignant que tout ne
    croule ;
ils dirent : « Élu, demande à ton Seigneur de la retenir et la garder ! »
Mouhammad fit face à la nue et, tendant vers elle un doigt impérieux,
il lui intima : « Détourne-toi de nous ! » et elle se retira, migrant vers
    d'autres cieux.
et, la crainte envolée, ne resta que le bienfait miséricordieux dû à la
                                [grâce d'Ahmad !

Aamadun Foodiya Muusa

Nde dillii sehalooje nde ɗalii ngeenndi Makkata   9
nde ɗali yimɓe Makka na njoomtidi faa ɗo cuɲlataa
nde ɗali leydi Makka na heccidî njooru wartataa
nde ɗali ledɗe mun ngooɗi simaaruuji timmataa
ndeen njooru wayri e Makka faa han, Muhammada !

Muhammada aan ɓuri naange yiitinde majjuɗo !   10
Muhammada aan ɓuri lewru annoora jalɓuɗo !
Muhammada aan ɓuri ɗowdi sultinde tampuɗo !
Muhammada aan nii waawi waltinde duubuɗo !
Kulol jergataa ɗoon banɲe maada Muhammada !

Heyii ɗum ɓural maa nyannde tuufoowo tuufunoo   11
mo toowi e piccal mun o tawi lewla nanngunoo
nga haaɓi e fergaade e yande se tarsinoo
tawi Ahmad-al-Muxtaar oon saanga yottinoo
nga hiiniʲ ɓural maa saanga oon noon Muhammada!

Nga yiilii nga ɗoofii faa nga haaɓii nga jimminii   12
nga woytii nga woppii ɓidɗo mabba ɗo yurminii
nga wokkitii ƴeewtaade nga warta nga aadanii !
Nulaaɗo nde warnoo ndee nga hunci nga salmini !
Ɓural maaɗa noon nii nii oon saanga Ahmada!

Mo sooynii daneejo mo huunde yaakaali rawnude   13
mo kaddule muuɗun luulu nyemmbaali jalɓude
ko yaaɓata fuu yaakaali nduu yaadu ɲarɗude
mo hunyanii mo hoore Laamɗo hokkii mo anndude
Kariimu yo jamᵏ faaminde Annabi Ahmada !

Mo tawunoo moˡ wii : «Tuufoowo, hey ! Miɗo ndaardu ma   14
mi ƴeewtoya zurriya am mi warta e junngo maa. »
Muhammadu yottii ndeen o wii : «Miɗo lamndoo ma... »

ʲ hiini (< hisni) : pour hiiniri, ici.
ᵏ jam : jaɓ.
ˡ mo pour nga (lewla).

210

La nue s'en fut vers les falaises et laissa la cité mekkoise,
elle laissa les Mekkois réconfortés, sans plus aucun souci,
elle laissa la terre mekkoise verdoyante, la sécheresse partie sans retour
elle en laissa les arbres pourvus de fruits inépuisables !
Et depuis lors, jusqu'à ce jour, la Mekke ne connut plus la sécheresse,
[Mouhammad !

C'est toi, Mouhammad, qui, mieux que le soleil, fais à l'égaré retrouver
toi, Mouhammad, qui, plus que la lune, resplendis de lumière, [sa voie
toi, Mouhammad, qui es mieux que l'ombre pour le repos de l'homme
toi, Mouhammad, qui peux bien apaiser l'homme terrifié !   [harassé
Crainte ne survient point quand on est près de toi, Mouhammad !

Preuve suffisante de ton excellence que ce jour où un piégeur, ayant ten-
arrivé sur ses collets, y trouva captive une gazelle :   [du ses pièges,
elle s'était épuisée à buter et tomber, en voulant se dresser sur ses pattes
Or Ahmad-le-Choisi, à ce moment précis, était arrivé là !   [roidies.
Et à l'instant même lui advint le salut, de par ton excellence, Mouham-
[mad !

À tourner en rond, voulant se dégager, elle s'était épuisée et restait tête
se lamentant : elle avait laissé son petit, c'en était pitoyable,   [basse
elle languissait de l'envie de le revoir. Elle reviendrait, elle en fit la pro-
À l'arrivée de l'Envoyé, levant la tête, elle le salua.   [messe.
Telle fut bien, en cet instant-là, ta prééminence, Ahmad !

Elle aperçut l'homme au teint clair dont rien n'a pu approcher la clarté,
dont la vêture brille d'un éclat que la perle même n'a pu imiter,
à la démarche dont nulle manière de marcher n'a pu approcher la
     beauté !
Elle leva doucement la tête vers lui et le Seigneur lui accorda le don de
     le reconnaître,
Puisse le Généreux accepter d'accorder le don de la comprendre au Pro-
[phète Ahmad !

À celui qui l'avait trouvée, elle dit : «Piégeur, écoute ! Je te demande la
     grâce
de retourner voir ma progéniture, je reviendrai me livrer entre tes mains. »
Mouhammad alors s'avança et dit à l'homme : « Je te le demande »...

o wii : « Lewla, yah hey ! faa mi jooɗoo tigginde maa. »
Walaa keɓɗo wakkilde so feewndii ma, Ahmada !

Mo yehinoo mo warti mo wii : « yo Allaahu teddine !   15
Jajjallaahu kayra[m] Alla Joom-baawɗe jinngane !
A jokkuɗo goddiili[n] yo neemaaji ngoodane
ɗo konne maa woni fuu yo lillaahi heedane ! »
Du'aa'u tawan ɗun fuu a dokkaaɗo Ahmada !

Tuufoowo jaabii wii : « Mi ɗaldii nga saabe maa. »   16
Muhammadu wii tuufoowo : « Laamɗo nyimne e suudu
no ittira piccal tuuliingal duu e becce maa ! »   [maa
Mo wii : «Ɗun yo tiiɗɗum ! Laamdo jaaboo du'aa'u maa ! »
Mo anndaa yo oon woni Annabiijo Muhammada !

Muhammada darni tankarawal mun faa darii   17
mo sappii mo junngo noon mo yottii mo gaaftorii
mo tawi ommbogal ana ommbori noon mo omtiri
kanaa gorko oo ruudii no o kaŋŋe wojjiri !
Reworɓe nanee sifa Annabiijo Muhammada !

« War faa mi hokkore heen ko heddii mi naɓtora ! »   18
Muhammada jaabii : « Ɗun mi ɗaldii ma naftoraa ! »
— « Ko anndinnoo ma oo mbulku ɗoo kaŋŋe mun iraa ? »
Mo jaabii : « A haalii goonga ! Aan Alla anndiraa ! »
Sikaa lommbataako dow bi'aangol Muhammada !

Muhammada faŋi oon nokku haytalla[o] ɓeltorii   19
mo ɗali gorko oo ana ƴeewa kaŋŋe no seynorii
seyaade e jalde e miilo mun saɗɗa eggorii !
Jamaa ana dira njottii mo ɗoon ndarii
ɓe canni mo ɗo ɓe lamndii mo Annabi Ahmada.

---

[m] Déformation de l'arabe [jazā ka allāhu ḫayran] « que Dieu te récompense en bien ».
[n] *goddiili* : forme inattendue pour *goddeele* (pluriel globalisant).
[o] *haytalla* : <ar. [ḫayṭ], « où, à l'endroit où ».

et, s'adressant à la gazelle : « Eh bien, va ! En attendant, je resterai pri-
sonnier à ta place. »
Nul ne peut avoir garant plus sûr que toi, Ahmad !

Elle partit, puis elle revint et dit : « Que Dieu t'honore !
Que Dieu te récompense ! Que Dieu le Tout-Puissant soit ton défenseur !
Que, dans la poursuite de tes désirs, tu obtiennes satisfaction,
et, où qu'il se trouve contre toi un ennemi, Dieu soit à tes côtés ! »
Or, tout ce que souhaitait cette prière, tu en fus bien doté, Ahmad !

Le piégeur répondit en ces mots : « Je l'ai laissé partir à cause de toi. »
Mouhammad dit au piégeur : « Que le Seigneur t'assure longue vie dans
    ta famille
en te libérant du piège qui en ton cœur[5] aussi est tendu. »
Il dit : « C'est là chose difficile. Mais puisse le Seigneur répondre à ta
Il ignorait que celui-ci était le Prophète Mouhammad !   [prière ! »

Mouhammad brandit bien droite sa canne
et de la main lui désigna un endroit : l'homme s'y rendit, creusa la terre,
il y trouva un couvercle fermant une poterie, il l'ôta
et l'homme dut détourner la tête tant l'or y flamboyait !
Croyants, entendez comment était le Prophète Mouhammad !

« — Viens, que je t'en donne et, le reste, je l'emporterai. »
Mouhammad lui répondit : « Je te le laisse, fais-en ton profit.
— Mais qu'est-ce qui t'avait fait savoir qu'il y avait enterrée là cette
    poterie avec son or ? »
Il répondit : « Tu as raison, toi. C'est à Dieu qu'on a dû de pouvoir le sa-
Le doute ne saurait trouver place en un dire de Mouhammad !   [voir. »

Mouhammad après ce détour par ce lieu, poursuivit sa route,
laissant là l'homme tout à la contemplation de l'or et dans une grande
avec cette joie et ces ris, la pauvreté avait déserté sa pensée !   [joie,
Une foule houleuse arriva jusqu'à lui et, là, s'arrêta,
ils le saluèrent et, là, s'enquirent auprès de lui du Prophète Ahmad !

---

[5] Il s'agit bien sûr de son goût pour la chasse, mais surtout, par extension, de toutes les tentations.

Ɓe yamani mo Ahmada yella oo nokku ɓeltorii.   20
Mo jaabii mo fayaay[p] koo mo anndaa to yaɓɓorii.
Ɓe cifanii mo alhaali mo miilii mo miccitii
kanaa gorko oo dogi yoppi kaŋŋe no howlorii
fa yidɗe henyaade faa yaawa yeewtaade Ahmada !

Ɓe kewti Muhammada noon ɓe canni ɓe ngaamnorii[q]   21
noon gorko oo dogi hewti juurii mo faaydorii
ɓernde seyii ngam laamu Ibiliisa woɗɗitii.
Biloowel huli howli dogi woɗɗitii o wii
Mo ɗalii gorko oo ana reenorii yiide Ahmada.

Jamaa oon Abu-Bakari adorteeɗo limtude   22
ndeen noo Umaru-l-Faaruqu farri e jokkude
Usumaana-Zunuurayni[r] coo belɗo inndude
Aliiyun e ɓeen nayon innde mun heewi hawrude
kasen inɗe ɗee fuu ŋarɗirii saabe Ahmada !

Ɗalhatu e Zubayru joon noo mi ɗimnitii   23
Sa'adu taton Sa'iidu joon noo mi nayɓitii
Abduramaani Awwaabu Abu-Ubaydati
nayon e nayon ndenti so ɓe e ɗiɗon kawritii
sappo en njii ɓe janngo hiɓɓaade Ahmada !

Mo jokkii Muhammada faa mo juutii e yaadude   24
mo tawi huunde fuu oo samti ɗum welde jokkude

---

[p] *fayaay* : *fa'aay*
[q] *ngaamnorii* : *ngaaɓnorii.*
[r] *Zunuurayni* : ar. [ḏū nūrayn], « aux deux lumières », qualificatif de Ousman.

214

Ils lui demandèrent, à propos d'Ahmad, si par ce lieu il était passé.
Il répondit qu'il n'avait rien vu et ignorait par où il était passé.
Ils lui en firent la description et, à la réflexion, lui en revint le souvenir
alors l'homme partit en courant, laissant là l'or, dans sa précipitation,
tant il voulait faire diligence pour, vite, converser avec Ahmad !

Ils rattrapèrent ainsi Mouhammad, ils le saluèrent et se félicitèrent de
 leur bonheur
de même l'homme parti en courant, le rattrapa, lui rendit honneur et en
 eut grand bénéfice
il eut le cœur en joie, car le règne d'Iblîs fut fort loin repoussé :
le Mauvais semeur-de-colère pris de peur, s'enfuit au plus vite, très loin
 et dit
qu'il renonçait à l'homme, désormais protégé pour avoir vu Ahmad !

De tous ces gens, c'est par Abou-Bakr qu'en doit débuter l'énumération
puis c'est Oumar-le-Séparateur qui, obligatoirement, vient ensuite,
puis Ousmâne-aux-Deux-Lumières, le tant agréable à nommer,
et Ali dont le nom est, parmi ces quatre-là, si souvent associé[6],
tous noms qui, aussi, doivent leur éclat à Ahmad !

C'est à présent Talhat et Zoubaïr que je cite, tous deux ensemble,
avec Sa'ad, ils sont trois et, avec Sa'îd, alors, j'en compte quatre,
et Abdouramâne-Awâbou, Abou-Oubaïdat[7],
si, aux quatre et quatre réunis, se joignent ces deux-là,
c'en sont dix que nous verrons en l'autre monde[8] se presser aux côtés
            [d'Ahmad.

Qui a suivi Mouhammad et, avec lui, a fait longue route,
s'est aperçu qu'il n'était certes rien de plus doux à suivre que lui :

---

[6] Sont ici nommés les les quatre califes, qui font aussi partie des premiers convertis : *Abū Bakr*
surnommé *Ṣiddīq*, « Véridique »; *ᶜUmar*, surnommé *Sayyid-al-Fārūq* « Seigneur-qui-Distingue » ;
ᶜUtmān, surnommé *Ḏū-n-nūraynī*, « Détenteur-de-deux-lumières » (ce sont ses mariages successifs
avec deux des filles du Prophète qui lui valurent cette dénomination ; il est aussi parfois appelé
« Possesseur-de-trois-lumières », la troisième étant la connaissance du Coran) ; enfin *Ab-a-l-
Ḥassānayni*, « Le-Père-des-deux-Hassan », désigne le calife *ᶜAlī*, époux de Fatima, fille du
Prophète, qui lui donna les jumeaux Hassan et Houssein.
[7] Sa'ad ou Sâdou (*Saᶜd*), un général arabe tôt converti, fut avec Sa'idou (*Saᶜīd*) et Talhat (*Ṭalḥa*) –
l'instaurateur de la *'umra* (pèlerinage à la *Kaᶜba*) – l'un des premiers compagnons du Prophète
Mouhammad, qui combattirent dans les batailles contre les Mekkois et auxquels le Prophète promit
le Paradis. Zoubayr fut aussi un combattant auquel le Prophète confia le commandement dans plusieurs de ses batailles contre les Mekkois. Abou-Oubaïdat (*Abū-ᶜUbayda*) participa lui aussi à la
bataille de Badr, tout comme Abdouramâne Ibn-Aoufi (*ᶜAbd-ar-Raḥmān b. ᶜAwf*) ici appelé Abdouramâne-Awâbou.
[8] Textuellement « demain ».

gite kaaɓataa y̌eewgol ko herataa e ŋarɗude !
Mo woytii mo ɓeyɗo mo yeewanii suudu wirfude
mo ndaar hoolnoraade fanoode Annabi Ahmada !

Muhammada wii : « Suddu gite maa », gorko oo suddi   25
   wajjuhu mum
Muhammada fanii oon feeri tawti e suudu mum
ko wayri kala tawti tawi loonde kaŋŋe mum
so y̌eewnoo tawi waga ɗun nyakaali e jawdi mum.
ko ŋarɗi ko haawnii Annabiijo Muhammada !

les yeux ne se lassent pas de contempler ce dont sans bornes est la
  beauté !
Le chasseur se plaignit : il était père de famille et languissait de s'en retourner chez lui,
mais il cherchait l'assurance d'une bonne route dans les bénédictions du
  [Prophète Ahmad.

Mouhammad dit : « Cache-toi les yeux ! » et l'homme se cacha le visage.
Mouhammad lui donna ses bénédictions pour une bonne route : l'homme
  ouvrit les yeux, se retrouva chez lui !
Tout ce que, depuis tant de temps, il n'avait pas revu, il le retrouva : il
  trouva sa jarre d'or
et, l'ayant examinée, s'aperçut qu'il n'y manquait rien de sa richesse !
C'est chose splendide, chose prodigieuse que le Prophète Mouhammad !

MOUHAMMADOU ABDOULLÂYE SOU'ÂDOU

MOUHAMMADOU ABDOULLÂYE SOU'ÂDOU

Mouhammadou Abdoullâye Sou'âdou serait né en 1819 ou 1820 et mort en 1856 ou 1857 (certains fixent la date de sa mort au dimanche 9 du mois de *Jamadullula*[1] l'année 1272 de l'Hégire). Il a composé ses onze poèmes en peul dans les sept dernières années de sa vie.

Ces poèmes ont été enregistrés par mes soins en 1970, chantés par les talibés du maître Âmadou Abbas Sinna, à Sévaré près de Mopti. Le marabout détenait une copie manuscrite de ce répertoire que j'ai pu consulter ; une fois effectuée la transcription de l'enregistrement, la comparaison des textes avec cette copie n'a révélé que quelques variantes ; les règles de scansion nous ont aisément permis de trancher entre les variantes et il est apparu que la transmission orale s'avérait plus fidèle que le texte écrit, les variantes fautives du point de vue de la métrique étant dues à des erreurs de copiste.

La transcription de ces poèmes a été établie avec la collaboration d'Almâmi Mâliki Yattara, puis vérifiée à Dilly, auprès de Môdibbo Sidi, détenteur d'un autre manuscrit.

Enfin Âmadou Hampâté Bâ a eu l'amabilité de me permettre de consulter le manuscrit de ces poèmes qu'il avait lui-même recueillis et transcrits. Les variantes indiquées en bas de page sont celles relevées dans ce manuscrit.

---

[1] Déformation de l'arabe [jumādu al-lawwal], nom du cinquième mois lunaire.

Quelques données biographiques

recueillies en peul par Almâmy Mâliki Yattara
auprès du frère cadet de Ibrahîma Sibi,
à Mopti

Mouhammadou Abdoullâye Sou'âdou al-Foûtiyou est aussi désigné sous le titre de Môdibbo Kannou (*i. e.* Maître coranique de Kannou).

Mouhammadou Abdoullâye Sou'âdou est venu de Fokoti à l'ancien Dilly pour étudier ; puis, vers ses dix-huit ans, il est parti dans le Bassikounou (vers Koumbi-Saleh). Il a étudié auprès des Sarakollés et non auprès des Peuls.

Devenu réputé, il revient à Fokoti dans sa famille qui veut le marier. Il n'est pas d'accord avec ce projet et va rejoindre un de ses parents, éleveur, jusque dans le Toggué-Massina (dans le Kannou) où il retrouve sa propre mère et son oncle paternel (qui, à la mort de son père, avait épousé la veuve).

Il a de nombreux élèves qui affluent de tout le Massina.

À Kannou, il y a une grande mare où campent, à la saison sèche, des Peuls du Farimaké, du Massina, du Nampala, du Karêri. Sur la rive nord, autour de cette mare, il y a une grande levée de terre boisée.

Mouhammadou Abdoullâye Sou'âdou y reste jusqu'à la mort de son oncle, avec sa mère et ses élèves.

C'est à cette époque que l'affaire de Hamdallâye est en cours. En effet, durant le règne de son père, Âmadou Sêkou Âmadou se trouvait à Djenné. Beydâri Mangal auquel il avait demandé de trouver un moyen pour que son père accepte qu'il quitte Djenné pour venir à Hamdallâye, lui conseille de s'y rendre avec ses cavaliers. Informé de cela, son père le fait revenir à Hamdallâye, mais meurt peu après.

C'est à cette époque que Mouhammadou Abdoullâye Sou'âdou se rend à Hamdallâye. Âmadou Sêkou a beaucoup d'admiration pour lui. Mouhammadou va alors chercher sa mère et reste à Hamdallâye jusqu'à la mort, en 1853 – après huit ans de règne –, de Âmadou Sêkou auquel succède Âmadou Âmadou. La succession déclenche de nombreux remous et rivalités. Par ailleurs les Diâwambé commencent à se manifester dans la ville.

Mais bientôt le comportement de Âmadou Âmadou déplaît de plus en plus : il organise une société de jeunes gens, redonne aux griots leur rôle et autorise les festivités profanes. Mouhammadou Abdoullâye Sou'âdou critique cela et se tient à l'écart de ces manifestations. Un Diâwando, Kawdo Boukâri le dénonce à Âmadou Âmadou. Celui-ci, par respect pour Mouhammadou, du fait de son âge, lui fait demander pourquoi il se tient à l'écart de sa cour, mais la réponse qu'il obtient le mécontente. Peu à peu les courtisans lui montent la tête contre Mouhammadou Abdoullâye Sou'âdou dont la réputation lui porte ombrage. Âmadou Âmadou finit par convoquer publiquement Mouhammadou Abdoullâye Sou'âdou pour lui ordonner de quitter la ville et il lui fixe un délai.

Le jour même, Mouhammadou prépare le départ pour faire raccompagner sa mère et ses élèves à Kannou, à l'insu de tous ; mais lui, reste à Hamdallâye.

Âmadou Âmadou ourdit un plan pour le faire expulser par une troupe de jeunes gens. Mais quelqu'un vient avertir Mouhammadou Abdoullâye Sou'âdou ; et alors que certains essaient de le convaincre de s'en aller de lui-même, à l'insu des autres, lui, décide d'attendre de pied ferme cette expulsion.

Le jour venu, il fait partir tous ses élèves et ne quitte les lieux qu'au dernier moment. Les jeunes gens envoyés par Âmadou Âmadou ne le trouvent pas ; il était déjà arrivé à Ségué lorsqu'ils arrivent pour le chasser.

Sur son chemin, il écrit un poème qu'il fixe au tronc d'un arbre, puis il trace un trait sur le sol avec un bâton. Les jeunes gens qui le poursuivent lisent ce qui est fixé à l'arbre : il y est dit que celui qui veut retourner à Hamdallâye ne doit pas dépasser cette trace, et le reste est un poème en peul (sans doute le poème XI), sorte de pamphlet prémonitoire contre les gens de Hamdallâye. Ce qui y est dit devait se réaliser.

Il rejoint sa mère à Kannou. Sa mère meurt quelques années plus tard.

Il serait mort à 37 ans un dimanche, le neuvième jour du mois de *jumaadu-l-lawwal*, l'an 1273 de l'Hégire (1857).

Un épisode de la vie de
Mouhammadou Abdoullâye Sou'âdou

Raconté par Âmadou Diéli Bâ[1]

Bakkâye se mit en route et se rendit à Hamdallâye, car c'était la voie de la religion divine[2].

La religion divine, ce que Dieu a dit, c'est « que tous les musulmans sont frères » (citation en arabe).

Le jour où il arriva... il y passa trois jours.

Et, au cours de ces trois jours, le second jour, il dit : « Chêkou Âmadou ! »

Chêkou Âmadou lui dit : « Oui ! »

Il dit : « Je voudrais m'en retourner chez moi.

Je voudrais que tu me donnes un élève pour me porter mes bagages. »

Chêkou Âmadou appela les gens de Hamdallâye :

trois mille trois cent trente-trois Âmadou fils de Âmadou étaient assis là.

Il dit : « Qui emportera les bagages de Bakkâye de Sâré-Dîna pour l'amour de Dieu et du Prophète ? » L'assemblée tout entière ne dit mot.

Âhmadoun[3] Abdoullâye Sou'âdou dit : « C'est moi qui les emporterai. »

Il dit : « Âmadoun ! » Celui-ci dit : « Oui ! »

Il dit : « Ce que tu viens de dire, même si tu n'avais pas parlé, je le savais ;

car celui-ci est ton cheikh ;

voilà pourquoi tu as dit que tu les lui apporterais.

Ce que tu as montré, je l'avais prévu suivant la coutume et, aujourd'hui, je le vois de façon éclatante. »

Âmadoun Abdoullâye Sou'âdou prit les bagages et les chargea sur sa tête

et il sortit derrière la ville.

---

[1] Enregistrement d'un récit en langue peule, remis par Hassey Bôkar Zawiyakoy, chef d'arrondissement à Dilly, en février 1977, et transcrit avec la collaboration d'Almâmi Mâliki Yattara. La traduction que nous en donnons ici suit le rythme de l'énoncé oral.

[2] La venue de Bakkâye à Hamdallâye est datée en 1847 (voir Sanankoua B., *Un Empire peul au XIXe siècle. La Diina du Maasina*, Karthala-ACCT, 1990, p. 166). La mort de Mouhammadou Abdoullâye Sou'âdou est datée de l'année 1272 ou 1273 de l'Hégire (soit 1856 ou 1857) ; il serait mort à 37 ans, ce qui situe sa naissance en 1819 ou 1820 et lui donne donc l'âge de 27 ou 28 ans lors de l'épisode narré ici. Par ailleurs Bakkâye ou Al-Bakkay Kounta, descendant des propagateurs de la Qadriyya, entretint des relations fluctuantes avec les Peuls de la Dîna : positives avec Sêkou Âmadou, elles se dégradèrent de plus en plus à l'avènement de Âmadou Âmadou pour aboutir à une hostilité réelle.

[3] Le narrateur utilise au cours de son récit plusieurs formes du prénom du poète : Âmadou, Âmadoun, Âhmadoun, Mouhammadou.

Entre Sâré-Dîna et Hamdallâye, tu es au courant : il y en a pour quinze jours de marche à dos de dromadaire.

Bakkâye monta sur son dromadaire.

Mais ce qui demandait quinze jours de marche,

il le parcourt en un instant !

Il arriva derrière le village

et il trouva Âmadoun Abdoullâye Sou'âdou assis, avec les bagages.

Il dit : « Âmadou ! » Celui-ci lui dit : « Oui. »

Il dit : « Même si tu ne m'avais pas montré que tu étais un saint, je savais que tu en étais un.

Ce sont les destins auxquels Dieu nous a promis qui t'ont amené. »

L'autre lui dit : « C'est vrai. »

Âmadou Abdoullâye Sou'âdou vécut là, le temps que Dieu voulut.

Il ne lui dit pas qu'il allait partir

et lui, Bakkâye, il ne pensait même plus à dire à Âmadou Abdoullâye Sou'âdou de s'en aller.

Le temps passait et on ne sait comment allaient les choses…

Il restait donc dans la ville ; jusqu'alors… ni on ne lui accordait son congé ni lui ne disait qu'il devait partir…

Ça alla ainsi jusqu'à ce que, un beau matin,

Bakkâye fit mander Âmadou Abdoullâye Sou'âdou. Il dit : « Âmadou Abdoullâye Sou'âdou ! » Celui-ci dit : « Oui ? »

Il dit : « La volonté de Dieu s'est accomplie

car la part que Dieu a mesurée entre nous est arrivée à échéance ;

aujourd'hui, la bénédiction du Kounta se trouve partagée en deux :

une part reste au Kounta

et une part, c'est toi, Mouhammadou Abdoullâye Sou'âdou qui vas partir avec elle. »

Il le laissa donc partir et Âmadou Abdoullâye Sou'âdou, lui, rentra à Hamdallâye.

[Entre temps] Hamdallâye se trouva divisée [par des luttes de partis] :

Abdoullâye Sêkou fut installé (sur le trône)[4]

il régna trois ans et Dieu le rappela à Lui.

Âmadou Sêkou fut installé sur le trône.

Ils lui dirent : « Âmadou Sêkou Âmadou ! » Il dit : « Oui. »

Ils dirent : « Âmadou Abdoullâye Sou'âdou cherche à restaurer le gouvernement religieux de ton aïeul.

---

[4] Il semble qu'il y ait quelque confusion dans les noms des personnages cités ; en effet, le successeur de Sêkou Âmadou, Âmadou Sêkou a régné huit ans ; Âmadou Âmadou lui succéda en 1853, après avoir réussi à supplanter Allâye (Abdoullâye) Sêkou qui avait été un élève d'Al-Bakkay et qui, lui, n'obtint pas le pouvoir ; il régna jusqu'en 1862 (voir à ce sujet Sanankoua B., *op. cit.*). Lorsque le narrateur parle de Âmadou Sêkou (ou de Âmadou Sêkou Âmadou), il s'agit, apparemment, de Âmadou Âmadou.

Tu devrais l'expulser de Hamdallâye ! »

Âmadou Abdoullâye Sou'âdou lui dit : « Âmadou Sêkou Âmadou ! »

Âmadou lui dit : « Oui ! »

Il poursuivit : « Ce qui m'a amené ici, en tout cas... c'est pour Dieu que je suis entré dans la ville,

pour venir répondre à l'appel de ton père sur la voie de la religion de Dieu. »

Âmadou Sêkou lui dit : « Âmadou Abdoullâye Sou'âdou ! » Il lui dit : « Oui ! »

Il reprit : « Si c'est à cause de mon père que tu étais venu, tu n'as qu'à partir. »

Ces paroles, c'est la vérité ; car Hamdallâye n'était plus unie.

Âmadou Abdoullâye Sou'âdou s'éloigna et alla s'asseoir sous un dattier du désert.

Âmadou Sêkou rassembla ses cavaliers et dit qu'il irait s'attaquer à Âmadou Abdoullâye Sou'âdou.

Âmadou Abdoullâye Sou'âdou dit : « Je l'attends. »

Il vint chez des Sonnâbé.

Les Sonnâbé lui offrirent en présents de bienvenue cent génisses ; il les redistribua toutes en cadeaux jusqu'à ce qu'il ne lui en restât qu'une seule.

Ils lui dirent : « Mouhammadou Abdoullâye Sou'âdou, qu'est-ce que c'est que cette manière de faire ? »

Il dit : « Sa propriétaire va arriver. »

Comme ils restaient assis sur place,

une femme – c'était la plus belle de toutes les Sonnâbé –

se mit en route, de son côté, et se dirigea vers lui, Âmadou Abdoullâye Sou'âdou

et, arrivée là où une foule de jeunes gens étaient assis,

elle ramassa ses chaussures et partit en courant puis entra dans une maison.

Ils lui dirent : « Âmadou Abdoullâye Sou'âdou, qu'est-ce que c'est que ça ? »

Il dit : « Si un lion a attrapé quelqu'un et le tue, tu vas rejoindre Dieu.

Si ton jour est arrivé et que tu meurs, tu vas rejoindre Dieu.

Mais si une femme a plaisanté avec toi, tu mourras et ne rejoindras pas Dieu.

Donnez-lui la vache que j'ai laissée. »

La vache qui était restée, ils la lui donnèrent.

Il quitta la place et s'engagea dans le Karêri.

Des cavaliers de Âmadou Sêkou Âmadou se dirigèrent droit vers lui.

Il arriva à un arbre isolé.

Il écrivit une lettre et il la fixa sur l'arbre.

Les cavaliers qui étaient encore en chemin

arrivèrent bientôt jusqu'à l'arbre.

Même si tu étais parvenu là où était l'arbre... on ne l'a plus vu jusqu'au jour d'aujourd'hui.

Ceux des cavaliers qui étaient parvenus à cette limite, décrochèrent la lettre et allèrent la montrer à Âmadou Sêkou Âmadou.

Âmadou Sêkou Âmadou dit : « Pourvu qu'ils le lui trouvent ! »

C'est à ce moment-là qu'il composa le poème,
lui, Mouhammadou Abdoullâye Sou'âdou.
Il quitta le Karêri et s'engagea dans le pays des Woûwarbé,
puis il partit de là et pénétra dans le Wagadou.
C'était l'époque où Sambouna Boubakar et les Woûwarbé étaient en lutte.
Et Al-Hadj Bougouni était à Nampala[5].
C'est lui[6] qui devait leur préparer un talisman[7].
Ce talisman fut déposé dans une marmite
et, dans la marmite, il traça un carré mystique[8]
et ainsi le carré mystique fut cuit en même temps dans la marmite :
on devait préparer la nourriture, la faire cuire à point et la donner à manger aux Woûwarbé.
Une fois que les Woûwarbé auraient mangé, s'ils se battaient contre les Wolârbé, ce seraient eux qui auraient le dessus.
Âmadou Abdoullâye Sou'âdou arriva et s'installa à Hofara.
Or, une fois qu'ils eurent bien préparé – tu entends, tu comprends ? – la marmite avec le talisman,
il la fit descendre du feu, lui, Mouhammadou Abdoullâye Sou'âdou, et il la remit aux Wolârbé.
Les Wolârbé mangèrent ce qu'il y avait dans la marmite,
ils fixèrent une date aux Woûwarbé pour se battre avec eux.
Ils arrivèrent et se rencontrèrent à Werganâdé.
Ce fut là leur ultime combat.
Depuis lors et jusqu'au jour d'aujourd'hui,
les Wolârbé devaient avoir le dessus sur les Woûwarbé.
Le comportement qu'ils avaient eu les uns envers les autres, c'est Mouhammadou Abdoullâye Sou'âdou qui l'a aboli.
Taureau[9] de Kanou et de Dilly, taureau de la prière du vendredi avec la communauté, taureau de la Mekke et de Médine, taureau des fils d'Israël !
Le degré de notoriété que Mouhammadou Abdoullâye Sou'âdou avait obtenu, c'est de la main de ton[10] grand-père qu'il l'avait obtenu.

    Voilà ce qu'il en est.

---

[5] Les Peuls Wouwarbé, sous le commandement d'Al-Hadj Bougouni et les Peuls Wolarbé, sous celui de Sambouna (ou Sambouné) Boubakar (ou Boubakari) ont été longtemps en lutte à cette époque, leur querelle étant entretenue par les chefs maures et touaregs pour des raisons d'opportunité politique.

[6] *I. e.* Âmadou Abdoullâye Sou'âdou.

[7] Textuellement « une requête à Dieu ».

[8] Il s'agit d'un carré de neuf cases où sont inscrits les quatre-vingt-dix-neuf attributs de Dieu.

[9] Qualificatif très élogieux dans le contexte culturel des éleveurs peuls.

[10] Il s'agit de Hassey Bôkar Zawiyakoy auquel le narrateur s'adresse comme à un descendant des Kounta.

POÈME I

I

Mi yettii Laamɗo Jom-baawɗe	1
Tagoyɗo tageefo dow muuyɗe	
Jakawɗo Ceniiɗo Jom-nanɗe	
Ciforɗo munyal tageefuuji.	

Mi juula e Gaaɓɗo Ɓurnaaɗo 2
e jumla nulaaɓe Koohniiɗo
Ceniiɗo Cuɓaaɗo Kanndiiɗo
tageefu kala e jinnaaji.

Mi fuɗɗii yimre fulfulde 3
yimiinde naniinde moyŋarde
ti-hultude golle mimsoyde
fa kebbini kam zunuubaaji.

Mi yuɓɓa nde faa nde jaabondiree 4
nde wa'ajitiree nde lamndondiree
nde tinndiniree nde taskitoree
e mimsude am haraamuuji.

Yimaande e maayo hazzaaji 5
siforngo yimeede jinnaaji
jimooji e maaje wamduuji
wanaa yeru bamki insuuji.

Nanee kam yimɓe rewraaɓe 6
e jokkuɓe mehre dunnaaɓe
nde ponnditoyii to ɓurnaaɓe
nanoyɓe to Laamɗo gunndooji !

Variantes du manuscrit appartenant à Âmadou Hampâté Bâ :

2. (1) Mi juuli...
    (2) e julma...
3. (3) so hultude...
    (4) ko kebbini...
4. (1)... jaabondira...
    (2) nde wa'ajitoree...
5. (4) walaa yo no bamki...
6. (1)... rewnaaɓe
    (2) jokkuɓe meere...

I

Je rends grâce au Seigneur Tout-Puissant
qui créa toute la création selon sa volonté
le Fort, le Pur, l'Omniscient,
que qualifie la patience envers les créatures.

Je prie sur le Privilégié, l'Élu
qui sur tous les prophètes eut préséance
le Pur, le Choisi, le Guide
de la création entière et des Génies.

J'ai commencé un poème en peul
tant beau à chanter qu'à ouïr
que m'inspira la crainte d'actes regrettables
qui m'eussent chargé de péchés.

Je le compose afin qu'on y trouve réponse
et exhortation, qu'avec lui on s'enquière,
s'informe et que l'on considère
combien j'ai repentir d'avoir fauté.

Il se chante sur le mètre *hazzaj*[1]
mètre propre aux chants des Génies
qui chantent sur des rythmes de danses
en rien comparables aux danses des hommes.

Entendez-moi, gens qui vous êtes inféodés
à ceux qui ne s'attachent qu'aux vanités et déraisonnent
en osant se comparer aux Élus
qui, du Seigneur, apprendront les mystères.

---

[1] Ce mètre de la poésie arabe (*hazaj*, « modulation de la voix, rythme ») est du type *mafāīlun* ou *mafāilun* (bis), c'est-à-dire /˘ – – –/ ou /˘ – ˉ–/ (bis).

231

Ngaree njoppen ko ngoonga walaa   7
ko Alla walaa Nulaaɗo walaa
ko defte ngalaa ko sunna walaa
kulen Oo Tagɗo giiteeji !

Mboppen nyoore mba'ajondiren   8
kanndito-ɗen no nashondiren[a]
kinnondiren no cuurondiren
ɗalen sankoyde aybuuji !

Nyoore wo huunde barraande   9
ɗo moyƴuɓe Alla nefoyaande
ti hersude janngo ɗaldaande
wo non nahnoore[b] giiteeji.

Baleeji dukooji tookaaɗi   10
podaaɗi nyo'ooɓe moolaaɗi
ɗi luuɓɗi cumooji lanndinaaɗi
wonande saliiɓe lamruuji.

Nyo'oowo walaa to aljenna   11
wo konngol Gaaɓɗo Jom-sunna.
Nanam, yaa saahi, wati penna[c]
nde naataa jaaynge giiteeji !

Var. :

7. (4)... giteeli
8. Mboppon... mbaajondiron
   kanndito-ɗon no nashondiron
   kinnondiron no cuurondiron
   ɗalon sankoyde ayaabuuji
9. (1) Nyoore yo...
   (2) (ɗo omis) moyƴuɓe...
   (4)... naarroore giiteeli
10. (3) ɗi lumɓɗi...

---

[a] *nashondiren* : verbe formé sur la racine arabe [nṣḥ] (donner de bons conseils, un avis sincère).
[b] *nahnoore* : *naannoore* (<naat-n-) « qui fait entrer ».
[c] *penna* : abrègement métrique de *pennaa* .

Venez et bannissons ce qui n'est point vérité
ce qui n'est point Dieu ni l'Envoyé
ce qui n'est point Livres ni Tradition
et redoutons Le Créateur des Feux[2] !

Bannissons la calomnie, encourageons-nous les uns les autres
guidons-nous en conseillers sincères les uns pour les autres,
les uns pour les autres miséricordieux et bienveillants
et nous gardons de divulguer nos vices !

La calomnie est chose répudiée
et, des Parfaits de Dieu, exécrée,
à cause de la honte future on s'en doit garder
comme d'une faute menant aux feux de l'Enfer.

Serpents noirs[3], grondeurs et venimeux
destinés aux calomniateurs et redoutables
puants, brûlants et toujours prêts
tel est le lot de ceux qui rejettent les Commandements.

Le calomniateur n'a pas sa place au Paradis
selon le dire du Privilégié, le Maître de la Tradition.
Entends-moi, ô ami, ne déments point
et point n'entreras au plus brûlant des Feux !

---

[2] Il s'agit, bien sûr, des feux de l'Enfer.
[3] Dans ce quatrain, le poète ménage une ambiguïté : les adjectifs et participes qui y figurent peuvent qualifier soit les « feux », dernier terme du quatrain précédent, soit les « noirs », nom donné à un type de naja cracheur fréquemment évoqué dans les descriptions de l'Enfer.

Mo fennii Gaaɓɗo konngol mum   12
o fennii Laamɗo non giɗo mum
so annduɗo tiimti anndal mum
o hersan njaayka hersaaji.

Mboppen fewre non gaddi   13
ɗe ɗiɗi fuu Laamɗo Baawɗo haɗi
ciforɗo ɗe fuu naɓee waadi
e naadda e rewɓe sahwaaji.

O maayaa ton o wuuraa ton   14
o yaroyaa ton o nyaamaa ton
hinnere fuu o heɓataa ton
sonaa yarneede tookeeji !

Waadi-l-gayyi woni kanngol   15
walaa kala fu ko ana ɓutaa ngol
nde kaaye ngaɗaa e nder maggol
ma a yii xaaya ajabuuji !

Dalen mawmawre non haani   16
e ndunndaru wasfu Seyɗaani
salii sujidande insaani
o luuri e Jom-tageefuuji.

Mboppen haasidaaku kasen   17
wo non duu wasfu makko kasen
o haasidinooma insu kasen
o jippini ɗum jinaanuuji !

Var. :

12. (3) ... tiimta...
13. (1) Mboppin ...   (2) (ɗe omis)...
    (3)... naɓa...   (4) mo naadda...
14. (1) Mo maayaa...   (2) mo nyaamaa ton mo yaroyaa ton...
15. (4) ma a yih...
16. (1) Dalon...   (4) o lurri...
17. Mboppin haasidaaku kasin
    ɗum duu yo wasfu makko kasin
    mo haasidinooma insu kasin
    mo...

Qui conteste le Privilégié en ses dits
conteste aussi le Seigneur, son ami.
Qui, instruit, retourne à son ignorance
connaîtra la plus honteuse des infamies.

Bannissons mensonge et zizanie
tous deux proscrits par le Seigneur Tout-Puissant !
Qui les a pour défauts sera conduit en la Vallée[4]
pour y entrer avec ceux qui suivent leurs désirs.

Là ni ne mourra ni ne vivra
là, ni ne boira ni ne mangera
là ne sera l'objet d'autre compassion
que d'être abreuvé de poisons !

Voilà bien ce qu'est la Vallée de l'Erreur
que rien, absolument rien, ne saurait combler
y mît-on des montagnes !
Tu devras y connaître le dernier des supplices !

Renonçons à l'orgueil, comme il se doit,
ainsi qu'à l'impudence, attribut de Satan
qui refusa de se prosterner devant l'homme
et s'opposa au Maître de la création.

Bannissons de même la jalousie
c'est encore là son attribut
car il fut aussi envieux envers l'homme
et cause de sa chute du Paradis.

---

[4] Il s'agit de l'Enfer, qualifié, plus loin, de Vallée de l'Erreur (v.15).

Muhammadu Abdullaay Su'aadu

Sabi ɗum maayde faɗɗiri en   18
nde malaka-l-mawtu nanngiri en
nde julma reworɓe fuu mboyi en
se en paanaama gaburuuji.

Ɓaawo kasanke taadaama kam   19
reworɓe ɓadiiɓe ɓattiima kam
ɓe conkina bojji eɓe mboya kam
nafaa paanaaɗo gaburuuji.

Ɓe ndoondii kam ɓe nduŋdi e am   20
jokolɓe humiiɓe njayliima kam
ɓe lelnoy kam tulel mimso am
ɗo mimsu-mi bonɗi golleeji.

Ɓe naannoy kam e kaa paakka[d]   21
njoorka asaaka oonyiika
niɓɓuka sanne ciforaaka
xanaafiisu e ɓuɓɗiiji.

Ɓe ɓattini leɗɗe lelinaaɗe   22
ɗeppe e cewɗe peyyaaɗe
e kiirimmeeje innaaɗe
ɓe mombitoyiima[e] kaakooji

Ɓe ngartiri leydi non dow am   23
ɓe mboppidi kam e golle amam
e bone caawiiɗo ɓernde amam
mo nyooɓaa rabbu amaluuji.

Var. :

18. (1, 2, 3) ... on
    (4) so on paanaama kaburuuji
20. (1) Ɓe ndoondiima kam...
    (4) nde mimsu-mi...
22. (1) ... leɗɗe lanndinaaɗe

---

[d] *paakka : paaɗka.*
[e] *mombitoyiima : mooɓtoyiima.*

Voilà pourquoi la mort nous fauche
lorsque nous saisit l'ange de la mort
et que nous pleurent tous nos proches assemblés
tandis qu'on nous mène au tombeau !

Quand me voilà déjà dans mon linceul enroulé,
tout près de moi se placent mes proches
menant grand deuil et me pleurant,
chose inutile pour qui est mené au tombeau !

Ils m'ont chargé et s'éloignent me portant
et les jeunes hommes préposés m'ayant soulevé
vont m'étendre sous le misérable tertre de mes regrets
où j'ai repentir de mes mauvaises actions.

Ils me vont déposer en cette étroite fosse
aride, creusée en équerre[5]
et si obscure ! lieu d'élection
des bousiers et des vers[6] !

Ils rapprochent les bois qu'on a couchés,
des épais et des minces qu'on a taillés
et sur les planches du dessus bien connues[7]
ils amoncellement du feuillage.

Puis ils ramènent la terre sur moi
m'abandonnent avec mes seules œuvres
et le mal enfoui en mon cœur
qui point n'échappe au Maître des œuvres.

---

[5] Après avoir creusé un trou, on creuse perpendiculairement dans la paroi du tombeau une fosse horizontale orientée vers la Mekke ; cette pratique aurait pour but d'éviter que le mort ne soit déterré par les fauves.

[6] Il s'agit d'un ver de case qui se dissimule dans la terre et qui pique la peau (en particulier des dormeurs sur leurs nattes) ; le matin, on voit les traces de leur passage sur le sol sableux des cases.

[7] Textuellement « nommées/renommées »

Ɓe mbirfi ɓe kooti suudu amam   24
du'aaru wonande yimɓe amam
ɓe njooɗii e wirngo suudu amam
ɓe lanndinoyi fidaa'uuji.

Nelaaɓe yakawɓe paandi e am   25
ɓe ngartiri wonki nder terɗam[f]
ɓe immini kam ɓe njoyƴini kam
ɓe mbii « homo jey tageefuuji ? »

Ɓe mbalɓi e am fa pukkii-mi   26
fa nduhbu-mi uumi ummii-mi
walaa kala fuu ko miccoy-mi
sonaa haayoo tomottaaje.

Mi nyaagiima Laamɗo tabitina kam   27
bi-gawlin saabitin yeɗa kam
o ɓattina kam o danndoya kam
e denndeengal azaabuuji.

Saara'en reworɓe kala   28
e muumini'en rewooɓe kala
wuurɓe e maayɓe danndu kala
e denndeengal masiibooji.

Ko naan-mi hoɗorde ɓural   29
seniinde labaare toownde tulal
yirwunde hoɗorde mawnde gural
suɓaande labaare soorooji.

Var. :

24. (3) ɓe njooɗiima...
  (4) ɓe landinanam...
25. (2) fa nduubu-mi uumani ummii-mi
  (3) ... miccii-mi
29. (3) yirwunde beraaje...

---

[f] *terɗam : terɗe am.*

Ils s'en retournent et rentrent chez moi
ne reste plus aux miens qu'à dire les prières
ils s'installent au flanc de ma maison
et vont s'apprêter pour le service funèbre.

Les émissaires[8] diligents sont déjà à mes côtés
ils rappellent l'âme en mon corps
me font lever, me font asseoir
et me demandent : « À qui appartiennent les créatures ? »

Ils me gourmandent tant que me voilà gisant
éperdu et geignant puis me redressant
sans plus aucune autre pensée
que celle, ô certes ! des êtres.

Je supplie le Seigneur de toujours me garder
dans la parole véridique et m'en accorder la grâce
qu'il m'en tienne tout près et me préserve
de la multitude des supplices.

Et tous mes parents et mes proches
tous les croyants qui furent des fidèles
tant les vivant que les morts, préserve-les tous
de la somme de tous les malheurs !

Et que j'entre au Séjour de Perfection
pur et splendide, de la hauteur d'une grande dune
avec vastes caravansérails et immense campement
précieux et splendides palais !

---

[8] Il s'agit des deux anges qui encadrent chaque personne durant toute sa vie pour consigner tous ses actes et qui sont envoyés procéder à un interrogatoire préliminaire du mort, en attendant sa comparution lors du Jugement Dernier.

Ngeenndi labaari moyŋardi   30
e rewɓe labaaɓe non uurdi
yirwundi beraaji non mahdi
nde jillaa fu e sugullaaji.

Korooji e paali cardiiji   31
ɓutaadî cuɓaandi juumriiji
e dow karkaale kaŋŋeeje[g]
e yeewtere dow yarawooji.

Jokolɓe labaaɓe moyŋarɓe   32
e rewɓe seniiɓe surbaayɓe
alaasara fuu ɓe hiirndoyɓe
wamoyɓe e nande kolliiji.

Hoɗorde Nulaaɗo ɓurnaaɗo   33
tedduɗo lasli koohniiɗo
e jumla Nulaaɓe almiiɗo
curoowo alay tomottaaje.

Mi juulii juulde ɓurnaande   34
e dow amaluuji sennaande
alay Muxtaari duumiinde
ki wonki cuɓaaki wonkiiji.

Var. :

30. (1) E leydi...
  (4) nde jillaa fuu sugullaaji
31. (2) ... cuɓaadî...
  (3)... karkaaji kaŋŋeeji
33. (4)... alaa tommotaare
34. (3) alal Muxtaari...
  (4) mo wonki cuɓaaki wonkiili

---

[g] La version recueillie par A. Hampâté Bâ est préférable, pour le respect de la rime.

Cité de splendeur et de beauté
peuplée de femmes splendides et tout embaumée
avec de vastes caravansérails et pétrie en un mortier
que ne brouille nul souci.

Coupes et gourdes d'argent
emplies d'un miel de choix
et sur des sofas d'or
bavardages et beuveries !

De beaux et splendides jeunes gens
de pures et vierges jeunes filles
tout le soir ensemble
vont danser et écouter des luths.

Séjour de l'Envoyé, de l'Élu,
homme de noble naissance qui fut en tête
de tous les Envoyés réunis, comme leur guide
et intercesseur pour les créatures humaines.

Je prononce une prière qui, plus que
tous les autres actes, porte témoignage
de l'Élu, prière éternelle
pour cette âme élue parmi les âmes.

POÈME II

II

Mi yettan Laamɗo Jom-moyƴe 1
kowoyɗo gureeje non cayƴe
nde noykiri haybu mum kaaƴe
o fillii ɗum e Furgaanu.

Mi juula e Ɓurɗo kala taŋre 2
moyŋaro jaati non wahre
mo jillaa e golle mum nyaŋre
kisoyɗo e makuru Šeyɗaanu.

Mo nan-mi nde njin-mi[a] koolii-mi 3
ɓural mum ngoonga taŋraa-mi
fa nguur-mi ƴoƴoy-mi taskii-mi
no teddiniraa e Dayyaanu.

Kumii-mi paggii-mi paandii-mi 4
coobii-mi haddi lanndilii-mi
ko waldaa e ngoonga ɗuurtii-mi
mi soobotoo rewde Rahmaanu.

Mi seera e hoyndu[b] hoynaandu 5
ndu nyiddundu sanne ducciindu
ndu moyƴuɓe Alla nefoyii ndu
ndu moyŋaro mum wo xusuraanu.

Var. :

1. (4) nde fillii…
2. (1) Mi juuli…
   (2) mo moyŋaro jaati non waare
   (3) mo jillaa golle mum…
3. (1) mo nam-mi…
   (4) no teddinira e deyyaanu
4. (1) Kumii-mi fa ŋeer-mi paandii-mi
   (2) … lanndinii-mi
5. (1) Mi seeri e …

---

[a] *njin-mi : njiɗ-mi.*
[b] Sous-entendu *duniyaaru/dunyaaru* (ce bas-monde).

II

Je dois rendre grâce au Seigneur Miséricordieux
qui mit en place campements et villages
quand, devant lui, de crainte se brisèrent les rocs
comme il l'est dit dans le Différenciateur[1].

Je prie pour le Meilleur de toute la création
homme à la belle physionomie et à la belle barbe
dont les actes furent purs de toute perversité
et qui échappa aux ruses de Satan,

Lui dont je sais – en mon amour et ma foi en lui –
que c'est en vérité de par son excellence que je fus créé
reçus vie et intelligence et pus observer
l'estime dont il jouit auprès du Rétributeur[2].

Me voici équipé, bien muni et bien résolu[3]
tout plein de zèle et fin prêt :
de ce qui est sans vérité, me suis détourné
mettant tout mon zèle à suivre le Clément.

Je répudie ce monde vil et méprisable
tant répugnant et plein d'immondices
dont les Parfaits de Dieu n'ont eu que dégoût
et dont la beauté même est perdition.

---

[1] Épithète qualifiant le Coran, pris comme un code sacré indiquant la différence entre le bien et le mal.

[2] L'un des attributs de Dieu.

[3] La variante du manuscrit appartenant à Âmadou Hampâté Bâ dit ici :
  « Je me suis ceint les reins, bien serré... »
conservant au verbe peul tout à la fois son sens premier d'« attacher » son vêtement, son équipement, en même temps que son sens biblique de « se ceindre les reins », prendre ses dispositions de façon résolue pour agir.

Muhammadu Abdullaay Su'aadu

Taẏor-mi e hoore am taẏoral   6
mi hewtan nuuru non kafaral
ti-nyeemtude^c moyŋaral labawal
Nulaaɗo e insu wal-jaannu.

Wo moyyuki Laamɗo tuugii-mi   7
walaa gollam ne koolii-mi
walaa majjeeje kaaldoy-mi
mi hewta to Laamɗo burhaanu.

Fa ŋeemii-mi worde^d sanndaalde   8
hutaande to Laamɗo fankarde
ɗawaande e diina hulhulde
wo ndee woni janngo laafaanu.

Kanyum e gorel kasen bonngel   9
ɓalewel yeeso ŋoorniingel
geddel Laamɗo duumiingel
e gollude golle hayraanu.

Wo non ne goral kasen juuhngal   10
caliingal diina haa safiwal
manngal reedu yo no cumalal
e boowngal haalde buhtaanu.

Wo non duu gorko janngoowo   11
e kala xisasuuji jantoowo
jaka a canndaalo ẏonnyoowo
ẏaa maa mawɗo saybaanu.

Var. :

7. (2) wanaa gollam...
9. (1)...kasin juungal
10. (4) e bowgal...
11. (3) jaka mo...

---

^c *nyeemtude* : < *nyemmbitude.*
^d Des vers 8 à 11 le poète se livre à une variation sur la racine *wor-* (désignant la masculinité)
que lui permettent les classificateurs : *worde*, ici, connote l'animalité et évoque un homme gros
et grossier ; *gorel*, au vers 9, est la forme diminutive et dépréciative du mot *gorko* qui apparaît
au vers 11, tandis que *goral*, au vers 10, en est la forme augmentative mais, ici, tout autant
dépréciative. Aux vers 12 et 13, enfin, le mot *gorko* (homme) cède la place à *neɗɗo* (la
personne).

J'ai au fond de moi totale certitude
que j'atteindrai lumière et pardon
en imitant la beauté et la splendeur
de celui qui fut envoyé parmi hommes et génies.

C'est en la bonté du Seigneur que je cherche un appui
non pas certes en mes actes que je mets ma confiance
mais point non plus n'aurai paroles erronées
trouvant auprès du Seigneur un argument probant.

Aussi n'ai-je que mépris pour le grossier effronté[4]
maudit de Dieu, hideux,
banni de la religion et tout plein d'effroi
car il sera, demain, moins que rien.

Et, avec lui, aussi, le méchant individu
à l'air sombre et renfrogné
qui s'oppose au Seigneur et sans cesse
se livre à des actions stupéfiantes.

Et il en est de même du grand gaillard
qui a refusé la religion pour n'être qu'un impudent
à la panse aussi énorme qu'une grosse outre
et pour qui propos mensongers sont accoutumés.

De même encore de l'homme qui étudie
et qui récite tous les textes
alors qu'il n'est qu'un fieffé coquin,
honte à toi, vieux chenu !

---

[4] Ici débute, sur un ton de pamphlet, l'évocation de chaque type de mauvais comportement allant à l'encontre de l'éthique religieuse. Cette série de portraits réalistes semble inspirée par des personnages réels auxquels l'auteur pourrait ainsi faire allusion avant de les menacer des châtiments de l'autre monde.

Muhammadu Abdullaay Su'aadu

Wo non duu nedɗo amoyiiɗo
fariida e sunna majjoyɗo
dunndaro sanne mumniiɗo
e faltude reedu sub'aanu.
12

Wo non duu nedɗo yuuwiiɗo
teftude laamu kimmoyɗo
jawle e nyaamɗe cunaniiɗo
wo oon woni sarri insaanu.
13

Nde jogorii maayde yo no ferre[e]
jaka nde fadɗoore juhjuhre
nde fadɗa fa fukkoroo hoore
wiree ɗaldee e diidaanu.
14

Nde woppaa wonki fuu heddoo
so won kala baawɗo nii faddoo
leloo fooccoo seyoo suddoo
fa seynira jumle ixwaanu.
15

So wattaa ɗum ne tuuboya law
fati nde juha ɗum nde moɗa ɗum fow
nde wuufa nde moosinoo ɗum maw
nde wullina jumle jiiraanu.
16

Fa yeggita jawle non laamu
fa yeggita maafe non daamu
fa mimsita haala non naamu
nde faddee e baaba ridwaanu.
17

Tayii kam yimɓe sunaniiɓe
e ɗaɓɓude jawle fahniiɓe
hoowoyde bonooru suŋlirɓe
fa laatii fedde umyaanu.
18

Var. :

12. (4) o paltuɗo reedu...
14. (1) ...fewre
17. (1, 2) fa yejjita...
18. (3) hawoyde...

(4) wire...deyyaanu
(4) nde fadde e baba...

---

[e] *ferre : fewre.*

De même aussi de l'être qui se veut un guide
alors qu'il ignore devoirs et Tradition,
est plein d'obstination, ne veut rien entendre
et s'enfle la panse à satiété.

De même aussi, l'être qui voue tous ses efforts
à la quête du pouvoir, a pour toute convoitise
les richesses, et pour tout désir les nourritures terrestres :
c'est bien là le pire des hommes !

Tandis qu'il tenait la mort pour mensonge
la voilà qui, survenant par surprise,
le frappe et l'abat et, gisant,
on l'enterre et l'abandonne aux vers.

Elle n'épargne nul être vivant
s'il en était un capable, il l'arrêterait,
se coucherait, s'étendrait tout joyeux sous sa couverture
pour la joie des parents assemblés.

Puisqu'il n'en est pas ainsi, qu'il s'empresse de faire soumission
de peur que, le prenant au dépourvu, elle ne l'engloutisse
et le portant à sa bouche, n'en fasse qu'une bouchée
plongeant dans l'affliction le voisinage assemblé.

Qu'il oublie et richesse et pouvoir
qu'il oublie et bonne chère et confort
qu'il se repente et de ses propos et de ses accords[5]
quand il sera retenu à la porte de la félicité.

Me navrent les gens qui n'ont d'autre désir
que la quête des richesses qui les rend sourds à tout
et n'ont d'autre souci que de coïter avec ce misérable monde
au point de n'être plus qu'une troupe d'aveugles.

---

[5] *I. e.* « qu'il se repente non seulement de ses paroles mais aussi de son approbation inconsidérée aux mauvaises paroles des autres ».

Taɣii kam yimɓe immiiɓe   19
so nootii diina fankarɓe
so laamru warii ɓe luundiiɓe
wo ɓee ngoni nanndo hayawaanu.

Taɣii kam yimɓe nyaamooɓe   20
jawle zamaanu sanndaalɓe
majjuɓe ngoonga haalooɓe
mo mbiɗi-ɗaa fuu o xawwaanu.

Taɣii kam yimɓe gaaliiɓe[f]   21
fa kiitoo ngoonga fenfenɓe
famarɓe yagiinu hulhulɓe
ɗawaaɓe e nuuru iimaanu.

Taɣii kam yimɓe jukkooɓe   22
kaɗaaɗi sarii'a gollooɓe
so ɓee lahtiima guftooɓe
ɓe gollan[g] golle sukuraanu.

Taɣii kam yimɓe hokkaaɓe   23
koohngu so laatoyii bonɓe
faliiɓe e laamru non ɗawɓe
mo njii-ɗaa fuu o xismaanu.

Taɣii kam yimɓe oorooɓe   24
labaaji e pucci waɗɗiiɓe
ɓe ngarta ɓe dogɓe[h] ɣeew ɗaayɓe
ɓe naata e ɗowdi iiwaanu.

Var. :

19. (4) hayawaani. (sans doute un lapsus, la rime étant en -aanu.)
20. (2) ... jamaanu...
    (4)... xawnaanu
22. (3) so ɓe laatiima...
    (4) ... sukraanu.
24. (4) ... iimaanu

---

[f] *gaaliiɓe* : pluriel d'un emprunt à l'arabe *qāḍi*, « juge ».
[g] *ɓe gollan* : *ɓe ngollan*.
[h] *dogɓe* : *doguɓe*.

Me navrent les gens qui se sont mis en route
mais, répondant à l'appel de la religion, sont hideux
et rebelles lorsque arrive un ordre :
ces gens-là sont à l'image des bêtes !

Me navrent les gens qui spolient
la population insolemment
et qui, bien qu'ignorants de la vérité, sont grands discoureurs :
à y regarder de près, tu y reconnais l'imposteur.

Me navrent les gens qui sont des juges
mais dans l'exercice de la justice, sont de fieffés menteurs
dont mince est la conviction et grand l'effroi,
privés qu'ils sont de la lumière de la foi.

Me navrent les gens qui, chargés d'infliger les châtiments,
se rendent coupables d'actions prohibées par la loi
et qui, même s'ils se mettent en devoir de s'amender,
ne se comporteront qu'en ivrognes !

Me navrent les gens qui ont reçu
la chefferie et qui, pervertis,
font obstacle à l'ordre comme des égoïstes :
si tu en vois un, c'est un ennemi !

Me navrent les gens qui partent en guerre
chevauchant de splendides montures
et qui reviennent en fuyards : vois les lâches
qui se glissent dans l'ombre des palais !

Ɓe njamboo Seexu non Laamɗo 25
ɓe njamboo nassi non Gaaɓɗo
mo njii-ɗaa fuu wo kimmaaɗo
ɗawaaɓe e golle ihsaanu.

Ɓe njukka ɓe nyaama fa ɓe kaara 26
ɓe njeeroo e jawle fa ɓe coora
ɓe tuufana yimɓe fa ɓe naŋgra[i]
ko nguftire-ɗen ko Qur'aanu.

Ɓe koowa ɓe taarna fa ɓe korna 27
gufaaɗo e fewre fuu ɓerna
nde hawrii e lobbo fuu naahna[j]
fa yeggita tewde qufuraanu.

Walaa ɗum Seeku mooptiri on 28
walaa ɗum duu mo neeniri on
walaa ɗum duu mo tinndini on
fa cuuson rabbu niiraanu.

Ko Seekam mawɗo dawrani on 29
kison no e Laamɗo omo yiɗi on
o walɗini on o laamini on
fa nyippon diina Šayɗaanu.

Goral hewtii ko tewnoo koon 30
nde miiltoy-ɗon ko hannoo koon
nde maay-ɗon fuu tawon omo toon
o taajun 'ammu tiijaanu.

Var. :

26. (2) ɓe njeeroo jawle fa ɓe cohra   (4) ...qura'aanu
27. (1) ... kaarna   (3) ... naanna
   (4) fa yejjita tewde gufraanu
28. (1) ... mooɓtiri on
29. (3) ... o lamnini on   (4) ... Saydaani
30. (3) nde maay-ɗon kala...   (4) ... 'amma...

---

[i] *naŋgra : nanngira.*
[j] *naahna : naanna < *naat-n-a*

Ils trahissent et le Cheikh et le Seigneur
ils trahissent et le Texte et le Privilégié !
Si tu en vois, ce sont des insatiables,
qui se sont exclus des actes vertueux !

Ils pratiquent exactions et pillages à l'envi
se vautrent dans les richesses à foison
appâtent les gens pour les prendre au piège,
choses contre lesquelles nous met en garde le Coran.

Ils prennent épouses et concubines tout leur content :
qui l'on met en garde contre tromperie, s'emporte
et, chaque fois qu'il croise une belle, l'introduit chez lui
et en oublie de quêter le pardon.

Ce n'est guère pour cela que le Cheikh[6] vous a réunis,
ni pour cela qu'il vous a éduqués
ni non plus pour cela qu'il vous a instruits
afin que vous soyez sans peur devant le maître des Feux.

Ce pour quoi mon vénérable Cheikh vous a préparés
c'est assurer votre salut auprès du Seigneur qui vous aime :
s'il vous a donné richesse et pouvoir
c'est afin d'éteindre l'empire de Satan.

Un homme vénérable a atteint l'objet de sa quête
si vous songez toujours à ce qu'il avait proscrit
et, à l'heure de votre mort, vous le trouverez là-bas
lui, couronne de toute les couronnes !

---

[6] Il s'agit de Chêkou Âmadou, le fondateur de l'Empire théocratique du Massina désigné sous le nom de « Dîna ». L'auteur lui voue une grande vénération, comme il en témoigne aux vers 29 et 31, et déplore les remous qui, à l'époque où il compose ses poèmes, secouent la vie politique de la région, en raison des problèmes de succession surgis à la mort du fils de Chêkou Âmadou, Âmadou Chêkou.

Co maa Šeexuwal sunna 31
wo moyɲere maaɗa tan bonnaa
nde ɓikkol maaɗa kol konna
ti guftude maɓɓe isyaanu.

Mi hunoriima[k] Laamɗo Jom-laamu 32
wo on woni tagɗo ibhaanu
mi waal aynaaya maa naamu
e jiigol golle ɗuguyaanu.

Mi wulliima Laamɗo Jom-baawgal 33
no ustira diina oo gaawal
kuɗaangal yaaya no malfal
kutaangal jumla buldaanu.

Ɓe mbakkoo malfe non gaawe 34
ɓe njalta ɓe nyaaya fa ɓe ɲeewee
malaa'ika'en mbiya ɓe weewee
ɓe kinnoo yimɓe nisuwaanu.

Ɓe kersii hersa nduumiika 35
nji'aaka mbanyaaka kaalaaka
to mooɓturu janngo tannyiika
ɓe ngollii golle kufuraanu.

Mi nyaagiima Laamɗo Danndoowo 36
yo danndam miin e Kuncoowo
majje e yimɓe ɓamtoowo
nuygal diina hannaanu.

Var. :

32. (3) mi wal...
    (4) ... dughyaanu
33. (2) no ɓuytira...
    (3)... non malfal
34. (1) ... malfa...
    (4) ... nisiwaanu
35. (2) njiyaaka...
36. (3) moyɲi ...

---

[k] Le poète utilise les formes du *pulaar* en *-iima*, alors que la forme utilisée au Massina pour la voix moyenne est en *-ike*. On remarquera ici et dans les vers suivants que, pour respecter la scansion, *-iima* doit être prononcé *-ima*.

Gloire à toi, vénérable Cheikh de la Tradition !
C'est ton bienfait qui se trouve trahi
lorsque tes malheureux fils[7] sont traités en ennemis
pour avoir mis en garde contre la désobéissance à la loi.

Je jure au nom du Seigneur Souverain
Lui-même le créateur des mystères
que mes yeux passent des nuits sans sommeil
à la vue des actes des impies !

J'implore le Seigneur Tout-Puissant
pour qu'il réduise l'empire de la lance[8]
maudite par les mères, et du fusil
honni de tous les pays !

Fusils et lances à l'épaule,
ils sortent et paradent pour qu'on les admire
mais les Anges ordonnent de les huer
car ils n'ont de zèle que pour chanter les femmes !

Ils connaissent une honte éternelle
manifeste, détestable, divulguée
et qui, au Rassemblement à venir, sera affreuse
car ils se seront comportés en païens !

Je supplie le Seigneur Tutélaire
de me préserver moi et celui qui dénonce
les erreurs parmi les hommes et redresse
le pilier de la religion du Clément !

---

[7] Il est ici fait allusion à Abdoullâye, deuxième fils de Chêkou Âmadou, qui, à la mort de son frère Âmadou Chêkou, fut exclu de la succession au pouvoir, victime des manigances de Bâ Lobbo pour imposer Âmadou Âmadou, le fils du défunt. Abdoullâye fut par la suite assigné à résidence à vie par son neveu Âmadou Âmadou auquel il reprochait sa façon de diriger la Dîna. Le poète lui-même fut aussi affecté par ces dissensions, car il fut victime de la vindicte de Âmadou Âmadou.

[8] Allusion aux luttes intestines pour la conquête du pouvoir à Hamdallâye et, en particulier au comportement de Âmadou Âmadou vis-à-vis de son oncle alors que sa position à la tête de la Dîna était considérée comme usurpée, car ne suivant pas les lois de succession reconnues par l'islam.

Mi yaŋwa mi tuuta dukkuru am   37
mi hewta ɗo Laamɗo anniya am
mi laaɓa mi laamna yimkoy am
mi tuugoo Šeexu Jaylaanu.

Mi yaŋwa mi nannga konne am   38
e kala nyeemiiɗo haala amam
kuɗaaɗo ɗo Laamɗo haasidi am
mi hewta du'aa'u Jaylaanu.

Mi ardoo yimkol am kala fuu   39
mi dannda ndeworgu am kala fuu
mi nyaaya̱ mi nyaannya[1] ɓee kala fuu
mi heeda e Šeexu Jaylaanu.

Nde leydi e kammu fuu noykii   40
nde kala wonkiiji fuu kalkii
nde kala fuu taŋre huli wooki
mi nyaaya̱ mi faata Jaylaanu.

Nde worɓe e rewɓe fuu ngulli   41
wo non wahsuuji non cuuli
nde kala fuu kaaci kaacaali
mi moosa mi faata Jaylaanu.

Nde taalibbeeje fuu mbemmbii   42
ɓe paayii faayre yeru doombi
nde nanɗe e jiile fuu ommbii
mi huya fa mi nodda Jaylaanu.

Var. :

38. (2) … ŋeemiiɗo…
    (4) … Zaylaanu
41. (1) Nde rewɓe e worɓe
    (2) … waasuuji …
    (4) mi halfoo e seexu Jaylaanu.
42. (1) Nde taalimbeeje … (forme marka de l'emprunt à l'arabe)
    (2) … fayre…

---

[1] *nyaannya : nyaayi̱na.*

Que sans tarder je recrache ma rancœur
et atteigne auprès du Seigneur mon but
et que, pur, je rende purs mes gens
et prenne pour appui le Cheikh Diaylânou[9] !

Que j'aie tôt fait de me rendre maître de mon adversaire
et de tout homme qui fait fi de ma parole
qui est maudit aux yeux du Seigneur et me jalouse
et que j'obtienne la bénédiction de Diaylânou !

Que j'avance en tête de tous mes gens
et assure le salut de tous mes proches
que j'avance, altier, leur donnant fière allure
et me tienne aux côtés du Cheikh Diaylânou !

Que, lorsque terre et ciel seront réduits en poussière[10]
que tous les êtres auront péri
et que la création entière, terrifiée, prendra la route de l'exode,
je m'achemine, plein d'assurance, vers Diaylânou !

Que, lorsque hommes et femmes, tous, crieront
comme font fauves et chacals
lorsque tous pousseront des hurlements,
je m'achemine, tout souriant, vers Diaylânou !

Quand tous les voisins, dans le désarroi,
seront pris de peur comme des rats
quand ouïe et vue seront scellées,
plein de joie, j'appellerai Diaylânou !

---

[9] À partir de ce vers, la rime choisie par le poète est le nom foulanisé du célèbre soufi Abd'el-Qader el-Djilani ben Abou-Sulah-Moussa el-Hassani (1079-1166), né à Djil près de Bagdad, fondateur de la Qadriyya, chérif et saint le plus populaire et le plus révéré dans le monde musulman. Le poète se met sous la protection du saint auquel il se réfère jusqu'à la fin de son poème.
[10] Le poète évoque le Jugement dernier ; les croyants se présenteront alignés en rang derrière leurs guides comme l'ensemble des humains, derrière les douze principaux prophètes. Le poète, se rangeant sous la bannière de Cheikh Djilani, s'imagine alors avançant confiant et plein d'allégresse, en chef de file de ses compagnons. Tous les vers suivants décrivent cette évocation.

Muhammadu Abdullaay Su'aadu

Nde kala seexuɓe nden kowlii   43
ɓe tinnitoriima uumaali
e ŋormaali e duppaali
mi henyonoo^m Šeexu Jaylaanu.

Nde kala wirdiiji nden mboppaa   44
nde kala bonnooɗo nden teppaa
mi ardoo fedde am sappaa
mi hawra e Šeexu Jaylaanu.

Nde kala zambuuji nden limtaa   45
nde bondî e moyýi fuu kewtaa
nde kala seexuuɓe nden paltaa
mi heetta e Šeexu Jaylaanu.

Nde yiite ɓadiinge ruppitoyii   46
fa kala pelleeji cankitoyii
fa annabiyyam'en turoyii
mi nyiimra ti-nuuru Furgaanu.

Nde darngal juuti faa satti   47
fa kala darinooɗo nden tahtii
kulol hasiboore wari tiimti
mi halfoo Šeexu Jaylaanu.

Mi nyaaýa mi faata Šeexujam   48
mi nyaannyora jumla taaliiɓam
ɓe lamndoo kam ɓe mooloo kam
mi nodda ɓe faade Jaylaanu.

Var. :

44. (1) ... wirduuji nden ngoppaa
46. (1) ... ɓadaange roppitoyi
     (2) ... pelleeje...
     (3) fa annabiyam kala toroyi
47. (1) Nde darngal nyiiɓi...
48. (1) ... Seekuɓam...
     (2) ... julma...

---

^m *henyonoo* : *henyanoo.*

Tandis que tous les Cheikhs feront diligence
s'acharnant à grand ahan
soupirant et soufflant,
je me hâterai vers le Cheikh Diaylânou !

Tandis que tous les *wirds*[11] seront délaissés
et que tout malfaiteur sera entravé,
marchant en tête de ma communauté alignée en rangs
je rejoindrai le Cheikh Diaylânou !

Tandis que seront dénombrés tous les péchés
que seront réunis tous les actes, les bons et les mauvais,
et que chaque Cheikh sera séparé du troupeau
je me tiendrai aux côtés du Cheikh Diaylânou !

Quand le feu s'approchant jaillira
éclatant en gerbes d'étincelles
et que mes prophètes courberont l'échine,
je resterai, immuable, grâce à la lumière du Différenciateur.

Quand si pénible sera la durée de l'attente[12]
que tout homme debout finira par s'affaler
et que la terreur du Jugement sera là, au-dessus de nous,
je m'en remettrai à la garde du Cheikh Diaylânou !

D'un pas glorieux j'irai vers mon Cheikh
et ferai, du même pas, avancer la foule de mes élèves :
ils me questionneront, chercheront refuge auprès de moi
qui les inviterai à aller vers Diaylânou !

---

[11] Le *wird* est l'initiation mystique qui est obtenue par la récitation de la prière (*dikr*) spécifique à une confrérie.

[12] Textuellement « la station debout » : il s'agit de l'attente de tous les êtres rassemblés pour le Jugement dernier.

O seyoroo kam o silmina kam   49
o ɓattina kam o luumnoo kam
o faydina kam o huljina kam
kuluuja e Šeexu Jaylaanu.

Nde jahnama jaawi enge ubba   50
mi teftan yaaya non abba
mi dajja mi nyaaya fa mi robba
mi jaaroo Šeexu Jaylaanu.

Nge ɓerni nge donsi fa nge happi   51
nge gufi hasuruuji faa maafii
nge jayi kappoowo faa hippii
mi wonda e fedde Jaylaanu.

Mo lamndiima Šeexuwal wirdi   52
mbi'aa nyaakoori moyŋardi
ndi nuurɗundi sanne ndarndaari
nanee sifa Šeexu Jaylaanu.

O taani Nulaaɗo anndaaɗo   53
e koohngu wilaaya dokkaaɗo
o ɓannguɗo sanne innaaɗo
mi mooliima Šeexu Jaylaanu.

Mi beegaama[n] saare Bagdaadi   54
fa ɓerndam yoomi kam haddi
mi ɗomɗi yarngo am waadi
to rawdat Šeexu Jaylaanu.

Var. :

49. (1) O seyoroo kam mo…   (2) … mo luumnoo kam
    (4) kuluujam e…
50. (1) jaanama…
51. (1) … heppi   / Nge tawi miɗo joodii fa mi haftii
    (4) mi wonda e faaɓe.
53. (2) oo kohngu…   (3) oo ɓannguɗo…
54. (3) … yargo am wahdi

---

[n] Dans ce poème, de même que, pour la scansion, la marque des formes moyennes en *-iima* est anormalement comptée comme deux syllabes brèves, de même ici la marque du passif *-aama* compte pour deux brèves.

Il se réjouira de me voir, il me saluera,
me fera approcher et me baisera
il m'accueillera avec considération et félicitations !
Félicitation pour moi, avec le Cheikh Diaylânou !

Alors que, la Géhenne rugissante brûlant de tous ses feux,
je chercherai l'intercession de mère et de père,
j'irai, d'un pas majestueux et fier et même dansant,
et chanterai à la gloire du Cheikh Diaylânou !

Furieux le feu se met en chasse pour s'emparer des gens[13]
harcelant leurs rassemblements jusqu'à les encercler
visant le calomniateur jusqu'à l'abattre,
mais je ferai partie de la légion de Diaylânou !

Lui qui demanda le *wird* au noble Cheikh
on croirait un taureau truité[14], d'une grande beauté,
tout resplendissant de lumière, et d'une haute taille :
oyez le portrait du Cheikh Diaylânou !

Il est de l'Envoyé un descendant bien connu
à qui fut accordé d'être à la tête des saints
et dont la renommée fut si éclatante !
J'ai pris pour refuge le Cheikh Diaylânou !

La ville de Bagdad est mon plus cher désir
et mon cœur en a nostalgie infinie
j'ai soif de m'abreuver au vallon,
au jardin[15] du repos de Cheikh Diaylânou !

---

[13] Variantes :
   a) le feu se mettra en chasse, plein d'impatience
   b) Le feu me trouvera assis mais je partirai d'un bond
       il harcèle les rassemblements jusqu'à les encercler
       visant le calomniateur jusqu'à l'abattre
       mais je serai avec les gens qui marchent vers Diaylânou !

[14] Qualifier un homme de « taureau » est une expression élogieuse traditionnelle chez les Peuls et la robe du taureau « truité » évoque la chevelure grisonnante d'un homme mûr et plein de sagesse. Cet adjectif fait aussi partie de la devise de Chêkou Âmadou.

[15] Le terme arabe employé ici et signifiant « jardin » est un euphémisme désignant un tombeau, en particulier celui du Prophète ou, comme ici, celui d'un personnage mystique.

Mi yettii ibun Baadiisa   55
e jimgol ngenndi ɓii-Muusa
o yimi fa o faati omo moosa
karaamata Šeexu Jaylaanu.

O inniri ɗum munaa-n-nafsi   56
gila e jinnaaji faa insi
mo anndaa yimre ndee mursi
ti-majjude faɗlu Jaylaanu.

Mi nyaagiima Laamɗo yaafoo kam   57
haqiiqa e nuuru hebbina kam
kulol hasuruuji danndoya kam
bi-jaahi Šeexu Jaylaanu.

Yo Joomam Baawɗo hoddir ɗum   58
malaa'ika'en yo mbinndoy ɗum
fa kala fuu nanɗo tannyora ɗum
mi wasoroo Šeexu Jaylaanu.

O Seexam mawɗo ceniiɗo   59
e kala seexuuɓe koohniiɗo
dewordo Nulaaɗo paydinɗo
wo oon woni Šeexu Jaylaanu.

Co bote mbuuldi am ngaamdi   60
wilaaya e nuuru ndokkaandi
e kala jooliiɗo cuftanndi
njimen njammen ne Jaylaanu.

Mi juulii juulde moyŋarde   61
fotoore e leɗɗe nder ladde
ala-l-muxtaari sennaande
wo oon woni maama Jaylaanu.

Var. :

55. (4) karaamtu...
56. (1) mo inniru...   (2) ... ginnaaji...
    (3) ... yimre nden...   (4) ti-majjuki fadulu...
57. (3) ... hasruuji...
59. (1) Seyxam...
60. (4) njimee njammon no...

Je rends grâce à Ibn Bâdissa
d'avoir chanté la cité du fils de Moussa[16] :
il chanta jusqu'à son trépas, partant avec le sourire,
la grandeur de Cheikh Diaylânou !

Il lui donna pour nom « vœux de l'âme » !
Tant chez les génies que chez les humains,
qui ne connaît ce poème y perd grandement
en ignorant la supériorité de Diaylânou !

Je supplie le Seigneur de me pardonner !
Que m'emplissent lumière et vérité
et me soit épargnée la terreur du Rassemblement
par la grâce du Cheikh Diaylânou !

Puisse mon Seigneur Tout-Puissant en décider ainsi
et les Anges l'inscrire
afin que tout homme instruit de cela en ait certitude,
et que me donne confiance en moi le Cheikh Diaylânou !

Il est mon Cheikh vénérable qui fait ma joie
et qui sur tous les Cheikhs a prééminence
descendant de l'Envoyé honoré :
tel est bien le Cheikh Diaylânou !

O bonheur ! Mon taureau au front clair, béni du sort,
à qui furent données lumière et sainteté
et qui repêchera tout homme qui a sombré !
Chantons et célébrons Diaylânou !

J'ai élevé une prière pleine de beauté,
aussi profuse qu'arbres dans la brousse,
pour l'Élu, et en laquelle est témoigné
qu'il est bien l'ancêtre de Diaylânou[17] !

---

[16] Il s'agit toujours de Cheikh Diaylâni ou Djilani (né à Bagdad) dont le père avait nom Moussa.

[17] Tout homme portant le titre de Chérif est considéré comme descendant de la lignée du Prophète Mouhammad. Au vers 59 le poète désigne le Cheikh Djilani, fondateur de la Qadriyya, comme un proche, un parent du Prophète *(dewordô)* et, ici, il désigne ce dernier comme l'aïeul *(maama)* du Cheikh.

POÈME III

III

Mi yetta Mo ɓaawɗe mum jaali
gaɗanɗo manniyi poofaali
nde yalti e reedu faa haali
nde jogorii wonki ne'emaaji.

1

Mi juula e gaaɓɗo muuyniiɗo
ti moyƴere Laamɗo ɓanngirɗo
suraande tagoore cankiiɗo
munyoowo nyifoowo saɗɗaaji[a].

2

Nanam hettam giyam[b] faamoy
ko taŋgore-ɗaa[c] nanam huuwroy
ko tannyii haddi fuu miiloy
fa mboppaa miilde zambuuji.

3

Jooma wo ngoonga goohnoowo[d]
munyoowo ko tiiɗi cuuroowo
O dokko ɓaroowo kasɓoowo
ji'oowo e wonki miilooji.

4

O ɓaawɗo ko muuyi fuu taƴoraa
nanoy ɗum tasko-ɗaa njaɓoraa
fa kanndito-ɗaa ndewaa kisoraa
ti dental makko dabareeji.

5

Fa ɗiftaa ɗiftinaa taŋre
keɓaa nder ɓernde maa fooyre
nde hannde e gollugol nyaŋre[e]
nde fooynan maa e tatteeji.

6

Var. :

3. (2) ko taŋroye-ɗaa...
4. (2) munyoowo kutiiɗo cuhroowo
5. (4) e dental...

---

[a] *saɗɗaaji* : terme peul formé à partir d'un emprunt à l'arabe sur la racine /šdd/ .
[b] *giyam* : *giɗo am*.
[c] *taŋroye-ɗaa / taŋgore-ɗaa* : *tagore-ɗaa* ; (v. 6) *taŋre* : *tagoore*.
[d] *goohnoowo* : *goonnoowo* < *good-in-oowo*.
[e] *nyaŋre* : *nyanngere*.

III

Je rends grâce à Celui dont triomphe la puissance
à Celui qui dans les êtres mit le germe de vie :
une fois hors du sein, bientôt acquièrent la parole
et se maintiennent en vie grâce aux faveurs divines.

J'invoque, en ma prière, le Privilégié, le tant aimable
qui par la bonté du Seigneur apparut
avec, pour la création, charge d'intercession,
le longanime qui abolit les peines.

Entends-moi, écoute-moi, mon ami ! et comprends enfin !
À ce pour quoi tu fus créé, entends-moi, œuvre donc !
À tout ce qu'il y a de plus laid, réfléchis bien
afin de bannir de tes pensées les péchés !

Ton Maître est en vérité Celui qui donne l'existence
le Longanime, l'Indulgent, le Tutélaire.
Il est le Généreux, Celui qui donne la mort, Celui qui juge,
Celui qui, au fond de l'âme, voit les pensées !

Il est Celui qui – sois-en certain – peut tout ce qu'Il veut.
Entends bien cela et, à la réflexion, l'admets !
Ainsi te guideras-tu et, par l'obéissance, gagneras le salut
en t'associant de la sorte à ses voies.

Ainsi seras-tu vivifié et redonneras-tu vie à la création
et tu recevras en ton cœur l'illumination
elle qui prévient toute malfaisance
et qui t'illuminera de toutes parts !

Nde woornoy ma e najaasuuji   7
kanyum e zambuuji kalkooji
kuɗaaɗi to Laamɗo koynooji
nde holle ɗatiiji kihnooji.

Wo ɗum woni nuuru-l-islaamu   8
kanyum woni ilmu-ilhaamu
heɓaa ɗum neɗɗo nammaamu
wo non nyaamoowo ɓalliiji.

Heɓaa[f] ɗum neɗɗo jeenoowo   9
cusoowo zunuubu joowoowo
janoowo e Laamɗo kersoowo
nde wattina naahde[g] giiteeji.

Heɓaa ɗum neɗɗo joom-ferre[h]   10
so debbo e enndu maa wahre
gaɗanɗo e yimɓe fuu wayre[i]
nde roondii mawndu aybuuji.

Heɓaa ɗum neɗɗo konniiɗo   11
ɓural faro Laamɗo jankirɗo
jalee tampoowo cuŋlirɗo
ko waawa e batte kiramaaji.

Heɓaa ɗum neɗɗo bona-needi   12
wo non duu ngaari canndaaldi
nde wa'ajaama duŋra : « Miɗo anndi ! »
nde ŋornoo ŋorngo daabaaji.

Var. :

7. (3) kaɗaaɗi ɗo Laamɗo...
   (4) ... ɗatiili kiinooji
8. (3) keɓaa ɗum...
10. (1) Keɓaa ɗum...
    (4) ...ayabuuji

---

[f] Dans la version transcrite par A. Hampâté Bâ, le verbe est au pluriel, comme si la succession des termes d'agents n'étaient pas en apposition au nom *neɗɗo* i. e. « personne ».
[g] *naahde : naadde < naatude/naatde.*
[h] *ferre : fewre.*
[i] *wayre : < *wanyre.*

Elle te détournera des choses impures
tout autant que des péchés mortels
actes réprouvés par le Seigneur et qui avilissent,
et elle te montrera les voies du salut.

Voilà ce qu'est la lumière de l'islam :
c'est la connaissance de l'inspiration divine,
ne peut l'avoir l'homme semeur de discorde
pas plus que le calomniateur !

Car elle n'est point[1] pour l'adultère
qui va, furetant, accumulant les péchés,
qui offense le Seigneur et connaîtra l'opprobre
quand, à la fin, il entrera dans les Brasiers.

Elle n'est point pour le trompeur invétéré
– femme aux seins formés ou menton barbu[2] –
qui, chez tout le monde, sème l'inimitié
et porte ainsi un pesant faix de vices.

Elle n'est point pour l'homme[3] rebelle
qui au Seigneur refuse de reconnaître sa précellence !
Gaussez-vous de celui qui peine et se donne tout le mal
qu'il peut, sous l'effet de la jalousie !

Elle n'est point pour l'homme mal éduqué
qui est, quant à lui, tel un taureau rétif :
sermonné, il se détourne avec un « Je sais bien ! »
et, hargneux, se renfrogne à la manière des bêtes.

---

[1] Textuellement : « ne l'obtient pas la personne qui... ».

[2] Cette formule imagée désigne l'étape physique qui marque l'accession à la majorité morale et juridique de tout humain de l'un et l'autre sexe ; en effet, à partir de la puberté, la personne peut être considérée comme responsable de ses actes.

[3] L'homme... : textuellement « la personne », sans distinction de sexe.

Heɓaa ɗum neɗɗo joom-ɓernde 13
so wa'ajaama tikka waɗa hoynde
mo jillaa golle mum fohnde
moɗiiɗo e miilo tuuyooji.

Heɓaa ɗum neɗɗo deereero 14
nde darniri suudu mum weero
ko hokkaa fuu jaɓan seyoroo
fa yejjira Alla e jiibeeji.

Heɓaa ɗum neɗɗo joom-husudu 15
mo ɓerngel nanndi dolfoldu
fiɗaandu widiindu rammaldu
huɗiindu e yiide ceynooji.

Heɓaa ɗum neɗɗo bona-miilo 16
nde miilii bondî fuu yaaloo
so ronkii geddi woya ooloo
jakawɗo e golle boofiiji.

Heɓaa ɗum neɗɗo joom-ɗoyɗi 17
mo hoyɗaa koyɗi mbeli puyɗi
mo hoyɗii bumdî bumniiɗi[j]
batoowo e dow mberellaaji.

Mi mooliima Laamɗo kinnoowo 18
mo muuyi e tuundi laamnoowo
ko heewi e fadulu dokkoowo
yo ɓutu ɓerndam haqiiqaaji !

Var. :

14. (4) fa yejji Alla e jiibeeji
15. (1) ... husuudu   (2) mo ɓernde nando dolfoldu   (3) ... rambaldu
16. (1) Keɓaa...   (2) ... bonɗe...
17. (1) Keɓaa...   (2) ... mbela...
    (3) ... bummbiiɗi (C.S.)
    (4) ... mberallaji
18. (1) ... kihnoowo

---

[j] La version transcrite par A. Hampâté Bâ est sans doute préférable, le terme *bummbiiɗi*, évoquant la marche tâtonnante d'un aveugle.

Elle n'est point pour l'homme irascible
qui, sermonné, s'emporte et se conduit insolemment
en n'alliant à ses actes nulle mesure
submergé qu'il est par l'idée de ses désirs !

Elle n'est point pour le glouton
qui a érigé sa maison sur le parasitisme :
quoi qu'on lui offre, il l'acceptera avec joie
au point d'en oublier Dieu pour des viandes impures[4].

Elle n'est point pour l'envieux
dont le cœur mesquin est tel cet insecte[5]
éphémère qui, au moindre contact, gratte la terre :
lui qui, dans ses imprécations, se refuse la vision des délices[6].

Elle n'est point pour l'homme aux mauvaises pensées
qui, à chaque évocation de ses vices, bâille
et, à court d'argument, pleurniche et geint
mais retrouve toute son énergie pour œuvrer dans l'erreur.

Elle n'est point pour le grand dormeur
qui n'a de songes que stupides,
fait des rêves aveugles et confus
et ne discourt que de futilités.

J'ai pris refuge auprès du Seigneur Clément
Qui, de la souillure, purifie qui Il veut,
le munificent Dispensateur des faveurs !
Puisse-t-Il combler mon cœur de vérités !

---

[4] Le terme utilisé désigne précisément la viande d'animaux qui n'ont pas été égorgés rituellement.

[5] L'insecte évoqué ici est un petit insecte d'un rouge velouté qui apparaît à la période de l'hivernage et est une proie facile pour les fourmis auxquelles il tente d'échapper en s'enfouissant dans le sable. Au moindre contact, il se recroqueville en faisant le mort ; il représente ici l'image de l'homme envieux, replié sur lui-même, et dont le cœur se ferme sitôt qu'on cherche à le toucher.

[6] Le verbe utilisé signifie de façon précise que cet être attaché aux biens de ce monde est prêt à se vouer, dans ses serments, à la malédiction de ne jamais jouir des biens de l'autre monde, pourvu qu'il obtienne ce qu'il désire ici-bas.

Ti horma Nulaaɗo am moyƴo   19
mi siŋrira nuuru fa mi saayꞌoo
mi ɗifta nyalaande fa mi aayꞌoo
ti haalde haqiiqa hukumuuji.

Welii kam gunndodal Joomam   20
dakam mum huuɓi terɗe amam
mbusam taayii e yiingo amam
dakam cuuɗiiɗo gunndooji.

Welii kam jiitugol ngoonga   21
e anniya darnugol ngoonga
e seerde mo yiitataa ngoonga
fa hawra e marɗo ngoongaaji.

Reworɓam taskitee pahmee[k]   22
so on eggooɓe koo immee
loohnee[l] bonɗe mon kahmee
pa'on no[m] hoɗorde neemaaji !

Ɗalon duniyaa e tuuyooji   23
ɗalon ɓannginde kiramaaji
e jumpude bondî haalaaji
kison e bolle qaburuuji !

Kelɗaa miilo maa maayde   24
juhoore nde faɗɗa hela wolde
nde wattina uurɗo fuu luuɓde
e minmiccaango gilɗiiji[n] !

Var. :

20. (4) ... cuɗiiɗî... (C.S.)
22. (3) ...endî mon kaamee
23. (4) kison no bolle...
24. (1) Keldaa miilo maa ... (C.S.)
    (4) e mimmiccango gilgiiji

---

[k] *pahmee... kahmee : paamee, kaame* (prononciation *voyelle + h* des voyelles longues).
[l] *loohnee : loonnee (*loot-n-ee).*
[m] *pa'on no : pah'on na.*
[n] *gilɗiiji* : pluriel refait à partir du pluriel *gilɗî* de *ngilngu.*

Par la grâce de mon Prophète[7], l'Excellent,
tant suis grisé de lumière que j'en exulte
pour, recouvrant un jour enfin mes sens, m'engager
en proclamant la vérité des dogmes.

J'ai eu la joie d'un entretien intime avec mon Maître
la suavité en pénétra tout mon être[8]
et la moelle en mes os fondit quand je perçus[9]
la suavité de Celui qui reste celé en ses secrets.

J'ai eu la joie de rencontrer la Vérité
avec la détermination d'ériger la Vérité
et de m'écarter de qui ne reconnaît pas la Vérité
pour me joindre au détenteur des vérités.

Vous, mes proches, réfléchissez et comprenez !
Puisque vous êtes voués au voyage[10], mettez-vous en route !
Lavez-vous de vos vices et, bien essorés,
marchez droit vers le Séjour des Bienfaits !

Renoncez à ce monde et aux passions !
Cessez d'exciter les jalousies
et de patauger dans les propos pervers :
soyez ainsi sauvés des serpents des sépulcres !

Interrompez vos rêveries pour songer à la mort
qui, s'abattant par surprise, brise la lutte[11]
et même à l'odoriférant impose puanteur
et grouillement de vers !

---

[7] Textuellement « Envoyé » : telle est l'épithète sous laquelle est habituellement désigné le Prophète Mouhammad dans ces poèmes religieux.

[8] Textuellement : « mes membres », terme utilisé aussi pour désigner « le corps », ce qui traduit ici de façon très physique – comme le précise la suite – l'émotion mystique que décrit le poète.

[9] Textuellement : « avec ma vision de la suavité... ».

[10] Le terme *eggooɓe* s'applique originellement aux nomades qui migrent ou transhument. Dans ce contexte-ci il désigne les hommes de ce monde qui n'y sont que des passagers en partance pour l'autre monde.

[11] Une autre traduction m'a été suggérée : « brise la clavicule », avec un sens du mot *wolde* qui m'est inconnu.

Kulee Joom-laamu cawriiɗo   25
ɗalon konnaagu duumiiɗo°
fa njokkon sunna cunninɗo
ndaɗon no azaaba hasruuji !

Njiɗen Joom-baawɗe jinniiɗo   26
kutiiɗo ko heewi cuuroyɗo
nde woofaa fuu o ceesiiɗo
O leeɓi dokko rizuguuji !

Njiɗen Joom-semmbe sooninke   27
O dunkee[p] gilli laamunke
ti deengol golle ahlunke
O reeni pooli beeyooji !

Njiɗen lunndaaɗo dokkoowo   28
ko moolaa fuu o danndoowo
mbiyaa neɗɗanke dahmroowo[q]
mo sankii rizqu wahsuuji !

Njiɗen na jakawɗo jinniiɗo   29
moyŋaro golle birniiɗo
leydi e kammu fuu marɗo
mo reentaa e gooto dabareeji !

Wondo walaano Sayɗaana   30
e ɓinnde wi'aande Walahaana
ko yeddini yimɓe Rahmaana
sako ɓe taganeema giiteeji ?

Var. :

26. (1) Njiɗee…Joom- baawli (CS)…   (3) nde mboofa fuu…
    (4) … rizquuji
27. (1) Njiɗee…   (2) dunke e golle…
28. (1) Njiɗaa…   (3) … dawroowo   (4) o sankiima…
29. (4) mo sentaa…
30. (2) e ɓinde wiyaande…   (4) … jiiteeji

° Pour des raisons de bienséance, les noms de la classe *ngu*, sont considérés comme appartenant à la classe *o*, ce qui explique ici l'accord du participe *duumiiɗo*.

[p] *dunkee* ou *dunkey* : emprunt au soninké.

[q] *dahmroowo* : *dawroowo (dawr- < dabr-,* cf.. *dabare*).

Craignez le Souverain plein de mansuétude !
Abandonnez votre hostilité invétérée[12]
pour suivre la Loi de celui qui instaura la Tradition
et échappez ainsi aux supplices du Rassemblement[13] !

Aimons le Puissant, objet de dilection[14]
l'éminemment Magnanime, qui sera tutélaire
Lui qui, pour toute erreur, est plein de patience !
Il est le juste Dispensateur des biens !

Aimons le Fort, le Généreux,
tout empreint de l'amour qu'a pour ses sujets un souverain[15]
en veillant sur les œuvres de sa communauté !
Il a veillé sur les oiseaux planant au ciel !

Aimons Celui qui, même contesté, reste prodigue
et, de tout ce dont on cherche auprès de lui refuge, préserve !
Tu peux affirmer qu'Il est Être doté de tous pouvoirs
Lui qui assure[16] aux bêtes sauvages provende à profusion !

Aimons le Diligent, tant Aimable,
Dont splendides sont les œuvres, mais Qui reste voilé,
à Qui ciel et terre appartiennent
et Qui, avec nul autre, ne partage ses pouvoirs !

N'eût été Satan
et son rejeton, le nommé Walahâna,
qu'est-ce qui aurait incité les hommes à nier le Miséricordieux
et, pis ! en aurait fait créatures vouées à l'Enfer[17] ?

---

[12] Il s'agit de l'opposition à la loi de la Tradition (*Sunna*) à laquelle le poète appelle ensuite son auditoire à se conformer.

[13] Il s'agit du grand rassemblement du Jugement dernier.

[14] Textuellement : « qui se fait aimer » c'est-à-dire « qui est digne d'amour ».

[15] Textuellement : « Il est un familier des amours de quelqu'un du commandement... » c'est-à-dire que Dieu professe aux hommes un amour semblable à celui que professe à ses sujets un souverain en veillant attentivement aux agissements de sa communauté.

[16] Le verbe peu utilisé ménage une ambiguïté : on peut comprendre que Dieu est « garant, responsable » de la subsistance des animaux mais aussi qu'il « disperse » cette nourriture en la dispensant.

[17] Textuellement : « feux ».

Kuɗen Ibiliisa la'anaaɗo   31
e moyyere Alla diiwaaɗo
paliiɗo e ɓerɗe kamraaɗo
o manngel yimɓe giiteeji !

Ko reentin maa[r] e Ibiliisu   32
maa miilooji wasuwaasu
fa majja maliiki-n-naasu
tagɗo maa marɗo neemaaji ?

Gila a lahtaaki aan huunde   33
ko tagu maa lahti-ɗaa huunde
fa yoyyaa[s] miili-ɗaa bonnde
ti tinndingol biliisaaji ?

Wondo wanaano hiiteede   34
maa taŋreede halkeede
ko yejjini ɓernde maa maayde
fa njiitoy-ɗaa zunubaaji ?

Anndude maa a maayoowo   35
heyli ma e wa'ju zumboowo !
Maay ! Majjoowo kersoowo
yanii roondiindu hersaaji !

Ko miilnoy maa zunuubaaji   36
a dullu a neɗɗo kaburuuji
fa hamrina[t] yimɓe lahduuji
so won tuuyaaɗo geddiiji !

Var. :

33. (2) mo tagu maa...
34. (1) Hondo walaano...
35. (3) Maay ! Maccoowo... (CS)
36. (1) ... zumbaaji
    (3) fa hawrina...

---

[r] *maa* : forme longue du pronom de la deuxième personne.
[s] *yoyyaa* : * *yoy-ɗaa.*
[t] *hamrina* : pour *hawrina*, comme, au vers 28, *dahmrowo*, mis pour *dawroowo.*

Maudissons Iblîs le réprouvé
qui, loin de la bonté divine, fut chassé,
celui qui barre la porte des cœurs, celui qu'on annonce
comme le misérable patron des gens de l'Enfer !

Qu'est-ce donc qui t'unit à Iblîs
ou aux pensées tentatrices[18]
au point d'ignorer le Maître suprême de l'humanité,
ton créateur, le détenteur des grâces !

Alors que tu n'étais toi-même encore rien
Il te créa et tu devins un être réel[19]
et, sitôt doté d'intelligence, tes pensées allèrent vers le mal,
sous le préceptorat des Diables !

N'était que tu fus ainsi prédestiné
ou, pour la damnation, créé
qu'est-ce qui, en ton cœur, a mis l'oubli de la mort
au point que tu ailles ainsi fréquenter les péchés ?

Savoir que tu es mortel
t'est pourtant avertissement suffisant, pécheur !
Meurs donc, dans l'erreur et couvert de honte !
Tant pis pour le misérable chargé d'un faix[20] de hontes !

Qu'est-ce qui t'incite aux pensées coupables ?
As-tu oublié que tu étais un être promis au tombeau
pour en faire porter la nouvelle aux gens des cimetières[21]
s'il en est un qui ait velléités de le nier !

---

[18] Le terme utilisé associe les notions de chimère et de tentation.

[19] Textuellement : « avant que tu ne sois devenu une chose / il t'a créé, tu es devenu une chose ».

[20] Nous traduisons par « misérable » le suffixe -ndu qui, faisant référence à des animaux méprisés (hyène, chien), est péjoratif.

[21] Textuellement « les gens des tertres », c'est-à-dire les gens qui, venus ensevelir des morts, entourent les tombes dans les cimetières.

E aan ne e maɓɓe fuu on ngon 37
a maayan nodde-ɗaa : « war, yom ! »
ɓe mbiya jukkoowo maa : « ɓam, nam
waɗoy mo e mawndu saɗɗaaji ! »

Sabu wo foofaandu yeddin ma 38
wo ɗum pay haani hulɓin ma
wo ɗum Seyɗaani jokkir ma
fa maykoy maa e bonndeeji !

E junngo mo njeddataa ndu woni 39
wo Oon tagi wonki maa woohni[u]
nde noddi jiyaaɓe mum seehni
nde nanngantaa mo aadiiji.

A fewjii bonnde hey wirfu 40
a toonyii Jooma war yahfu
fa kewtaa yahfu Joom-luɗufu
ɗalaa miilooji bonnooji.

A woohnaama fa a hilniima 41
zunuubu a yejjitii Jooma
gorel bona-golle bonnii ma
a yooliima maayo tilfooji !

Miiltaa ɗo hoore maa taskaa 42
a anndan nde'en a duhnaaka
moyƴuɓe Alla fuuyaaka
fa mbarjoye-ɗaa jinnanuuji.

Var. :

37. (1) E aan no e maɓɓe...
38. (2) wo ndun... (3) wo ndun Seydani (4) fa mayko ma ...
39. (2) ... wohni... (3) ... senni (4) ... ahdiiji
40. (3) ... yafu...luɗfu
41. (1) A wohnaama ...hinniima (2) ... yeggiti ...
42. (2) ... nden a dunnaaka (3) moyƴuɓe Laamɗo fuyaaka

---

[u] *woohni : woodîni* ; et, plus loin, *seehni : seedini/seenni/senni.*

Toi-même, certes, comme eux tous, vous existez
mais tu mourras et seras convoqué : « Viens payer ton dû ! »
Ils diront à ton bourreau : « Attrape-le et emmène-le !
Va le mettre dans le gouffre[22] des peines ! »

Car c'est ce souffle de vie qui t'amène à nier [Dieu]
quand c'est cela même qui eût dû t'inciter à [le] craindre !
C'est encore lui qu'utilise Satan pour s'attacher à tes pas
afin de te lancer tête baissée dans les vices !

Ta vie est pourtant dans la main de Celui que tu nies
c'est Lui qui a créé ton âme et l'a parfaite
puis Il convoqua Ses sujets comme témoins
des engagements qu'envers Lui tu devais prendre.

Tu as nourri de coupables desseins ! Allons, fais demi-tour !
Tu as été inique envers ton Maître, viens implorer son pardon
et pour obtenir l'absoute du Maître-de-Bonté
renonce aux pensées perverses !

Tu as été créé bon mais tu n'as eu de zèle
que pour le péché et tu as oublié ton Maître :
un misérable[23] malfaisant t'a perverti
et tu as sombré dans un océan[24] de perditions !

Songe dès ici-bas à toi-même et réfléchis bien !
Tu sauras alors qu'on ne t'a point fourvoyé,
que les Parfaits de Dieu n'ont pas été inefficaces
et tu en trouveras plus tard récompense aux paradis[25] !

---

[22] L'adjectif *mawndu* (immense) est ici accordé à un nom sous-entendu qui, d'après le classificateur utilisé, est sans doute *ɓunndu* (puits), si l'on se réfère à la topographie traditionnellement attribuée à l'Enfer par les poètes et les mystiques.

[23] Textuellement « un petit/mauvais/vil homme » : allusion à Satan.

[24] Textuellement « un fleuve ».

[25] Le terme peul *jinaanuuji* est formé sur le mot arabe *jannat*, pl. *jinān* (jardin, paradis).

Wondo walaa ko canndaalu 43
e famɗude yiingo maa laalu
ko lahtin ma azzallaalu
e nder ɓulliiji tilfooji ?

Wondo wanaano wumneede 44
maa taŋreede sumoyeede
ko reentin maa e luhndaade
sunna nde jokka bida'aaji ?

Wondo wanaano munyaneede 45
ko miccin maa e yaakaade
bonɗi so miila suraneede
e danngol nyannde kulaluuji ?

A hokkaama agulu fa njiiraa 46
ko tilfan maa kulaa ndawraa
e nguurndam maaɗa faa kisoraa
a nannditoyii bahimmeeji.

A hokkaama ɓernde faa pahmaa 47
miilaa Jooma faa uumaa
kulaa ɗum sabu wo Oon tagu maa
nde yoltoy-ɗaa e bonndeeji.

Ko tuuynete-ɗaa ko halkan ma 48
gila e nguurndam ko hersin ma
ko mbelnir-ɗaa ko sumoyan ma
a dahminanaama tookeeji ?

A damrii semta hey ɗaltu ! 49
A waaldii kalkagol bamtu !
A yooliima, yeeya gaa wartu
fa ndawraa golle kisinooji !

Var. :

43. (1) Wonde...   (2) ... yiigo   (3) ... a zallaalu
44. (1) Wondo walaa no ...
45. (I) Wondo walaa no ...   (3) bomɓe...   4) e daggol nyannde kulaliiji
46. (1) ... aqlu
47. (1) ... paama   (4) yoltoyi-ɗaa...
48. (4) a dakminanaama...
49. (4) ... kisnooji.

N'étaient indocilité obstinée,
courte vue ou effronterie
qu'est-ce qui te fait choir, avili,
au fond des puits de perdition ?

N'était que tu as été aveuglé
ou, dès ta création, voué au Feu
qu'est-ce qui te maintient dans l'opposition
à la Tradition[26] quand tu suis des hérésies ?

N'était que tu as bénéficié d'indulgence[27]
qu'est-ce qui t'a mis en tête de cultiver
les vices, t'imaginant que tu aurais un défenseur
pour te sauver au jour des terreurs ?

Tu as été doté de raison pour reconnaître
ce qui peut te perdre, le redouter et agir en conséquence
durant ta vie afin de t'assurer le salut
et te voilà pourtant, tout à l'image des bêtes brutes !

Tu as été doté d'un cœur pour comprendre
et penser à ton Maître jusqu'à en gémir
et le révérer, car c'est Lui qui t'a créé
alors que tu t'en vas t'enfler de vices !

Qu'est-ce qui t'incite à désirer ce qui te mènera à ta perte
et dès cette vie même t'apportera l'opprobre ?
Qu'est-ce qui te rend délectable ce qui te promet au feu ?
Vraiment tu as fait tes délices de ce qui était poison !

Tu as tout fait pour connaître la honte ! Allons, cesse !
Tu as passé ta vie à te damner ! Reprends-toi !
Tu as sombré ! Tourne par ici tes regards et reviens
pour ne t'employer plus qu'aux œuvres de salut !

---

[26] Nous traduisons par « Tradition » le terme arabe *sunnat* qui désigne l'ensemble des pratiques et des comportements conformes à la loi religieuse.

[27] C'est-à-dire « de l'indulgence divine » qui t'a permis de rester en vie jusqu'à ce jour, en dépit de ta mauvaise conduite.

A soobiima huuwde zambuuji   50
fa njeeboy-ɗaa farillaaji
a moomtii batte sunnaaji
a hilniima rewde meereeji.

Worooroy ma a bonii golle !   51
A huldaa ɓanndu maa bolle
e nimre yanaande maa ɓoole
piyooje fa ciiwa ngaandiiji ?

A hokkaama noppi narroyɗi   52
e sawndo wahaalo takkiiɗi
a narrii ɗii ne duu bonɗi
e aan dee heewi boofiiji !

Wo noon aynayni faa njiiraa   53
tageefu no heewri faa ndewraa
nde njii-ɗaa geddi fuu mbayraa
a suusii tagɗo yiingooji !

Wo noon ɗemgal fa ɓannginiraa   54
kaɗaaɗi ɗo Jooma faa njamiraa
ko anndoy-ɗaa fa anndiniraa
farillaaji e sunnaaji !

A hokkaama koyɗe faa ndawraa   55
e kala haajuuji maa njaaraa
Tagɗo nde hokki ɗum tayoraa !
O'oo woni marɗo wonkiiji !

A hokkaama juuɗe faa kuuwraa   56
dagiiɗum golle noon ndawraa
ko daŋnaa[v] ɓamde fuu ɓamraa
yeew ɗum fuu yo neemaaji !

Var. :

50. (1) fa njeboy-ɗaa   (4) a hinniima...
53. (2) ... faa yewra   (4) ... takɗo...
54. (2) kaɗiiɗi...
55. (2) kala e haajeeji...   (3) takɗo ɗe   (4) mo on woni...

---

[v] *daŋnaa : daginaama.*

Tu ne t'es appliqué qu'à commettre des péchés
allant jusqu'à négliger les devoirs sacrés[28],
tu as effacé jusqu'aux traces des Traditions
et mis tout ton zèle à suivre des vanités !

Hélas, malheureux que tu es ! Tu as bien mal agi !
Tu n'as pas peur pour ton corps des serpents
et, dans les ténèbres de la tombe, des gourdins
qui frappent jusqu'à faire s'écouler les cervelles[29] ?

Tu as été doté d'oreilles pour, avec elles, entendre
– de part et d'autre fixées sur les côtés –
or, elles aussi, tu les a employées à ouïr mauvaises paroles
et te voilà, toi, oui, tout plein d'erreurs !

 Il en est de même des yeux dont tu fus doté pour voir
la Création dans sa multitude et que tu en deviennes croyant
et prennes en aversion toute opposition à Dieu sitôt entrevue,
mais tu as été plein d'audace devant le Créateur de la vue !

Il en est de même de la langue dont tu fus doté pour dénoncer
les actes proscrits par ton Seigneur et prescrire
ce que tu sais devoir l'être et aussi, grâce à elle, instruire
des règles religieuses et des Traditions.

Tu as été doté de jambes pour, de bonne heure, te mettre en route
et, à toutes tes affaires, aller vaquer.
Si le Créateur t'en a doté, c'est bien – sois-en certain –
parce que c'est à Lui qu'appartiennent les vies !

Tu as été doté de mains pour, avec elles, œuvrer
et à toute action licite t'employer sans relâche
et entreprendre tout ce qui peut licitement l'être.
Considère donc tous les bienfaits que ce sont là !

---

[28] Le terme *farilla* est une transcription de l'arabe [farīḍat], désignant une prescription, une obligation de caractère religieux.

[29] Allusion à la croyance en un premier interrogatoire du mort, dans sa tombe, par les deux anges qui accompagnent tout homme au cours de sa vie, tenant un compte scrupuleux de tous ses actes, et qui le malmènent pour lui faire avouer ses fautes.

Biliisa alaa ko hokkan maa 57
walaa kala fuu ko hihnan maa
ko halkan maa o wannan^w maa !
Kulee ɓanngirɗo jammbaaji !

Wonki walaa ko yamiran maa 58
wo ayyibe tan ki welnan maa
ki tuuynoy^x maa ki yinnoy maa
ko naannan maa e giiteeji !

Hawaa no walaa ko ɓeydir maa 59
wo ɗum tookeeji miilnoy maa
fa dahmine miilo yónnyoy^y maa
fa mboppaa miilde danndooji !

So addunya ne majjin maa 60
fa woppin maa ko danndan maa
miil sukaraati suŋlir maa
e tewde mbeleendi adunaaji !

So tuuyo e rewɓe wumnoy maa 61
e yiitude Jooma faddani maa
wo ɗum Ibiliisa tuufani maa
fa nanngir maa e farjiiji.

So debbo ne tuuyetee worɓe 62
ɓee ɗiɗon fuu kala wo hoyɓe
o tuufana on duu worɓe
o nanngira waqti haalaaji.

Var. :

57. (2) ... hisna ma
58. (1) ... yaliramma   (2) ... welnamma
    (3) ... tuynoy ma...   (4) ko naahnan ma...
59. (3) fa dakmine...
60. (1) ...majjimma   (3) ... sakraati suŋlimma
61. (2) ... faddoy...   (3) ... tuufan ma
    (4) fa nanngimma e farajiiji
62. (1) so debbo nde tuuyetee...   (3)... on e dow worɓe (4) mo nanngina...

---

^w *wannan : wadînan.*
^x À partir de ce vers, on trouve les formes verbales courtes.
^y *yónnyoy : yóynoy.*

Iblîs, lui, n'aura rien à t'octroyer
absolument rien qui t'assure le salut !
À ce qui te mènera à ta perte, il t'incitera !
Redoutez ce fourbe notoire !

L'âme n'est pas ce qui te donnera de justes directives
ce ne sont que les vices qu'elle te rend aimables :
elle t'incite à désirer, elle te pousse à aimer
ce qui te fera plonger dans les feux de l'enfer.

La passion ne peut t'être d'aucun profit !
C'est là le poison qui te souffle tes pensées
si bien que, sous le charme de ces pensées, tu n'as d'esprit
que pour te dispenser de songer aux actes salvateurs.

Si c'est le monde d'ici-bas qui t'égare
au point de te faire délaisser ce qui doit te sauver
songe combien te sera anxieuse ton agonie
pour avoir recherché les plaisirs de ce monde.

Si la passion des femmes doit t'aveugler
et t'empêcher de rencontrer ton Maître
c'est qu'Iblîs t'a tendu ses pièges
pour se rendre maître de toi par le sexe.

Certes lorsqu'une femme est des hommes désirée
ils sont, les uns comme l'autre, également, gens futiles.
Il vous tend ses pièges à vous aussi, hommes,
et s'empare ainsi de vous à l'heure des causeries.

Muhammadu Abdullaay Su'aadu

Mo zeenii ngilngu naata e mum 63
ngu ɓunnyoo ɗum fa lolla e mum
walaa kala fuu ko heɓata e mum
suma yara mbordi farajiiji.

A yeddii Moyẏo maa yooyoo ! 64
A halkii hoore maa haayoo !
A zumbii yoo a hersii yoo !
A gollii golle bamɗiiji !

Yo Joomam Moyẏo danndam e ɗum 65
ko mboohnoo[z]-mi fu o yaafo ɗum
giɗam kala fuu o hanndo ɗum[aa]
o anndina ɗum haqiqaaji !

O waɗa kam neɗɗo kanndaaɗo 66
ɗo fergii fuu wo jaafaaɗo
dewal Joom-maŋngu[ab] jaɓanaaɗo
kumiiɗo fa darna sunnaaji !

Mi maaya e sunna poocciiɗo 67
e kala bida'aaji ɗuurtiiɗo
moyŋaro yiingo ceeniiɗo
mo jillaa golle fuhsuuji !

Mi goonɗina faa no Siddiiqu 68
mi yaadila faa no Faaruuqu
mi innoya Laamɗo maatuuqu
e denndeengal azaabuuji !

Var. :

63. (2) ngu ɓonnyo ngu lolli e mum
65. (2) ko mbownoo-mi...
66. (2) ... o jaafaaɗo   (4) ... fa darni...
67. (3) ... ceyniiɗo   (4) ... fuusuuji.
68. (1) Mi gondina faa no ...   (3) ... ma'tuuqu

---

[z] *mboohnoo-mi* : < *mboofu-noo-mi.*
[aa] La scansion de ces deux vers n'étant pas rigoureuse, ils ont été prononcés :
    ko boohnoo-mi fuu o yaafoo ɗum
    giɗam kala fuu o hanndoo ɗum...
[ab] *maŋngu* : *manngu.*

L'adultère a comme un ver qui en lui pénètre,
le taraude et finit par, en lui, paraître aux yeux de tous
et plus rien d'autre ne lui adviendra que
se consumer et s'abreuver de la sanie des sexes !

Tu t'es opposé à ton Parfait, hélas !
À la perdition tu t'es voué toi-même, pour sûr !
Tu as péché, oui ! et tu peux avoir honte, ô oui !
Tu t'es conduit comme le font les baudets !

Puisse mon Maître, le Parfait, me préserver de cela !
Qu'à toutes mes erreurs il accorde son pardon
qu'Il guide tous ceux qui me sont chers
et leur inculque la connaissance des vérités !

Qu'Il fasse de moi un homme éclairé[30]
et qui, pour tout faux pas, soit absous,
à qui fut accordée la grâce de suivre le Maître-de-Majesté
et qui s'est ceint les reins pour ériger les Traditions !

Que je meure irréprochable pour ce qui est de la loi religieuse
et à toute hérésie ayant tourné le dos,
présentant belle et plaisante apparence,
en homme qui n'entacha ses actes d'aucune turpitude !

Que je sois croyant sincère autant que le fut le Véridique[31]
et juste autant que le fut le Différenciateur[32]
et j'invoquerai le Seigneur comme l'Être accompli,
contre la multitude des supplices !

---

[30] Textuellement « une personne guidée » c'est-à-dire « qui suive la bonne voie ».

[31] Épithète désignant traditionnellement Abou-Bakr, le premier compagnon du Prophète et premier calife.

[32] Épithète désignant traditionnellement Omar, le deuxième calife, sous la direction duquel prirent naissance les institutions qui régirent plus tard l'État. Il est ainsi qualifié parce que, sachant « distinguer le bien du mal », il put établir les règles, la législation conforme à la tradition instaurée par le Prophète.

Muhammadu Abdullaay Su'aadu

Rahiigun mi yarda ibriiqu   69
mi fooccoo dow namaariiqu
mi innee gaaɓɗo maasuuqu
mi hoɗa dow toownde soorooji !

Miin e reworɓe am kala fuu   70
wo noon taaliiɓe[ac] am kala fuu
yo Joomam danndanam kala fuu
ti horma ceniiɗo miilooji !

Mi nyaayà mi juuroyoo tokaram   71
mi yeewta mi haalta gunndo amam
mi wirfa mi naata sooro amam
mi bewnya mi uura uurdiiji !

Wo Huuru-l-ayni yeewtata kam   72
jokolɓe labaaɓe ngara mbata kam
ɓe ndu'anoo kam ɓe kuljina kam
ti nanngal maɓɓe wirdiiji !

Yo Joomam muuyɗo binndal ɗum   73
yo hoddir kaaltidingol ɗum
keɓen ko ndaari duu dow ɗum
koɗen ilnen e calaluuji[ad]!

Salaatu-llaahi duumiiɗo   74
ma'an e salaamu poocciiɗo
yo duumo e gaaɓɗo koohniiɗo
ko hoohnaa fuu zinaanuuji !

Var. :

69. (3) mi noddee gaaɓɗo ma'suuqu
70. (2) wo non taaliɓɓe ...
71. (2) mi yawta...
73. (1) ... binndal mum   (2) ... kaltidingol min
    (3) ... dow men   (4) koɗen ilnin ne ...

[ac] *taaliiɓe : taaliɓɓe (< *taalibɓe).*
[ad] *calaluuji : calluuji, calluudi.*
[ae] Dans ces derniers vers, plus encore que dans l'ensemble du poème, le poète mêle langue arabe et langue peule.

288

De nectar, en une théière, m'abreuverai[33],
sur un coussin m'allongerai !
On me donnera nom de bienheureux et bien-aimé
et j'aurai logis au faîte des palais[34] !

Moi et tous mes proches
ainsi que tous mes élèves
puisse mon Maître me les préserver tous
par la grâce de celui dont pures sont les pensées !

D'un pas glorieux, je me rendrai auprès de mon homonyme
avec lui converserai, aurai intime entretien
puis m'en retournerai et entrerai en mon palais,
j'embaumerai, fleurant bon les parfums !

Des Houris[35] me tiendront compagnie
de splendides éphèbes viendront m'entourer
m'adressant bénédictions et félicitations[36]
pour leur prise des *wirds*[37].

Puisse mon Maître qui a voulu que tout cela soit écrit
fixer en son destin qu'ensemble on en confère
et que nous y gagnions encore un avantage accru,
que nous nous installions et le fassions couler en ruisseaux !

La bénédiction du Dieu Éternel
et avec elle, la paix du Juste
soient éternellement sur le Privilégié à qui fut donnée préséance
sur tout ce qui en fut doté, aux paradis !

---

[33] Avec cette évocation du séjour paradisiaque espéré, le poète poursuit en fait la liste de ses souhaits commencée avec le *Yo Joomam Moyyo danndam e ɗum* du vers 65. Pour plus de légèreté nous passons dans la traduction à une description de la situation au futur bien qu'il s'agisse toujours de la supplique adressée à Dieu.

[34] Il s'agit en fait de simples maisons en banco comportant un ou deux étages, mais qui, dans le contexte villageois habituel, sont considérées comme signes de grande richesse ou de pouvoir politique.

[35] Textuellement « des créatures aux beaux yeux ».

[36] Le verbe employé signifie « crier '*kuuluja* !' », exclamation équivalant à « bravo ! », que l'on pousse pour traduire sa satisfaction en accueillant ou en félicitant quelqu'un ; d'où le sens de « faire bon accueil, faire fête à quelqu'un ».

[37] Ce terme qui, étymologiquement, désigne le « fait d'aller à l'aiguade », traduit l'initiation à l'approche de Dieu, obtenue par la pratique du *ɗikr*, récitation assidue, un nombre déterminé de fois et suivant un rituel précis, d'une prière spéciale (formules et versets du Coran). Chaque confrérie a son *wird* qui est conféré par le Cheikh aux adeptes lorsqu'ils ont atteint le degré de connaissances adéquat, dans les étapes de la vie mystique.

Wa aali summa ashaabi   75
wa azwaaji wa attaraabi
raneeɓe seniiɓe anyaabi
huɗiiɓe e golle tuuyooji !

Wa awlaadi wa atbaa'i   76
wa ahbaabi wa ašyaa'i
wa noon kala jumla xusaa'u
e kala ɗowtiiɓe lamruuji[ae]!

Var. :

76. (2) wa ahbabaabi wa ašiyaa'i

290

[Salut et paix soient] aussi sur la famille et les compagnons
les époux et les amis,
les gens aux dents blanches et pures[38]
qui se sont interdit d'agir suivant les passions !

Et encore sur les enfants et les disciples
les amis et les partisans
ainsi que sur l'ensemble des humbles
et sur tous ceux qui obéissent aux commandements.

---

[38] Ce vers est quelque peu insolite. Le terme *anyaabi* est une citation de l'arabe et peut correspondre
soit à « canines » soit à « chefs de tribu ». Les « gens à la bouche noire » étant parfois cités au
nombre de ceux qui sont promis à l'enfer, nous avons choisi cette traduction, en tenant compte aussi
de l'avis des auditeurs.

POÈME IV

IV

Mi yettan Tagoowo   1
Kanyum woni baroowo
wo noon guurtinoowo !
Nanee kam hagiiga[a] !

Mi juulan e gaaɓɗo   2
ceniiɗo cuɓaaɗo
ilaa-llaahi jahɗo !
Kunee ɗum hagiiga !

Mi faandiima yimre   3
nde laatoo safaare
e kala mawɗo-hoore
ti nanngol hagiiga !

Ndewon haala Alla   4
ɗalon suuyde Alla
kulon lette Alla
fa njokkon hagiiga !

Ɗalon hoomtitaade   5
ɗalon faandoyaade
ɗalon yeeboyaade
e dewgol hagiiga !

Ɗalon nanndi ngoonga   6
ndewon raaya ngoonga
ɗalon suuɗde ngoonga
fa njokkon hagiiga !

Var. :

3. (4) ti nangol...
4. (1 et 2) ... Allaah
   (3) kulon lepte Allaah
6. (2) ... ghaaya...
   (4) fa njiiton...

---

[a] *hagiiga* : prononciation dialectale propre au *pulaar*. Au Mali on prononce *hakiika*.

IV

Je dois rendre grâce au Créateur
Il est Celui qui donne la mort
comme aussi Celui qui redonne vie !
Entendez-moi, en vérité !

J'invoquerai en ma prière le Privilégié
le pur, l'élu,
qui vers Dieu dirige ses pas.
Jurez que c'est vérité !

Mon but est un poème
qui puisse être un remède
pour tout homme d'orgueil
par l'appréhension de la vérité !

Obéissez à la parole de Dieu
défaites-vous de toute audace devant Dieu
redoutez les châtiments de Dieu
pour suivre la voie de la vérité !

Défaites-vous de toute suffisance
défaites-vous de toute velléité
défaites-vous de toute négligence
dans la dévotion à la vérité !

Défaites-vous de ce qui n'est qu'apparence de vérité
et suivez l'étendard de la vérité !
Cessez de dissimuler la vérité
pour suivre la voie de la vérité !

Njehon yaadu ngoonga 7
fa nanndon e ngoonga
nde ndarnon no ngoonga
fa ndu'non hagiiga !

Ɗalon wemmbilaade 8
ɗalon himmoyeede
ɗalon surritaade
fa anndon hagiiga !

Ɗalon yidɗe dunyaa 9
e bonngol ndu fodoyaa
fa ndeerɗon to fa'oyaa[b]
nde kuuron hagiiga !

Ndu wumnooru becce 10
ndu wurjooru cayƴe
ndu tookaandu ŋacce
ndu waldaa e hagiiga !

Ndu timmooru gilli 11
ndu wemmbooru cuuli
ndu woynooru coyli[c]
ndu wumnan hagiiga !

Ndu tuufooru kalaŋe[d] 12
e tule faa e koloŋe
ndu nanngiindu sanne
ndu suuɗan hagiiga !

Var. :

7. (1) Njahon...
   (4) fa nduŋnoo...
8. (1)... wimbilaade...
9. (4) nde kuwron. (*i. e.* kuuwron)
11. (2) ndu wimbooru...

---

[b] Une autre interprétation a été fournie : *fa nder ɗum tefoyaa*
[c] Interprétation instable : soit *woynooru colli*, soit *ooynooru cooyle*.
[d] Terme emprunté au bambara.

Engagez-vous sur la voie de la vérité
pour être conformes à la vérité,
lors, vous érigerez la vérité
pour donner droit à la vérité !

Cessez votre errance incertaine
ne vous laissez plus absorber par vos passions
et abandonnez l'impudeur
pour connaître la vérité !

Renoncez à l'amour pour ce monde
au mal par le destin voué
pour de tout votre être aspirer au monde futur[1]
en œuvrant selon la vérité !

Ce monde qui rend les cœurs aveugles[2]
qui ruine les cités
qui n'est que dards empoisonnés
ne peut aller de pair avec la vérité !

Lui qui dans les vers trouve sa fin,
qui jette les chacals dans l'errance
qui fait pleurer les oiseaux[3]
rend aveugle à la vérité !

Lui qui tend des pièges
sur dunes sableuses et terres arides
et s'y fait prendre souvent
occulte la vérité !

---

[1] Textuellement « là où l'on doit se diriger ».

[2] Nous traduisons par des relatives ce qui, en peul, correspond à des noms d'agents (aveugleur de cœurs, ruineur de cités...), bien plus parlants dans la caractérisation de ce monde.

[3] Vers incertain : une autre interprétation tout aussi insatisfaisante serait « qui brise brutalement les buissons ».

Ndu bonnooru moyƴum   13
ndu luumnooru uurɗum
ndu kollooru koyɗum
ndu fahnoo hagiiga !

Ndu duumiindu mbaayndam   14
ndu soobiindu huunyam
ndu tannyiindu faandam
ndu naawan hagiiga !

Ndu wemmbooru mawɓe   15
ndu hoomtan sukaaɓe
ndu tuuynooru rewɓe
ndu woornan hagiiga !

Ndu taadii ndu semta   16
ndu hokkan[e] ndu teeta
du taadan ndu taarta
ndu jammboo hagiiga !

Ndu huunan tagaaɗo   17
ko tikkinta Tagɗo
ndu seennan Nulaaɗo
a woorii hagiiga !

Ndu hulnooru dokke   18
walaa wondo bakke
ndu wurtooru takke[f]
ndu fennan hagiiga !

Var. :

13. (3) ndu gollooru...
    (4) ndu faahno...
14. (1)... mbayɗam
    (2)... hunyam
15. (1) Ndu wimbooru...

---

[e] *hokkan, taadan* : grammaticalement, *hokka, taada* ; mais le récitant nasalise les finales du verbe en raison du mot suivant (*ndu*) et pour des raisons métriques.
[f] Le monde est trompeur, puisque « il revient sur le contrat passé avec les fauves qui s'imaginent que les morts leur sont destinés ».

Lui qui corrompt le bien
qui rend puant ce qui embaume
qui ne montre que futiles chimères
se fait sourd à la vérité !

Lui dont permanente est l'indigence
obstinée l'indocilité,
et pervers les desseins
fait souffrir la vérité !

Lui qui égare les hommes mûrs
il leurre aussi les jeunes
lui qui met concupiscence en les femmes
il dévie de la vérité !

Il s'est vêtu et il connaît la honte
il donne et il reprend
il vêt et il dévêt[4],
il trahit la vérité !

Il incite la créature à faire
ce qui courrouce le Créateur
et il prendra à témoin l'Envoyé
que tu as dévié de la vérité !

Lui qui fait redouter de donner
autre chose que fonds de marmite
lui qui déçoit les bêtes sauvages[5]
taxe de mensonge la vérité !

---

[4] C'est-à-dire « il apporte la gloire puis il humilie ». Tout ce vers veut dénoncer les vicissitudes de la vie humaine ici-bas.
[5] Ce vers est ainsi glosé : il fait allusion aux cadavres qui, abandonnés à la terre, pourraient faire croire aux fauves qu'ils leur sont offerts, alors qu'on les enterre pour les leur soustraire.

Ndu yamirooru bonnde   19
ndu juhrooru mawnde[g]
ndu wumnooru annde
fa ɗuurtoo hagiiga !

Ndu welnooru koomti   20
ndu hannooru saate
ndu duumiindu metti
mbiyaa ɗum hagiiga !

Ndu haayniindu haaynde   21
ndu eggan hoɗorde
ndu wumnan fa'aande
njaɓon ɗum hagiiga !

Ndu naawalla yoomre   22
mo heɓataa safaare
ndu nooneeji lorre
ndu yeemnan hagiiga !

Wo ɗum suudu hoyndu   23
ndu haar so ndu dolndu
ndu hem so ndu waayndu
ndu muranee hagiiga !

Nanee ɗum ko kaal-mi   24
nde pahmon ko pahm-mi
ɗalon sikke mbii-mi
ndewon pay hagiiga !

Var. :

20. (2) ndu hahnooru... (*i. e.* haɗnooru)
21. (3) ... fa'aade
    (4) njaɓaa...
22. (3) ... lohre
22. (1) Wo non...
    (2) ndu horsu ndu dolndu
    (3) ndu henso ndu waayndu
    (4) ndu muranii...
24. (3) ɗalen ...

─────────────────────

[g] Textuellement « le grand (mal) », c'est-à-dire la mort.

Lui qui prescrit de faire le mal
et qui, avec la Grande[6], prend au dépourvu
lui qui obscurcit les savoirs
va jusqu'à tourner le dos à la vérité !

Lui qui rend plaisantes les vanités
mais amère l'heure fatale
lui qui n'est que peines perpétuelles,
dirais-tu cela vérité !

Il porte en lui un étonnant mystère :
il quitte un lieu de séjour
et occulte le but du voyage,
tenez cela pour vérité !

Lui dont le viatique est souffrance[7]
contre laquelle n'est nul remède
lui qui n'est que lacunes de toutes sortes
incite à négliger la vérité !

C'est bien là demeure sans valeur :
qu'il se rassasie et il est affamé
qu'il soit nanti et il est démuni,
il est resté sourd à la vérité !

Entendez cela à travers mon propos
et, lors, comprenez ce que j'ai compris !
Cessez de douter, vous dis-je,
et ne suivez que la vérité !

---

[6] C'est à dire « la mort ».

[7] Deux interprétations sont possibles selon que le terme peul est *yomre* ou *yoomre* la métrique ne permettant pas de départager les deux hypothèses aussi valables l'une que l'autre du point de vue du sens : si l'on penche pour *yomre* le sens du vers serait alors « lui dont la souffrance est le prix à payer ».

Muhammadu Abdullaay Su'aadu

Wo sikkeeji keewɗi   25
e nanndiiji mawɗi
e hukumuuji bumɗi
ɗi ngaldaa e hagiiga !

Mi yiitii hagiiga   26
o huuran hagiiga
mo majjii hagiiga
faloo nder hagiiga !

Mi hunoriima wonkam   27
wo noon baawɗe Joomam
wo ɗum Laamɗo yeɗi kam
mi yaltina hagiiga !

Nanam belɗo-hoore   28
wati a waɗɗo poore
nde ɗum ronne wemre
e duhngol[h] hagiiga !

Nanon ɗum njaɓon na   29
fa kuuron ndaɗon na
njeɗoye-ɗon na sanne
e faydam hagiiga !

Dalon becce nyawɗe   30
ɗalon jiile bumɗe
ɗalon annde puuyɗe
ndewon Joom-hagiiga !

Dalon haala yimɓe   31
fa nyeemton nulaaɓe
wo ɓe ngoni wanyaaɓe
nde njiinoo hagiiga !

Var. :

26. (2) o huuri
28. (2) Pati a watto porre   (4) e dumnol…
29. (1, 2) … no   (3) njeɗeeɗon no

---

[h] *duhngol* pour *duŋngol.*

Ce ne sont que doutes multiples
grandes fausses apparences
et savoirs aveugles
qui ne vont pas de pair avec la vérité !

Qui a rencontré la vérité
œuvrera selon la vérité,
qui a ignoré la vérité
fait obstacle à la vérité !

J'en fais serment, par ma vie,
tels sont les pouvoirs de mon Maître :
ce que le Seigneur m'a donné en partage
c'est de révéler la vérité !

Entends-moi, homme favorisé du sort :
ne prends pas pour monture les valeurs d'ici-bas[8]
de peur d'en hériter égarement
et délaissement de la vérité !

Oyez cela et l'admettez
afin d'œuvrer en conséquence et gagner le salut
et vous serez à foison gratifiés
des grâces de la vérité !

Abandonnez cœurs infirmes
regards aveugles
savoirs inutiles
et obéissez au Maître-de-la-Vérité !

Abandonnez le discours humain
pour prendre modèle sur les prophètes
eux qui furent gens traités en ennemis
alors qu'ils avaient vu la vérité !

---

[8] Nous traduisons par « valeurs d'ici bas » le terme peul *poore* (sg. *foore*, issu du français « fort ») qui, ici, connote l'idée de « force, influence » mais aussi de « mesquineries » et renvoie aux paradoxes qui triomphent ici-bas comme en témoigne tout le poème.

Ɓe mbiiraama kaaŋɗi 32
e haalaaji bonɗi
ɓe pennaama koyɗi
e dow ɗum hagiiga !

Ɓe nyeeɓaama sanne 33
ɓe pennaama sanne
ɓe torlaama sanne
e jiigol hagiiga !

So ɓe nii mbi'aama 34
enen duu mbi'eema
sabu be konnoraama
jamirgol hagiiga !

Ɓe njaabii jawaabu 35
mo wooraa sawaabu
mo ronnaa tabaabu
ti-haggan hagiiga !

Mo jokkii e ngoonga 36
heɓan fayda ngoonga
mo honniima ngoonga
o halkoo hagiiga !

Mi juulii e Ɓurɗo 37
jiɗaaɗo to Laamɗo
dewal sikke kaɗɗo
nde ɓanngini hagiiga !

Var. :

32. (1) ... kaaɗi
33. (3) ɓe torraama...
35. (4) ti-haqqan...

Ils ont été taxés de déraison,
accusés de propos nocifs
et l'on taxa leurs songes de mensonges
en dépit de ce qu'ils avaient de vérité !

Ils ont été amplement dépréciés
amplement démentis,
amplement persécutés
pour leur vision de la vérité !

Si eux furent ainsi traités,
nous aussi le serons sûrement
car s'ils ont été en butte à la haine
ce fut pour avoir prescrit la vérité !

Ils ont apporté une réponse
juste et droite
entachée d'aucune faille[9]
puisqu'elle est vérité absolue !

Qui a suivi la voie de la vérité
tirera bénéfice de la vérité,
qui s'est fait ennemi de la vérité
ira à sa perte, en vérité !

J'invoque en ma prière le Meilleur
le bien-aimé du Seigneur
qui interdit de suivre le doute
puisqu'il a révélé la vérité !

---

[9] Textuellement « que l'on n'a pas fait hériter d'une faiblesse ».

POÈME V

V

Mi yettii ma rabba-s-samaa wa-s-saraa 1
Tagoyɗo tageefuu kamaazaa taraa.

Mi juulan e Ahmada xayri-l-waraa 2
imaama-n-nabiyyi nanaa tannyoraa.

Nanam gaa deworɗo faa mbaajito-ɗaa 3
nanaa nanɗe ngoonga ndewaa kuutiraa.

Mi waajiima hooram e kala lobbo fuu 4
kulol Laamɗo ɗum golle men tuugiraa.

Ɗalon suudu dunyaa ndu hoomtooru on 5
ndewon sunna Ahmada on faydora.

Nde taskiti-ɗaa baawɗe Jom-maŋngu fuu 6
a anndan O Gooto bilaa tookaraa.

Ngaɗaa ibra maaɗa e sinfuuji fuu 7
keɓaa waazu ndeen omtoya naaziraa.

Njiyaa meere wattaa nden huunde keɓaa 8
daliili O Goonnoowo ɗum suŋliraa

Dewal Gooto Baawɗo Tagoyɗo kala 9
nde arzige fuu haltaraa munkiraa.

Njiyaa yimɓe ɓee micco-ɗaa gooto fuu 10
wo nuɗfu taga gollugol qaadira.

Nde waŋlitoyaa huyre ẏiiẏam nanam 11
nde waŋlitoyaa huyre teew tannyoraa.

Nde waŋlitoyaa ẏi'e nan haaynde hey ! 12
nde ɗaɗi tiinniraa teew bilaa baatara.

Var. :

4. (2) ... tuugoraa
10. (2) wo luɗfu...
11. (1 et 2) Nde waylitoyaa...
12. (1) Nden waŋlita ẏiiẏam...   (2) ɗo ɗaɗi...

V[1]

Je te rends grâce, Seigneur du ciel et de la terre
qui créas la création entière, comme on l'a vu.

J'invoque en ma prière Ahmad le meilleur du genre humain,
le guide des prophètes ! Entends et sois convaincu !

Entends-moi ici, frère, et exhorte-toi au bien,
prête oreille sincère à la vérité et en tes actes la suis fidèlement !

Je m'y suis moi-même exhorté ainsi que tout homme de bien.
La crainte du Seigneur, tel est le fondement de nos actes.

Délaissez le séjour d'ici-bas qui, de vains plaisirs, vous leurre
et suivez la Tradition d'Ahmad, vous en aurez bénéfice.

Si tu considères les pouvoirs du Maître-de-Majesté
tu sauras qu'il est l'Unique et sans équivalent[2].

Accorde toute ton attention à la diversité de son œuvre
et tu en auras alors, grâce au prône, les yeux dessillés !

Tu vois bien que rien n'en peut faire de telle et tu auras
la preuve qu'Il en est l'artisan, et plus d'autre souci

que la dévotion à l'Unique, le Puissant, Créateur de toute chose
alors que toute richesse, vois-tu, est chose désapprouvée.

Vois les humains et songe que chacun d'eux
fut à l'origine une gouttelette, mais œuvre du Tout-Puissant !

Elle prit forme d'un caillot de sang – entends-moi ! –
puis d'une boulette de chair – tu le sais bien ! –

puis se sont formés des os – entends donc ce prodige ! –
et des nerfs solidement fixés à la chair, sans nul défaut.

---

[1] Poème composé à Dafo, avant la bataille de Hamdallâye.
[2] Textuellement « sans homonyme ».

Nde juuɗe tagaa summa koyɗe ɗiɗi   13
e kala mafsuluuji wo non cenndiraa.

Nde gite omtoyaa noppi duu ndooɓoyaa   14
e hunnduko non kine duu coorniraa.

Daɗooji e tiimooji ndeen noonoyaa   15
wahaalooji cinndondiraa naŋtiraa.

Nde konndondol e duburu feewtondiraa   16
wo loowde e yaltinde fondondiraa.

Heyⁱima Tagoowo to daygu rahimi   17
e luɗfuuji muuɗum tagaangel maraa.

Nde lebbiiji maa timmunoo haddi mum   18
o yirwina l-arhaam fa njaltaa njaraa

Njaram suudu dunyaa e nyaamriiji mum.   19
mboyee garɗo bonngol wo ɗum waawniraa !

Woyi hoore mum gilla kam doyⁿⁿanoo   20
sugullaaji mawɗi duna[a] anndiraa.

Nde Jawaadu tiirtini kosam yaaya maa   21
njaɓaa muynoraa ɗomɗitaa paltoraa.

Fa yⁿoyⁿ-ɗaa njanoy-ɗaa e geddiiji fuu   22
jaka a yejjitii baawɗe Rabba-l-waraa !

Biliisaa e Sayɗaana ngara koomtu maa   23
e dunyaa e nafsi hawaa non wara.

Var. :

18. (2) mo yirwini…
19. (2)… guurɗo… ɗum wonnira.
21. (2) jaɓaa muynoyaa…
22. (1) Fa yⁿoyⁿaa…
    (2) … a yeggitii…

———————————————

[a] *duna : aduna (dunyaa).*

Puis furent créés des bras et ensuite deux jambes
et chacune des articulations qui les partagent.

Puis les yeux sont dégagés et les oreilles à leur tour ébauchées
et bouche et narines placées au-dessous.

Veines et sourcils bientôt se sont dessinés,
maxillaires ont été fixés, les uns aux autres retenus.

Puis gorge et anus se trouvent symétriquement placés,
l'un à l'ingestion, l'autre à l'excrétion bien adaptés.

Il a suffi au Créateur du réduit d'un utérus
pour que, grâce à sa bonté, l'on ait un petit être.

Et, les mois de gestation enfin arrivés à leur terme,
il dilate la matrice pour que tu sortes et t'abreuves

de la boisson du monde d'ici-bas et de ses aliments.
Pleurez sur le nouveau venu, c'est pour le malheur qu'il a été tiré de son
[abri !
Il pleure sur lui-même sitôt brutalement mis au monde[3]
c'est dans grandes peines que l'on prend connaissance de ce monde !

Quand le Généreux a fait sourdre le lait du sein de ta mère
tu le reçois, en têtes, étanches ta soif et en es repu.

Ton intelligence bientôt s'éveille et c'est pour tomber dans tous les
    actes d'opposition !
Las ! tu as tôt fait d'oublier les pouvoirs du Maître-du-genre-humain !

Iblis et Satan accourant t'ont séduit de leurs leurres :
avec ce bas monde, en l'âme survient la passion.

---

[3] Le verbe qui termine le vers précédent (textuellement « être dégainé, tiré de son fourreau ») et celui-ci (« se laisser choir de tout son poids ») sont particulièrement évocateurs.

311

Mbiyaa nyaaɗa-hoore ibun sa'adi fuu   24
e woy see[b] rewii yo jaka a Bammbara !

Malaa'ika'en Laamɗo ngara ceedoo maa   25
gila ko miili-ɗaa 6ernde maa mbinndora.

Njalaa coyɣitaa jalngo maa jal bone !   26
Ko njalataa a maayoowo hey nguftoraa !

Ko falataako daɗataako non woortataa   27
juhan faɗɗa hela daande wira nder saraa.

Fati a mimsu mimse ɗo mimse nafaa   28
nde gite ndullini kunndugel wartiraa.

Rewor6eeje maa ngulla faa pol6itoo   29
wo ɗum muuyɗe Bajjo li-kawni jaraa.

Be kenyanoo kasanke e lootoowo fuu   30
a 6ooraama comcol ɗo gooto suraa.

Be ngaddoy 6oggel 6e pondoy e maa   31
6e pondoy e qabru fa fota fondiraa.

Be ndoondoyiima leggel duɗel joorungel   32
6e ngaddi e gayngel ɗo gooto heraa.

Be ngartiri leydi e dow terɗe am   33
sakiikam waraa yumma am duu waraa.

Var. :

24. (2) e woy seere wii ma jaka...
25. (1) ... ceedoyoo   (2) ... miilno-ɗaa 6ernde mon winndoraa...
27. (1) ... woorataa.
28. (2) ... kunndugal.
30. (1) ... lootoo6e fuu   (2) a 6ortaama comci...
32. (1) Be ndonndoy ma leggal dudal joorungal   (2) 6e ngattoy...
33. (2) saqiiqam...

---

[b] *see : si a...*

Tu prends un malchanceux pour doté de toutes les félicités !
Malheur ! Si tu as suivi cette voie, c'est que, las ! tu es un païen[4] !

Des anges du Seigneur arrivent pour être des témoins
et même ce qu'en ton cœur tu penses, ils l'inscriront.

Tu t'en moques ! Refoule donc ton rire, rire de malheur !
Ce dont tu ris... tu es voué à la mort, alors tu devrais t'en garder !

Ce à quoi il n'est ni obstacle ni échappatoire et qui ne manque jamais
    son but
viendra par surprise faucher, briser le cou et mettre en terre.

N'attends pas pour te repentir l'heure où le repentir ne sert plus de rien
quand déjà les yeux sont fixes et la pauvre bouche renfoncée.

Tes proches se lamentent, se frappant de leurs paumes,
mais telle est la volonté de l'Unique afin que s'accomplisse l'existence.

Ils s'empressent de chercher linceul et laveur
et te voilà, dépouillé de tes linges, là où nul ne te protège.

Ils ont apporté une cordelette pour prendre tes mesures
et sont allés mesurer la tombe pour la mettre à ta mesure.

Ils t'ont chargé sur un triste brancard de bois secs
et t'ont porté au trou sinistre que nul ne peut quitter.

Ils ont ramené de la terre sur mon corps[5]
mes germains non plus que ma mère ne sont venus.

---

[4] Textuellement « un Bambara ».
[5] À partir de ce vers, le poète, passe de la deuxième à la première personne pour se mettre en scène, transporté qu'il est par l'évocation de son passage en l'autre monde.

Worooroy e maayde e kulaluuji mum !   34
Ɗo baaba waraa genndiraaɗo waraa.

Ɗo ɓiɗɗo waraa denndiraaɗo waraa   35
giyam duu waraa kaaldeteeɗam waraa

Ɓe mbirfi ɓe kenyani donal jawdi am   36
ɓamon jawdi baalɗe ndewaa kam ngaraa.

Nelaaɓe yakawɓe nelaa faade am   37
ɓe seekooɓe leydi nde nguftoo ngura.

Ɓe ɗiɗon lamndotooɓe kala ko gollanoo   38
Nakiiri e Munkari ɗum anndiraa.

Eɓe e ɓoole njamndi ɗe cifataako fes   39
nde wootere hen yalti halkan waraa.

Ɓe ngartiri wonki e nder terɗe am   40
ɓe ngufi kam fa ndimmbii-mi fa wemmboraa.

Ɓe lamndii ko ardii-mi nder ngaska am   41
tayor-mi reworɓam mi yaataa ngaraa.

Wo niɓe nder yanaande e ɓillaare mum   42
e bolle e ɓuɓɗiiji ŋata kam miira.

Mi fowloo mi yanta mi taya dimme am   43
mi wulloo mi woytoo mi tawa kankaraa.

Mi waltoo ɓe ngufa kam ɓe peekoo e am   44
ɓe mbiya kam : « Mo woni Jooma yaa bun-as-saraa ? »

Mi oona simtiraandu ɓe mbiya kam : « Hono ? »   45
Wahaalooji am ndeenta kantankaraa.

Var. :

37. (1) ... nelee faade am
    (2) ... nguppo...
39. (1) Eɗe ɓoole...
41. (1) ... artin-mi nder gayka
    (2) ... reworɓe...

Las ! Quelle tristesse que la mort et ses terreurs !
Là, père non plus qu'épouse ne sont venus.

Là, ni enfant ni cousin ne sont venus
non plus que mon ami ni mon compagnon de causeries.

Ils s'en sont retournés, pressés d'hériter de mes biens.
Vous en jouirez quelques jours, mais tu me suivras bientôt.

Des messagers diligents ont été dépêchés auprès de moi
ils fendent la terre, lançant menaces et sarcasmes!

Ce sont les deux chargés d'interroger chacun sur ses actes
Nakîr et Mounkar sont connus pour cela !

Ils ont gourdins de fer absolument indescriptibles :
qu'un seul apparaisse et c'est la mort de l'homme !

Ils ont rappelé l'âme en mon corps
et m'ont si fort morigéné que j'en demeurai tremblant, hébété.

Ils me demandent quel train d'actions j'ai mené dans ma fosse
j'en ai certitude, mes proches : ni n'en partirai ni ne viendrez.

Ce sont ténèbres dans la tombe et étreinte de son exiguité
serpents et vers me mordent, me piquent, grouillant sur moi.

Je me débats, retombe et je perds tout espoir
je pleure, me lamente et ne sais plus que dire.

Je me recouche, ils me menacent avec force cris
me disant : « Qui est ton Maître, ô fils-de-la-Terre ? »

D'une voix geignante j'invoque le nom de Dieu, ils me disent :
    « Comment ? »
Mes mâchoires se resserrent sur un silence absolu.

Be pilloo gufaali e 6al6aali fuu 46
fa 6ura hul6inaade wo ɗum joondoraa.

Mi wiya Bajjo Baawɗo mari taŋre mum 47
Kariimun Rahiimun wo non Gaahiraa.

Wo non annabiijam Abba-Gaasimi 48
wo on kiiɗo nden taŋre fuu hiiniraa[c].

Mi yi'a toon farillaaji parlaadî fuu 49
e sunnaaji kuuwnoo-mi fuu mi limtoraa.

Kalaama-l-ilaahi heyî defteram 50
wo ndeen defte kammuuli fu omtiraa.

Be mbiya kam : « A lee6ii, kulujam e maa ! » 51
Jaka wo innde maa nooti-ɗaa wastoraa.

Be piya rawda am faa to mudda-l-basar 52
6e ndaɗɗan hariire 6e mbiya kam foraa[d].

Be mbiya moptilaaje ɗiɗî yo ngaddoyee : 53
« Gore nanngu ɗee ɗiɗî fuu pooyniraa ! »

Be omtan damal faa to giteeji too 54
6e mbiya : « Sooyna yiite, kulaa kamdiraa ! »

Mi wiya : « Bajjo, dokkal wanaa hodde maa 55
munyoowo ko tiiɗî nde rewa newniraa. »

Var. :

46. (2) ... jooɗora.
49. (1) Mi yeeytoo farillaaji parraadî fuu
    (2) sunnaaji kuwnoo-mi fu limtoraa.
54. (1) ... to giteeji nden.
55. (1) ... hodde mum
    (2) ... newnora.

---

[c] *kiiɗo : kisɗo ; hiiniraa : hisniraa.*
[d] *foraa : on attendrait « forta ».*

Ils reprennent de plus belle toutes leurs menaces furieuses
pour être encore plus terrifiants : voilà à quoi s'attendre !

Je dis que c'est à l'Unique, au Puissant qu'appartient sa création
au Généreux, au Miséricordieux et aussi Victorieux

Et encore que mon Prophète, Père-de-Qâssim[6],
est bien le Sauvé, à qui toute la création doit son salut.

Et je vois là-bas que tous les devoirs prescrits
et tous les actes religieux que j'ai accomplis me sont dénombrés.

La parole divine m'est, pour livre, suffisante
tandis que sont alors ouverts tous les livres célestes.

Ils me disent : « Tu es un homme de bien, félicitations !
vraiment c'est ton nom auquel tu as répondu qui est glorifié. »

Ils heurtent mon tombeau et jusqu'à perte de vue
ils déploieront un tapis de soie, m'invitant à m'y étendre.

Ils disent : « Que l'on apporte deux lampes !
Camarade, prends-les toutes deux pour t'en éclairer ! »

Ils ouvriront la porte qui donne sur les Brasiers
disant : « Vois là-bas le Feu et, plein de crainte, remercie Dieu ! »

Je dis : « Unique, la générosité ne t'est pas chose étrangère
toi, le Patient par qui sont toujours aplanies les difficultés. »

---

[6] Nom du fils aîné de Mouhammad et de Khadidia.

Be mbiya kam : « So aɗa yiɗi, hoon^e suudu maa !   56
— Mi mooloo e kootol illaa laaxiraa. »

Be omtan damal faa to Firdawsi too   57
ɓe mbiya : « Sooyna neemaaji kasen kamdiraa ! »

Mi wiya nduyngu ruyi faa mi heɓa naadde^f law !   58
Be mbiya : « Uurna misku ndewaa ŋoŋoraa. »

Mi fooccoo mi ɗaanoo mi hulataa kasen   59
ɓe kalfinoo ridwana wonkam duraa.

Tagoore nde wuurtii mi immoo e law   60
mi ooynoo reworɓam giɗam fuu wara.

Be mooɓtoo mi ardoo mi fa'a Seeku am   61
nji'en mbuuldi hoore hisan hiinoraa.

Ndi ardoo ndi dajja ndi hoonoo kala   62
njehen faa to Gaaɓɗo o wiya kam : « Dara ! »

Jokolɓe suɓaaɓe cofoo faade am   63
o yottoo o duŋna o wiya kam : « Ngaraa ! »

Mi huya fa mi sappa mi yima Seeku am   64
o nyifi kam e ndee ɓernde fu munkiraa.

Mi yettoo mi juuroo mo min cannira   65
o wiya annabaaɓe : « Njiyee tookaraa^g ! »

Var. :

58. (1) ...ruy faa mi danya...
59. (2) mi halfina...
60. (1) Tageefu...
61. (1) Be mooptoo mi arɗo... seyku am.
62. (2) ... faa e gaaɓɗo...
63. (2) mi yettoo mo dunna mo wiya kam dara.

---

^e *hoon : hootu.*
^f *naadde : naatude.*
^g *tookara* : ce terme emprunté aux langues mandé se rencontre sous la forme *tokora* et *tokara*.

Ils me disent : « Si tu veux, retourne chez toi !
— Je n'ai d'autre refuge où rentrer que l'autre monde ! »

Ils m'ouvriront la porte qui donne sur le paradis
Ils disent : « Vois là-bas aussi les bienfaits et remercie Dieu ! »

Je dis que vienne la disparition finale[7] pour que j'aie l'heur d'y vite entrer.
Ils disent : « Parfume-toi de musc et puis le sommeil te prendra ! »

Je m'allonge et dors sans plus aucune crainte
car ils ont confié à Ridwan[8] la conduite de mon âme.

Quand vie est redonnée à la création, je me lève aussitôt
j'alerte tous mes proches et tous mes amis accourent.

Ils s'assemblent et, à leur tête, je marche vers mon Cheikh :
voyons le Taureau au front clair[9], qui aura le salut et grâce auquel on se
[l'assure.
Il avance en tête d'un pas majestueux, ayant préséance.
Et nous allons jusque là où le Privilégié me dit : « Arrête-toi ! »

Des jeunes gens d'élite se détachent pour venir à moi.
Parvenu à moi, il[10] donne l'autorisation, me disant : « Viens ! »

Pris d'une joie intense j'exalte[11] et célèbre mon Cheikh :
il a, au fond de mon cœur, éteint toute conduite blâmable.

J'arrive à lui pour une pieuse visite et nous nous saluons
Il dit aux prophètes : « Voyez mon homonyme ! »

---

[7] Le verbe utilisé évoque l'image d'une dispersion par un coup de vent violent balayant tout sur son passage.
[8] Satisfaction : nom de l'Ange gardien du Paradis.
[9] Appliqué à un homme le nom de « taureau » est un qualificatif honorifique traditionnel ; l'adjectif attribué ici au Cheikh désigne précisément un taureau à liste blanche, sans doute par référence au front haut et dégagé du personnage.
[10] « Il » représente ici (comme, plus bas, au vers 65) le Privilégié, c'est-à-dire le prophète Mouhammad et non le Cheikh auquel le poète fait allusion aux vers précédent. et suivant.
[11] Le verbe utilisé fait référence à un geste (index pointé vers le ciel) d'hommage exalté qu'un louangeur fait en saluant et en célébrant une personnalité respectée.

Muhammadu Abdullaay Su'aadu

O wiya : « Marhaban maa e kala fedde maa !   66
Mi ndaardiino Joomam kisaa kiinoraa. »

Liwaa'u nabiyyi ɓamen ardinen   67
coren ɗowdi maggal ilaa Kawsaraa.

Koɗorɗeeje peccee keyen kennyoren   68
wo ɗon saɗɗa fuu njiino-ɗen weddoraa.

Mi nyaagiima Allaahu joom-moyyuki   69
yo wan yimre am al-azal hoddiraa.

Mi juulii cuɓaaɗum e juuldeeje fuu   70
alaa-l-Mustafaa Muxtaar haasiraa.

Var. :

66. (1) ... Marhaban maa kala e fedde maa
    (2) mi ndardi ma ...
67. (1) ... ɓamee ardinee.
68. (1) ... keɓen...

Il dit : « Bienvenue à toi et à toute ta troupe !
C'est moi qui ai cherché auprès de mon Maître ton salut et tu en es assu-
[ré. »

Brandissons l'étendard du Prophète et le portons en tête
et sous son ombre protectrice allons jusqu'au Kaouçar !

Les lieux de séjour sont partagés nous y trouvons large place et toutes
    nos aises
car de là ont été rejetées toutes les difficultés que nous avons connues.

J'implore Dieu, le Maître-de-Bonté :
qu'il fasse que mon poème ait pour destin l'éternité.

J'appelle une bénédiction, choisie entre toutes les bénédictions
sur le Meilleur, l'Élu parmi tous !

POÈME VI

VI

Miɗo yetta Tagɗo tagoore Baawɗo mo ronkataa   1
Sooninke Moyƴo mo nyaago[a] muuɗum waasataa.

Miɗo juula juulde e Gaaɓɗo meeɗen ɓurɗo fuu   2
noddoyɗo yimɓe yo paatu Laamɗo Mo maayataa.

Min mbaadi hamdillaahi summa salaatu[b] oon   3
miɗo yuɓɓa yimre nde dewɗo ɗum fuu tampataa.

Gila suudu dunyaa faa e laaxira tannyoral   4
kuutirɗo yimram[c] ndeen mbiyaa ɗum fuurataa.

Hey ! Yimɓe, anndee Alla annduki annduɓe   5
anndoyɗo Alla ne sa'adi[d] muuɗum hiɗɗataa.

Kala neɗɗo fuu anndoyɗo Alla e manngu mun   6
wumoyan e dunyaa suudu hoyndu ndu teddataa.

Kala neɗɗo fuu anndoyɗo Gaaɓɗo tageefu men   7
taƴoral mo anndan rewde duniyaa naftataa.

Wondaa ko duniyaa rewde ɗum ana faydoree   8
kewtoyɗo kala faydaaji jokka ndu woppataa.

Wondaa ko duniyaa teddinaandu to Laamɗo men   9
julmaaji annaba'en njiɗoyma ndu mbancataa.

Wondaa ko duniyaa ɗaɓɓugol mun faydinan   10
fay miin mi ɗaɓɓa ndu faa mi maaya mi woppataa.

Var. :

3. (1) ... salaati o.
5., 6.(1, 2) ... Allah...
8. (1) Wondo ko duniyaa anndiraandu e faydude.
9. (1) Wondo...   (2) ... annabi'en...

---

[a] *nyaago : nyaagoowo.*
[b] Cet hémistiche est une citation en arabe : *min ba‿di al-ḥamdu lillāhi ṭumma ṣalātu..*
[c] *kuutirɗo yimram : kuuwtirɗo yimre am.*
[d] *sa'adi :* emprunt à l'arabe : *sa‿ādat.*

VI

Je rends grâce au Créateur, Le Tout-Puissant, l'Infaillible
Le Généreux, le Parfait qu'on n'implore pas en vain.

J'appelle la bénédiction sur notre Privilégié, le meilleur de tous
qui appela les hommes sur la voie du Seigneur immortel.

Après avoir rendu grâce à Dieu, puis fait cette prière,
je compose un poème : qui s'y conformera ne connaîtra point la peine.

Dès le monde d'ici-bas et jusqu'en l'autre monde, c'est une certitude :
qui œuvrera suivant mon poème, assurément, ne se fourvoiera point.

Allons, hommes ! Ayez de Dieu la connaissance des doctes !
Qui l'acquerra aura assurément félicité inaltérable.

Toute personne qui connaîtra Dieu et sa Majesté
deviendra aveugle à ce monde, demeure futile et sans valeur.

Toute personne qui connaîtra celui qui de notre création est le Privilégié
sera convaincu qu'obéir à ce monde est sans intérêt aucun.

S'il y avait à suivre ce monde quelque avantage,
qui y jouirait de tous ses avantages s'y attacherait sans plus le lâcher.

Si ce monde avait quelque mérite auprès de notre Seigneur,
l'ensemble des prophètes l'apprécieraient, sans en avoir aversion !

Si la quête de ce monde était de quelque profit,
même moi, je le rechercherais jusqu'à ma mort, sans relâche.

Wondaa ko dunyaa jambataako keɓoyɗo ɗum   11
Balaqiisa duumnoo keɓki faa ɗo o waasataa.

Wondaa ko duniyaa hoomtataano nde majjina[e]   12
mooɓtoyɓe jawle faa kebbinoy ɗe no sankataa.

Wondaa ko dunyaa duumotoondu e seynude   13
seynaaɓe mayru ceyooma faa ɗo ɓe kultataa.

Wondaa ko duniyaa anndiraandu heẏoyde on   14
laamiiɓe mayru ndu haarna ɗum fa ɗo ndoltataa.

Wondaa ko dunyaa neema mun[f] ana duumoyoo   15
hemnooɓe jawle nde mbaasti ɗum ɓee kaanɗataa.

Wondaa ko duniyaa keɓɗo ɗun fuu faydotoo   16
faydiiɓe keewa e mayru faa ko mi limtataa.

Wondaa ko dunyaa ẏonnyataano nde hersina   17
faggiiɓe jawle fa teddi ɓee non cemtataa.

Jawleeje mayru nyaameele mayru ndu himmi on 18
kimmirɗo jawle e nyaamle hersan haarataa.

Ndeereeru mayru e koomti mayru ndu hoomti on 19
faa njejju-ɗon Dokkoowo Baawɗo mo hattataa[g].

Paaton no[h] Laamɗo ɗalon no suudu bonooru nduu 20
kewton no arzike mawɗo dokke mo haaɓataa.

Var. :

12. (2) mooptoyɓe jawle faa hebbinoy ndu ndu sankataa.
14. (2) laamiiɗo…
15. (2 heɓnooɓe…
16. (2) … faa ɗo mi limtataa.
18. (2) … nyaamɗe…
19. (2) … haaɓataa.
20. (2) … dokko mo hattataa.

---

[e] Allongement métrique de la voyelle finale, prononcée *–aa* ; idem v. 17 : *hersina*.
[f] *ɗun* : le poète utilise indiféremment les formes *ɗum/ɗun, mum/mun, muudum/muudun*.
[g] *hattataa* : *haattataa* (< *haaɗ-t-*).
[h] *Paaton no… ɗalon no* etc. : *paaton na… ɗalon na…*

Si ce monde ne trahissait pas celui qui en jouit,
Balaqîssa[1] en eût joui durablement sans jamais en être privée.

Si ce monde n'était pas que trompeuse séduction,
les thésauriseurs accumuleraient des biens sans les dissiper.

Si ce monde devait dispenser une joie durable,
ceux qu'il réjouit en aurait joie totale sans plus aucune crainte.

Si ce monde était notoirement capable de vous satisfaire,
il rassasierait ses souverains jusqu'à éteindre leur faim.

Si les faveurs de ce monde devaient être durables,
ceux qui, fortune faite, redeviennent pauvres, n'en perdraient pas la rai-
                                                            [son.
Si ce monde était, pour qui en jouit, de quelque profit,
si nombreux y seraient les bénéficiaires que je ne saurais les dénombrer.

Si ce monde n'abusait point en provoquant la honte,
ceux qui ont amassé imposante fortune n'en auraient nulle gêne.

Richesses et nourritures terrestres sont votre obsession :
qui est obsédé de richesses et de nourritures connaîtra la honte avant la
                                                            [satiété !
La concupiscence et les plaisirs de ce monde vous ont séduits
au point que vous en avez oublié le Généreux, au pouvoir sans limite.

Prenons la voie du Seigneur, abandonnons cette demeure funeste
et découvrons les ressources du Donateur à l'inlassable prodigalité !

---

[1] Balaqîssa désigne la Reine de Sâba.

Gila pudɗu-ɗon faggaade jawle ko nawri[i] on   21
mbeli 6eydugol ndeereeru mawɗo mo yaltataa.

Kimmon no ɗum kewton no ɗum paaton no ɗum   22
ndeseyon no ɗum ndeston no ɗum kala naftataa.

Mooptoyɗo duniyaa hersoyan mbeli woppa ndu !   23
Hayyoo ! A maayan wooyoyoo[j] ! Hoko mooptataa ?

Kala fuu tagaaɗo nde himmi duniyaa tannyoral   24
naatan e Jaannama yiite wulnge nge 6uu6ataa.

Mooptoowo yooyoo mawɗo koyɗo ko mooptataa   25
hantooma moopturu maaɗa faa ɗo a hemtataa !

Mooptoow.o yooyooyoo a mooptii meere koy !   26
Safiwal a mooptii mooptunoo ko a waawataa !

Mooptoowo yooyooyoo a mooptii majjere[k]   27
wumnoore jiile ɗe moccataake ɗe mbumtataa !

Mooptoowo yooyoo nyannde maayde warii e maa   28
kersaa e moopturu maaɗa hersa ka faydataa !

Mooptaa fa heewa nde faɗɗu ma yo non nyaangiri   29
ngaɗe-ɗaa e gasungel maaɗa nimre nde fooynataa !

Mboppaa ko mooptuno-ɗaa a maayrii murseree   30
ndeen anndataa duniyaa wo koomti ndi ndanndataa !

Var. :

21. (2) ...ndeereeru mawndu ndu yaltataa.
22. (1) ... paaton e ɗum   (2) ... faftataa.
23. (1) ... mbela...   (2) Haaya...
24. (1) ... tannyoraa.
25., 26...(1) Moptoowo...
27. (1) Moptoowo yooyo...   (2) ... moccataako...
28. (1) Moptoowo yooyo nyaande maayde...
29. (2) ... gaygel maaɗa...

---

[i] *nawri : nafri.*
[j] On peut aussi entendre : *waaye yoo* (ami, hélas !)
[k] Allongement métrique de la syllabe finale, comme, au vers 29 : *nyaangirii* et, au vers 30, *murseree.*

Depuis que vous avez fortune amassé, à quoi cela vous a-t-il servi
hormis à accroître une concupiscence immense et jamais assouvie ?

Vous pouvez vous y consacrer, la trouver et y aller tout droit,
la mettre en réserve et l'en reprendre, tout cela sera inutile !

Qui va amasser les biens de ce monde court à sa honte ! Qu'il les laisse
Pour sûr tu mourras, hélas[2] ! Alors qu'as-tu donc à thésauriser ?   [donc !

Toute créature qui n'a de zèle que pour ce monde, c'est chose assurée,
entrera en Enfer, au feu brûlant qui jamais ne fraîchira !

Thésauriseur, hélas ! Vieil homme futile, quoi que tu amasses,
ton trésor s'épuisera au point que tu n'en retrouves plus rien.

Thésauriseur, hélas ! Tu as amassé de misérables riens !
Grand sot, tu as et avais amassé ce sur quoi tu n'as aucun pouvoir !

Thésauriseur, hélas ! Tu as amassé monceau d'ignorance
qui aveugle tant les yeux qu'ils ne pourront être soignés[3] ni recouvrer la
                                                                    [vue.
Thésauriseur, hélas ! Et voilà, un jour, la mort sur toi !
Tu peux avoir honte de ton trésor, cette honte ne te servira de rien !

Tu peux amasser des quantités, elle s'est jetée sur toi comme un fauve :
on te dépose dans ta triste fosse de ténèbres jamais éclairées !

Tu peux abandonner ce que tu avais amassé : tu es mort sans en tirer
    aucun secours !
Lors tu sauras que ce monde n'est qu'illusion, incapable de te sauver.

---

[2] Ou bien : « ô camarade ! », si l'on opte pour la version « *waaye yoo* ».
[3] Le verbe employé évoque une technique de soin particulière : le thérapeute crachote sur l'endroit à
soigner en récitant une formule, puis le frotte légèrement.

Ŋattaa pedeeli fa nyiiƴe kawrita ɓernugol   31
kawroyki maaɗa e howla maayde nde woortataa !

Rewɓeeje maaɗa e jawle maa kala peccoyee   32
ɓikkol na ngiingira hay ko yurmi ko sottataa !

Seylaaɓe maa e reworɓe maa kala cuɲlidii   33
lootoowo noddaa looti terɗe ɗe ndillataa.

Nde kasanke loonnaa liiroyaa fa nde yoorunoo   34
suddaa e maaɗa fa cuumi-ɗaa ɗo a fooftataa.

Ndeen noo ɓe lelnoy maa e sellemmeeje ɗee.   35
Hayyoo ! A waɗɗiima mbaɗɗeteeba ba seynataa !

Doon ɓiɓɓe maa e koreeji maa kala conkinii   36
fa ɓe nduppitii sooynaade jaaɗo mo wartataa.

Doon gennda wulli fa fukkoyii gaɗa leeso mum   37
sabi waayde muuɗum neeminoowo mo dolnataa.

Nyaakol taƴaa suddaa ndanee'u fa ɓolɗinii   38
waɗa baalɗe jalataa yeewtataa noon haarataa.

Nan ngoonga waayam ! Miilto-ɗaa ɗum ɗaltoyaa   39
himmoyde duniyaa suudu metti ɗi mbeltataa !

Wondaa ko kimmuki maaɗa moopturu jawle kii   40
ngaɗ-ɗaa e kimmuki rewde Baawɗo mo ronkataa.

Var. :

31. (1) ... kawriti...
    (2) ... woorataa.
32. (2) ɓikkol ngingira...
33. (1) Sahilaaɓe...
    (2) lootooɓe...
34. (1) ... lohnaa...
35. (2) Haah yoo...
36. (2) faa nduppitii sooynaade jahɗo...
38. (1) ... ndaneewu nde...
40. (1) Wondo ko...

Tu peux te mordre les doigts si fort que tes dents se rejoignent, dans
    l'émotion
d'avoir à rencontrer la terreur de la mort qui jamais ne manque son but.

Tes femmes et tes biens, tout cela va se trouver partagé
et voilà de pauvres enfants orphelins ! Las, c'est pitié, mais c'est irrémé-
                                                     [diable !
Tes compagnons et tes proches, tous à l'unisson s'affligent,
un laveur est appelé, il lave ton corps désormais inerte.

Puis un linceul est lavé et mis à sécher pour que, une fois sec,
on t'en recouvre jusqu'à t'en masquer le visage puisque tu ne respires plus.

C'est alors qu'ils vont t'allonger sur la civière mortuaire !
Eh bien ! Te voilà monté sur une monture guère réjouissante !

Là, tes enfants et ta famille éclatent tous en lamentations
puis vont lancer un dernier regard sur celui qui part pour ne plus revenir.

Là, ton épouse toute en pleurs va s'affaler derrière sa couche,
car la voilà privée d'un bienfaiteur qui point ne laissait dans le besoin.

Colliers de perles brisés, vêtue de blanc et dépouillée de ses parures,
elle passe des jours sans rire, converser ni manger son content.

Entends la vérité, mon ami ! Réfléchis à cela et ne te laisse pas
obséder par ce monde, séjour de peines qui point ne s'adouciront.

Ah ! Si le zèle que tu mets à amasser des biens
tu le mettais à suivre la voie du Puissant dont le pouvoir est sans faille !

Muhammadu Abdullaay Su'aadu

Mbeli paydo-ɗaa duniyaa e uxuraa fuu mahan   41
njeɗe-ɗaa geɗal fara Bajjo dokke mo nyattataa[1].

Wondaa ko kimmuki maaɗa nyaamde e jarde kii   42
kimmirno-ɗaa dewgol hagiiga a majjataa !

Yooyoo ! A himmii jawle koyɗe ɗe ndanndataa !   43
Yooyoo ! A himmii annde bumɗe ɗe kiinataa !

Yeew waare hoynde nde jawle koomti e Tagɗo ɗum   44
woy ! Seer e wi'i ndee waare hoynde nde teddataa !

Manngal, a mursii jawle maaɗa e ɓeyngu fuu !   45
Manngal, a hersan yeeso Laamɗo mo majjataa !

Coomon no bonki e ɓerɗe moodon koccuɗe !   46
Yonnyon no yimɓe e kaalki ɗemɗe ɗe pelɓataa !

Yonnyon no Tagɗo ji'oowo kala fu e taŋre mum   47
barjoowo kala golleeji anndo[m] mo happataa !

Yeew mawɗo yonnyuɗo diina yonnyoy Tagɗo ɗum   48
jaka noo o yonnyan hoore makko o anndataa.

Var. :

41. (1) ... ma'an   (2) ... dokko...
42. (1) Wondo ki... nyaamɗe e jarɗe kii   (2) ... dewgal...
43. (2) ... ɗe kisnataa.
44. (2) woy se rewii nde waare...
46. (1) Coomon no mbonki...
47. (1) Yonnyanɗo Tagɗo ji'oowo kala fu taŋre mum.
48. (2) ... mo anndataa.

---

[1] *nyattataa : nyaktataa.*
[m] *anndo : anndoowo ; de même, au vers 49, kulo est mis pour kuloowo.*

Sans doute en aurais-tu profit tant en ce monde qu'en l'autre
et recevrais-tu la part qui te revient de l'Unique à la générosité intarissable.

Si le zèle que tu mets à manger et à boire,
tu l'avais mis à suivre la voie de la vérité, tu ne t'égarerais pas !

Mais, las ! Tu n'as eu de zèle que pour des biens futiles qui ne sont d'aucun secours !
Las ! Tu n'as eu de zèle que pour des savoirs aveugles incapables d'ap-
[porter le salut !

Vois l'adulte[4] futile que la séduction des richesses a détourné de son
Créateur !
Allons ! Repousse à jamais la parole de cet homme futile et sans impor-
[tance !

Pauvre vieux[5] ! Te voilà, pour rien, privé de ta fortune et de toute ta famille !
Pauvre vieux ! Tu connaîtras la honte face au Seigneur qui jamais ne se
[trompe !

Vous pouvez bien dissimuler la méchanceté en vos cœurs desséchés[6]
et duper les gens par les propos de langues doucereuses[7] !

Vous pouvez bien ruser avec le Créateur qui voit tout ce qui fait partie
de sa création,
le Rétributeur de tous les actes, qui les connaît et n'accuse pas à tort !

Regarde ! Un vieux qui a rusé avec la religion, voudra ruser avec son
or, ce faisant, il se dupera lui-même sans en être conscient.   [Créateur,

---

[4] Textuellement « barbe », c'est-à-dire un homme parvenu au statut d'adulte raisonnable.
[5] Textuellement « grand adulte/vieux » : cette interjection insiste sur l'inadéquation des actes de
l'interpellé avec l'attitude de sagesse que son âge laisserait présumer.
[6] Le terme utilisé évoque tout à la fois une sécheresse absolue – *kocci*, intensificateur du verbe
yoorde (être sec) – et la dureté du gravier – *hoccuure* (terrain graveleux).
[7] Textuellement « des langues qui ne crient/tonnent pas ».

Muhammadu Abdullaay Su'aadu

Jeddanɗo Alla nde haasidoo kulo Alla fuu 49
hayyoo ! A mursii nyawru becce a sellataa !

Golloowo munkari cuuyɗo Laamɗo e haddi fuu 50
yani maaɗa yoo yani maaɗa, mawɗo mo tuubataa !

So diina mbanjaa[n] maayru suuno e janngoro[o] 51
ndawraa fa maayaa dawrugol maa sawrataa.

Nyaw maaɗa ɓeydoo nyannde fuu fa ɗo kalki-ɗaa 52
naataa Jahiima a hinnataake a ŋoottataa.

Hoko kaɗru-ɗon ɓiɓɓeeje mooɗon ɗaɓɓugol 53
anndal e yiitude ngoonga Alla mo suuɗataa.

Wondaa ko kiiti e suuyde Laamɗo baroowo on 54
kimmon no anndude ngoonga faa on mbirfataa !

Taŋraaɓe anndude Alla tan fa ndewon no ɗum 55
heya on e arzige arzigoowo mo ronkataa !

Hey ! Yimɓe miccee maayde koo ana tefta on 56
ngarton Moyɣo mo moyɣe muuɗum nattataa !

Mberlee huɗaandu e jawle mum fara caŋle mon 57
paaton no Gooto mo laamu muuɗum wurjataa !

Var. :

49. (2) haayo...
50. (2) yeni maaɗa yoo yeni...
51. (1) ... mbanya maayru suunu...
52. (1) ... fa nde kalki-ɗaa
53. (2) anndal e jiituɗo ngoonga...
54. (1) Wonda ko kiite...   (2) kimmoyɗo anndude...
55. (2) ... arziqe arziqoowo...
56. (2) ... moyɣi...
57. (1) Mberre...

---

[n] *mbanjaa* : *mbany-ɗaa.*
[o] *janngoro* : mot emprunté au bambara *jàngaro* (maladie).

T'opposant à Dieu en jalousant tout homme qui craint Dieu,
tu es assurément perdant, souffrant en ton sein d'une maladie incurable.

Auteur d'actes réprouvés et plein d'une audace sans limite devant le Sei-
malheur à toi, ô oui ! Malheur à toi, vieil homme insoumis !   [gneur,

Si à la religion tu fus hostile, alors meurs dans la peine et la maladie !
Tu pourras jusqu'à ta mort user de tous tes moyens, ils ne t'en guériront
                                                                    [point !

Ta maladie ira croissant de jour en jour jusqu'à ce que, ayant perdu la vie,
tu entreras au feu de l'Enfer et n'auras ni miséricorde ni répit.

Pourquoi empêchez-vous vos enfants de rechercher
la connaissance et la découverte de la vérité de Dieu Qui point ne la dis-
                                                                    [simule ?

Si jamais il y a jugement pour arrogance envers le Seigneur Qui donne la
appliquez -vous à connaître la vérité et ne revenez pas en arrière ! [mort,

Vous qui ne fûtes créés que pour connaître Dieu afin de lui obéir,
doit vous suffire la faveur de Celui Qui en dispose sans faillir.

Allons, hommes ! Songez que la mort est bien à votre recherche !
Revenez au Parfait dont les bienfaits sont sans fin !

Rejetez ce monde maudit et ses biens, laissez-les derrière vous
et dirigez vos pas vers l'Unique dont le règne est infrangible !

Njonngon no fii mon fuu e cuurnuɗo ɓalli mon 58
kewton no ballal Baawɗo mbaawka ka yaltataa !

Mboppon no majjere mimsiton no ko kuuwno-ɗon 59
fati ndoomoyon ɗoo mimse mimse naftataa !

Yaa kanndinooɗo nulaaɓe hanndam nyeenyoyam 60
sabi Annabiijo cuɓaaɗo maa mo a wancataa !

Yaafam mi toonyii hoore am sabi jeebagol 61
jamiraaɗi maa, yaa Mawɗo Toowɗo mo leyɗataa !

Kafara e saara'en e jumla reworɓe fuu 62
kafaral ti moyŋari zaati maaɗa ki ɓanngataa.

Miɗo juula juulde e ɓurɗo jumla tageefu fuu 63
alhasimiyyu mo jokko muuɗum fuurataa.

Var. :

59. (2) wati ndoomoyon ɗo…
60. (1) … ŋeenyooyam
    (2) sibi…
63. (2) alhasimiyyi…

Pour tout ce qui vous concerne remettez-vous en à Celui Qui a façonné
    vos corps
et trouvez l'aide du Tout-Puissant dont le pouvoir est indéfectible !

Abandonnez l'erreur et repentez-vous de vos actes passés !
N'attendez pas pour vous repentir l'heure où le repentir ne servira plus de
                                                   [rien.

Ô Toi qui donnas pour guide les Prophètes, guide-moi, encourage-moi
pour l'amour du Prophète, Ton Élu, à jamais hors de Ta désaffection !

Pardonne-moi ! Je me suis à moi-même nui pour avoir négligé
Tes commandements, ô Grand, Sublime qui jamais ne seras abaissé !

Pardon soit accordé à mes parents et à tous mes proches au complet,
cela au nom de la splendeur de Ton essence qui reste invisible.

J'appelle la bénédiction sur le meilleur de la création entière,
le Hachémite : qui suit sa voie ne fera pas fausse route.

POÈME VII

VII

Miɗo yetta Moyγo mo dokke muuɗum nyooɓataa   1
mo o hokki fuu anndee fa ɓannga ɗo nyooɓataa.

Miɗo juula juulde e Annabiijo Muhammadun   2
ɓanngirɗo ngoonga nde huɓɓi ngoonga ɗo nyippataa.

Kala aalo'en e sahaaba'en e rewoyɓe fuu   3
salmin e maɓɓe salaamu kuuɓɗo mo nyattataa !

Miɗo fuɗɗa yuɓɓude wa'aju yimɓe e hoore am   4
humaniiɓe ferre[a] nde njokki ɗum fa ɗo mbirfataa.

Nde ɓe mboppi ngoonga e ɓanngugol fa ɓe cooroyii   5
perleeje majjere kulɓiniiɗe ɗe pooynataa.

Fa ɓe ɗomɗi toon mbaroyoowa[b] dewgol majjere[c]   6
halkiiɓe keewi e maɓɓe nan ɗum taskitaa !

Fa ɓe pahɗi ɗomka ɓe noddataake ɓe nootoyoo   7
nder perre[d] majjere kaalanaaɓe ɓe pahmataa[e].

Faa wumɓe keewi e maɓɓe ɓaawo ɓe pahɗoyii   8
wumnaaɓe fahɗinoyaaɓe majjuɓe anndataa.

Waannaaɓe juuɗe e koyɗe fuu fa ɗo njaŋwataa   9
yottaade maayo ɓuutiingo haddi ngo ɓeebataa.

Var. :

3. (1) ... ahlu'en...   (2) ... mo nyooɓataa !
5. (1) ... ɓe njoppi...
6. (2) ... e maɓɓe faa ko mi limtataa.
7. (1) Faa ɓe paaɗi... .
8. (1) ... ɓe paaɗoyi...   (2) ...faaɗinoyaaɓe...   9. (1) ... fa ɗo njaqwataa

---

[a] *ferre* : pour *fewre*.
[b] Sous-entendre *ɗomka*.
[c] Syllabe finale prononcée longue pour des raisons de métrique ; il en est de même au premier hémistiche des vers 8, 11, 38, 41, 43, 44, 48.
[d] *perre* : *perle* ; voir aussi, au vers 5, le pluriel redondant, *perleeje*.
[e] Nous avons retenu ici la version recueillie par Amadou Hampâté Bâ, celle recueillie par nous-même (*nder perre majjere kulɓiniiɗe ɗe pooynataa*), reprenant le deuxième hémistiche du vers 5, apparaissant manifestement comme un lapsus de la part du récitant.

VII

Je rends grâce au Parfait dont la générosité n'est point obscure
quiconque en fut l'objet est connu en toute clarté et sans réserve.

J'appelle la bénédiction sur le prophète Mouhammad
qui révéla la vérité en allumant une vérité à jamais inextinguible.

Que sur toute la famille, les compagnons et tous les fidèles
soit faite une prière de paix totale et qui jamais ne décroisse !

J'entreprends un prône de ma composition pour les hommes
qui se sont adonnés au mensonge, y attachant leur pas sans retour

et ayant délaissé la vérité pourtant éclatante pour aller s'engager
dans les terrifiantes brousses d'une ignorance que n'éclaire nulle lueur.

Ils y souffrent d'une soif mortelle pour s'être voués à l'ignorance
et nombre d'entre eux sont perdus ; entends cela et y prête attention !

Rendus sourds par la soif, ils ne peuvent être appelés pour répondre :
au cœur des brousses de l'ignorance ceux à qui l'on parle ne compren-
[dront rien.
Nombre d'entre eux, outre leur surdité, sont aveugles :
des gens frappés de cécité, de surdité et d'ignorance ne savent rien !

Ceux qui ont bras et jambes paralysés ne sont pas de force
à atteindre un fleuve en pleine crue et qui jamais ne s'assèchera.

Paho eewnataake nde eewni-ɗaa ɗum fahmataa 10
noon bumɗo duu kollaaɗo tayoral yiitataa.

Baannaaɗo juuɗe e koyɗe waawaa yaŋwude 11
nde o waali dow tolo maayo ɗomɗere yaltataa.

Homo ndaari muumɓe e wumɓe fahɓe e wooyɓe[f] fuu 12
waannaaɓe juuɗe e koyɗe maayɓe ɓe nguurtataa

Yo ɓe nan, ɓe pahma, ɓe njiita ngoonga ɓe kannditoo 13
faa ɓe njaŋwa jokkude ngoonga ? Ɗum kaa yaafataa !

Homo waawi maayɗo yo wuurtu ɓaawo nyolii tayɓi 14
mbeli Tagɗo ɗum nde arande Ɓaawɗo mo ronkataa ?

Hey ! Yimɓe, miccee Tagɗo on, fati mbelsindee 15
e fa'aande wemmbunde hulɓiniinde nde heddataa !

Ndiga gooto fay Ɓurnaaɗo meeɗen Ahmadaa 16
waalii e gaska yanaande hootii wartataa.

So sahaaba'en ndeentii wiroyde Muhammadaa 17
haaniino koohoo diina fuu hula suusataa.

Taya ɗoyɗi ronka lelaade wemmbee futtinoo 18
sabi miilde Gaaɓɗo e nder yanaande a ittataa.

Var. :

10. (1) ... ɗum faamataa   (2) non gumɗo duu...
11. (1) ... yaawude
12. (1) Homo ndardi (pour ndaarndi)...
13. (1) ... ɓe paama...   (2) faa ɓe njawwa...
15. (1) ... wata mbelsinde...   (2) ... wimmbunde...
16. (2) ... e gayka...
18. (1) ... wimmbee...

---

[f] *wooyɓe : woosɓe.*

On n'interpelle pas un sourd : si tu le fais, il ne comprendra pas !
De même un aveugle à qui l'on montre quelque chose, c'est certain, n'y
[verra goutte !

Un homme paralysé des bras et des jambes ne peut s'activer :
passe-t-il la nuit sur la berge d'un fleuve, la soif ne le quittera pas !

Qui irait demander à des muets, aveugles, sourds, estropiés,
paralysés des bras et des jambes, morts qui ne reviendront pas à la vie,

d'entendre, de comprendre, de reconnaître la vérité et de la prendre pour
guide
afin de s'employer activement à suivre la vérité ? Ce n'est guère là chose
[aisée !

Qui peut faire que revienne à la vie un mort déjà putréfié et en lambeaux,
hormis Celui qui dès l'origine l'a créé, le Tout-Puissant Infaillible ?

Allons, hommes, songez donc à votre Créateur et ne soyez pas insou-
sur le chemin de terreur et d'épouvante où ne reste personne.   [cieux,

Vu que même le seul qui fut notre Privilégié, Ahmad,
a été couché au creux d'une tombe et s'en est retourné[1] pour ne plus reve-
[nir,

quand ses compagnons réunis allèrent ensevelir Mouhammad,
tout chef religieux avait dû se trouver dans la crainte, sans plus aucun
[courage,

abandonné par le sommeil, incapable de rester couché, éperdu, hagard
à la pensée du Bienheureux au fond d'une tombe dont on ne le tirerait
[plus.

---

[1] Le verbe utilisé qui signifie « revenir chez soi, rentrer au bercail » est aussi utilisé de façon euphémique pour « mourir ».

Wondaa ko konngol Laamɗo woortuma gooto fuu   19
maa maayde woortu Cuɓaaɗo wuura o maayataa !

Siddiiqu jooti e maayde Gaaɓɗo fa wancoyii   20
nguurndam fa annditi Gooto Guurɗo mo maayataa.

Faaruuqu wullii sikki kammu yanan e mum   21
sabi maayde Gaaɓɗo mo nanndo muuɗum woodataa.

Usumaana zu-n-nuurayni hikki fa wullorii   22
haayneede Ahmada hikki faa yo no deyƴataa.

Kaananke muumini'en Aliyyu fa fekkorii   23
roondeede Ahmada goyɗe[g] dillii wartataa.

Zahra'a ŋuurii ŋuurgo ɓeyba ngolooba[h] ɗom-   24
ɗuba tayƴba dimme e yarngo ɓamba ba riwtataa.

Yaayeeɓe meeɗen laɓɓinaaɓe e tuundi fuu   25
ŋuuri no ɓeyɗi goloodi mbaasi kewtataa.

Korewol Cuɓaaɗo mboyii Cuɓaaɗo, nanam, giƴam[i]   26
sabi maayde yottiima terɗe Gaaɓɗo ɗo ɗaltataa.

Homo ndaari nguurndam ɓaawo ɗum, homo hoomtitii ?   27
Daɓɓoyɗo kisindam[j] ɓaawo ɗum oon hersataa.

Var. :

19. (1) Wonda ko...
20. (1) Siddiiqi... wancori
21. (1) Faruuqu...   (2) sibi maayde Ɓurɗo...
22. (1) Usmaana zu-nurayni...
23. (1) ... Aliyyi...
24. (1) Zahra'u ŋuurii ŋuurki ɓeyba geloodi...   (2) tayba...
25. (1) Yaayaaɓe...   (2) ... geloodi mbaasi keptataa.
26. (2) sibi maayde yettiima...

---

[g] *goyɗe* : ou *gosɗe* (pl. de *goski*).
[h] *ngolooba* : pour *ngelooba* ; de même, au vers suivant, *goloodî*, pour *geloodi*.
[i] *giƴam* : contraction de *giɗo am*.
[j] *kisindam* : *kisndam*.

344

Si jamais décret divin eût dû épargner un seul être,
la mort aurait dû épargner l'Élu pour qu'il vive sans jamais mourir.

Le-Véridique[2] fut tant affligé de la mort du Bienheureux qu'il prit en
la vie et reconnut l'Unique comme seul vivant immortel.   [aversion

Le-Tranchant[3] se lamenta et crut que le ciel devait tomber sur lui
à cause de la mort du Bienheureux qui n'a pas de semblable.

Ousmâne-aux-deux-lumières sanglota et se lamenta,
stupéfait du sort d'Ahmad, sanglotant sans pouvoir se calmer.

Le roi des Croyants, Ali, manqua défaillir
en portant Ahmad sur sa civière, parti pour ne plus revenir.

Zorah poussa des gémissements de mère chamelle assoiffée
mais privée de tout espoir de se désaltérer et chargée d'un fardeau dont
                                        [on ne la soulagerait pas.
Nos mères, purifiées de toute souillure,
gémirent telles des mères chamelles souffrant d'un manque qui ne peut
                                        [être comblé..

La maisonnée de l'Élu a pleuré l'Élu, entends-moi, mon ami !
car la mort a atteint le corps du Bienheureux et ne le relâchera plus.

Qui peut encore chercher à vivre, après cela ? Qui peut se leurrer sur soi-
Qui cherche à échapper à la mort après cela est sans honte !   [même ?

---

[2] Surnom de Abou Baker.
[3] Surnom du Calife Omar.

Homo welni nguurndam ɓaawo Gaaɓɗo tageefu fuu 28
mbeli puuyɗo paatuɗo majjinaaɗo mo anndataa ?

Homo welni ɗoyngol welni yargol e nyaamɗe fuu 29
yara nyaama faa seyoroo no keɓɗo ko waastataa ?

Homo welni cellal ɓaawo nyaw naɓi Ahmadaa ? 30
Nyaw naɓɗo Ahmada woppataa ma a damrataa.

Yarleede Laamɗo e tewde Ahmada njuuro-ɗaa 31
naataa hoɗorde nde hiɗɗataake^k a yaltataa.

Ceeree e pelle Biliisa wayɓe Muhammadaa 32
njokken Cuɓaaɗo e rewde Jooma mo maayataa !

Homo fewji bonnde nde seeri sunna Muhammadaa 33
tampoyɗo damrude bonnde bonɗo mo moyƴataa !

Homo damri bonnde nde suusi Laamɗo Tagoyɗo ɗum 34
faa wuuri nyaamde janannde, ɗaltu a waawataa !

Homo holti koltal karmungal faa nyaayra^l ngal 35
fati nyaayru yiite dewordo, nan, hey ! wa'ajitaa !

Var. :

28. (2) ... puyɗo majjuɗo pahtinaaɗo...
29. Vers omis dans la version AHB.
30. (2) ... a dawrataa.
31. (1) Yarreede... Amada...   (2) heyɗataake... (C.S.)
32. (2) jokka e Cuɓaaɗo...
33. (2) ... dawrude...
34. (2) ... janande... .
35. (2) wati...

---

^k *hiɗɗataake* : nous optons ici pour la version AHB plutôt que pour la nôtre (*heyɗataake*).
^l *nyaayra* : *nyaayɩra*.

Qui peut trouver goût à la vie sans celui qui sur toute la création fut privi-
hormis un sot, un insensé, un égaré qui n'a pas la connaissance ?   [légié,

Qui peut trouver goût au sommeil, au boire et au manger ?
Qu'il boive et mange à s'en réjouir, il n'échappera pas à la privation.

Qui peut trouver plaisir à avoir la santé après que la maladie a emporté
    Ahmad ?
Une maladie qui a emporté Ahmad ne t'épargnera pas et seras-tu contre
                                    [elle sans recours.

Admis par le Seigneur, avec Ahmad pour intercesseur, va en pieux pèlerin,
pénètre en ce séjour où point n'est de déclin[4] et qu'on ne quittera plus.

Rompez pour toujours[5] avec les légions d'Iblîs, ennemies de Mouhammad,
et suivons la voie de l'Élu dans la dévotion au Maître qui ne connaît pas
                                    [la mort.

Qui s'employa au mal, ayant rompu avec la tradition de Mouhammad ?
C'en est un qui s'épuisera en méchants stratagèmes, un méchant sans au-
                                    [cune bonté.

Qui usa de méchants stratagèmes, en bravant le Seigneur qui fut son
    créateur,
pour vivre en pillant le bien d'autrui ? Abandonne, tu n'y pourras rien !

Qui s'est vêtu de vêtements prohibés pour se pavaner, tout fier de sa
    toilette ?
Pour ne pas risquer de te pavaner dans le feu, compagnon, entends ! Allons,
                                    [exhorte-toi au bien !

---

[4] Textuellement « on ne vieillira pas/ne s'usera pas ».
[5] Textuellement « répudiez ».

Homo naati suudu jananndu faa suma terɗe mum 36
wuude e Jahnama yiite holnya hurma ɗo yaltataa.

Homo ɓattorii kaananke gaddi e nyaamle, hey ! 37
fati jamba Laamɗo o nanngu maa ɗo a woorataa.

Nde reworɓe maa mbir maa fa kooti nde mboppu maa 38
e yanaande maa ɓilliinde nimre nde fooynataa.

Bolle e jaheele e ɓuɗɗi mawɗi e gilɗi fuu 39
miir maa fa ngullaa gullugol maa nyawndataa.

Nde ɓaleewa Jahannama fooccodii ma e wirngo maa 40
faa wuufi ɗemgal maaɗa ŋata ngal ɗaltataa.

Ndeen anndataa mbattaaku maaɗa ko hemnu maa 41
kaananke maa nafataa ma gaalii senndataa.

Homo joyyinaa qaalaaku yeggitii janngo mum 42
hippii e jawle fa muuɗi munni ɗo yaltataa.

Homo gorko boppuɗo debbo mum faa jeenoya 43
geldol walaa, yeew ngorba Jahannama taskitaa !

Homo debbo juɓɓuɗo nyaango mum faa zeenoya 44
aan mbabba yiite kuɗaaba Laamɗo ba hersataa !

Var. :

36. (2) wuuɗe e jahannama holnya...
37. (1) ... e nyaamle fuu...   (2) ... Laamɗo mo nanngu...
38. (1) ... mbirri ma...
40. (1) ... jaanama...
41. (2) ... sehdataa.
43. (1) ... goppuɗo...   (2) ... jahnama...
44. (1) ... jeenoya   (2) an mbamba ... mba hersataa.

Qui s'est introduit chez autrui au risque que brûle son corps
et qu'il soit cuit, flambé, calciné au fond de la Géhenne d'où l'on ne res-
[sort plus ?

Qui a accédé à l'entourage d'un roi grâce à zizanie et spoliation ? Eh !
ne ruse pas avec le Seigneur, il s'emparera de toi et tu n'y échapperas pas.

Quand tes proches, t'ayant enseveli, rentreront chez eux, t'abandonnant
dans ta tombe qui s'étrécit et une obscurité que n'éclairera nulle lueur,

serpents, scorpions, vers et asticots, tout cela
tant grouillera sur toi que tu te lamenteras, mais tes plaintes seront sans
[remède.

Quand le grand naja noir de la Géhenne s'allongera tout au long de ton
flanc
jusqu'à prendre ta langue à pleine gueule et la mordre sans plus lâcher
[prise,
alors tu sauras ce que tu auras gagné à fréquenter les Cours :
ton roi ne te sera d'aucune utilité et le juge ne tranchera plus !

Qui, investi de la charge de juge, à oublié de songer à son avenir ?
Il s'est vautré dans des richesses qui l'ont englouti et fait sombrer en un
[gouffre dont il ne ressortira plus !

S'agit-il d'un mari qui a délaissé sa femme pour se livrer à l'adultère ?
Il est sans excuse ! Vois le baudet aux enfers et réfléchis bien !

S'agit-il d'une femme qui a enfilé ses perles en colliers pour se livrer à
Tu es une ânesse du feu, maudite du Seigneur et éhontée !   [l'adultère ?

Homo taalibaajo jogiiɗo deftere Gaɗɗo ɗum 45
hoko kaabi-ɗaa faa peewtu-ɗaa mo a waawataa ?

Dow anndugol maa loore maaɗa e baawɗe mum 46
heny tuum[m] e Laamɗo fa mbarro-ɗaa ɗo a faŋtataa !

Homo majji Laamɗo nde jokki dunyaa nodditii 47
moyƴoyki hey ! Aan duu a fen so a moyƴataa !

Sa a jiɗɗo moyƴuki anndu Moyƴo nde moyƴoya 48
fati fen a anndaa Moyƴo, moyƴi ! A moyƴataa !

Hul Laamɗo nantaa[n] terɗe maaɗa e bondi fuu 49
pati njoole-ɗaa nder yiite, war gaa woppitaa !

Yo Allaahu hanndam miin e jokkuɗo sunna fuu 50
giɗo Laamɗo giɗo giɗo Laamɗo Moyƴo mo bontataa !

Yaafam e kala fuu jiɗɗo sunna mo faŋtataa 51
bida'aaji majjere kalkoyooji ɗi ndanndataa !

Kafara e saara'en e wiraaɓe e wuurɓe fuu 52
konnaa ɓe nder Firdawsi faa ɗo ɓe njaltataa

Njuulen e Gaaɓɗo labaajo gikku e golle fuu 53
kumaniiɗo sunna mo humtataako mo haaɓataa !

Var. :

45. (1) Holi...
46. (1) ... lohre...   (2) hey tuum... a fantataa.
48. (1) ... moyƴo faa moyƴoya.
49. (2) wati joolo-ɗaa...
53. (1) ... labaajo jikku...

---

[m] *heny tuum : henya, tuub(u).*
[n] *nantaa : nanngitaa.*

S'agit-il d'un élève qui, détenteur du Livre, a agi ainsi ?
Sur quoi comptes-tu pour faire face à Celui sur qui tu n'as aucun pouvoir ?

Prenant conscience de ta faiblesse et de sa puissance
hâte-toi de faire soumission au Seigneur pour abandonner à jamais là où
[tu ne repasseras plus !

Es-tu de ceux qui ont ignoré le Seigneur en attachant leur pas à ce monde
et qui se targuent
de pouvoir être bons ? Eh ! sache que ce n'est que mensonge : tu ne le
[seras point.

Si tu aspires à la bonté, connais donc le Parfait pour devenir bon !
Ne mens pas ! Tu ne connais pas le Parfait, alors, tu ne seras pas bon !

Crains le Seigneur, retiens ton corps de tous les vices
et, de peur de sombrer dans le Feu, viens ici, fais demi-tour !

Que Dieu me soit un guide, pour moi et pour tout homme qui a suivi la
Tradition,
ami du Seigneur et ami de l'ami du Seigneur, le Parfait sans défaut !

Qu'il me pardonne ainsi qu'à tout homme qui, épris de la Tradition, n'en
déviera pas
pour les hérésies aberrantes qui mènent à la perdition et excluent le salut !

Le pardon soit sur tous les parents, les défunts[6] comme les vivants,
accorde-leur dans le Firdaws[7] un séjour dont ils ne ressortent plus !

Appelons la bénédiction sur le Privilégié, dont si beaux sont la nature et
les actes,
et qui s'est uni à la Tradition sans plus jamais s'en départir ni s'en
[lasser !

---

[6] Textuellement « les ensevelis ».
[7] Firdaws : « jardin, vallée fertile », nom du plus haut des Paradis.

POÈME VIII

VIII

Midŏ yetta Joomam Tagdŏ Gaabdŏ nde burni dum   1
kala yimbe noon jinnaaji, nan hey ! Tannyoraa !

Almiidŏ annaba'en e jumla nulaabe fuu   2
to misiide dow kammuuli coo bote haasiraa !

Gila Makka faa al-Arsi Ahmada noddoyaa   3
bitagol e jiidal Laamdŏ weeti mo dow saraa.

Lelagol zamaanu e duŋde Ahmadaa fottoyii   4
Jibriila waddi Buraaga Ahmada yeptiraa.

Teddin ko teddi dŏ Laamdŏ teddaa paydo-daa   5
jantaa bural mum nyannde fuu faa paydoraa !

Nde Buraaga salinoo waddŏyeede fa murnoyii   6
Jibriila hamri Buraaga dum tan waddiraa.

Gila leydi faa dow kammu oon woni burdŏ fuu   7
jam mbaddu makko e maada aan duu wastoraa !

Ndeen noo o waaltii seese Ahmada battitii   8
Jibriila habri mo taŋre fuu o woonniraa.

Var. :

2. (1) ... annabi'en...
3. (1)... Amada...
4. (1) Lelagol jamaanu e duŋde Amada...
   (2) Jibiriila waddi Buraaqa Amada yeptira.
5. (1) ... paydoraa.
6. (2) Jibiriila habri mo taŋre fu o woonira.

354

VIII

Je rends grâce à mon Maître Créateur du Privilégié, qui lui donna préémi-
sur tous, hommes et génies. Entends donc et en sois convaincu ! [nence

Chef de file des Prophètes et de tous les Messagers réunis
en une mosquée au plus haut des cieux, ô merveilleuse assemblée !

Depuis la Mekke et jusqu'au Trône divin[1] Ahmad fut appelé
à monter au firmament et rencontrer le Seigneur[2] : au matin, il était sur la
                                                                              [terre
et avec l'heure où se couche le monde coïncida le départ d'Ahmad.
Gabriel amena Bourâk[3] et Ahmada sur elle fut dans les airs enlevé.

Honore ce qui auprès du Seigneur est honorable, tu en auras considération
chaque jour, proclame sa précellence et tu en auras bénéfice !   [et profit

Bourâk ayant refusé de se laisser monter, faisant la sourde oreille,
Gabriel l'informa qu'elle avait été amenée pour cette seule mission.

« Depuis la terre et jusqu'au ciel, c'est lui le meilleur de tous,
accepte qu'il te monte et sur toi aussi en rejaillira la gloire ! »

Lors, comme elle s'était calmée, Ahmad s'approcha,
et Gabriel lui annonça que, de lui, la création entière avait reçu la grâce
                                                                              [d'exister.

---

[1] *Al-Arsi* : dans la terminologie mystique ce terme désigne le dais sous lequel trône Dieu et, par extension, la partie la plus sublime du ciel où ce situe ce trône.

[2] Il est ici fait allusion au *mi'râj*, l'ascension de Mouhammad, telle que la rapportent les hadiths. Le verbe utilisé qui signifie « disparaître à l'horizon » évoque l'accession du prophète au plus haut ciel où il se trouva face à Dieu et reçut la révélation.

[3] Cf. René Basset, La *Bordah du Cheikh el Bouṣiri* (Paris, Leroux, 1894) : « Le Prophète, qui raconte lui-même son aventure, fut réveillé une nuit par Gabriel et Michel, accompagnés de 70.000 anges et lui amenant Boraq, animal plus petit que le mulet, plus grand que l'âne, à figure humaine, à croupe de cheval, à queue de vache ou de chameau, muni de deux ailes qui lui couvraient les pieds /.../ Cette monture attendait depuis 40.000 ans l'honneur de porter Mouhammad sur une selle d'émeraudes vertes. Elle le transporta à Jérusalem où il salua les prophètes conduits par Abraham, Moïse et Jésus. Il remplit ensuite la fonction d'Imâm dans la prière prononcée par eux et monta au ciel par un escalier de lumière. Après avoir traversé la mer du Kaoucer » (pp. 111-112) le prophète, accompagné de Gabriel, monte de ciel en ciel, y rencontrant prophètes, anges et âmes, pour enfin s'approcher seul du trône divin et s'entretenir avec Dieu : et c'est là qu'il reçut l'institution des cinq prières.

Muhammadu Abdullaay Su'aadu

Ndeen noo Buraaga nde ndaardi Gaaɓɗo suroore mum   9
Mahmuuda sankii haddi faa ɗo o yankira[a].

Yaasiina waɗɗii faati Joomum gunndoyii   10
wirnii tageefo e baawɗe rabb-al-gaahiraa.

Kala taŋre dow kammuuli ruuyani Ahmadaa   11
fa ɓe njuuroyoo mo fa gooto fuu rewa hamdira.

Kala annabaaɓe ceyiima gargol Ahmadaa   12
fa ɓe kamri kammu ti-nuuru Aamada[b] hunciraa.

Noon lewru noon duu naange ɗum kala fooyniraa   13
min-nuuri Aamada taŋre ndee fuu wonniraa[c].

Noon Arsi noon Kursiyyu qalamu e lawhi fuu   14
gila leydi faa dow kammu Aamada yayniraa.

Sabi horma Aamada maa'u ɓuumri fa ɗomɗitii   15
kala jarɗo ɗum sibi[d] ɗomka yara faa wuurtira.

Sibi horma Aamada nyimni leydi e kammu fuu   16
sibi horma Aamada haaje men fuu humtiraa.

Miɗo miila Aamada faa mi yalta e noone am   17
miɗo miila Aamada faa mi uuma mi ustiraa

Var. :

9. (1) ... Buraaqa...   (2) Mahamuudo sankii haadi...
10. (1) Yasin...   (2) ... tageefu...
12. (1) ... Amada   (2) faa kabra kammu...
14. (1) ... Kursiyu... lawhu...
15. (1) Sibi... ɗomti   (2) ... sabi...
16. (2) ... haaju...

---

[a] Le -a final est prononcé long pour des raisons métriques, tout au long du poème, quelle que soit sa valeur grammaticale réelle.
[b] Le récitant prononce ce nom tantôt *Ahmada(a)*, tantôt *Aamada(a)*.
[c] Au vers 8, le récitant dit *woonniraa* (< *wood-n-ir-aa*) et ici *wonniraa* (< *won-n-ir-aa*).
[d] L'auteur utilise tantôt la forme *sabi*, tantôt la forme *sibi*, alors que la forme la plus courante est *sabu* (< ar. *sababu*).

C'est alors que, Bourâk sollicitant l'intercession du Privilégié,
le Glorifié s'y engagea totalement et elle n'eut plus aucun doute.

Yâ-Sîn[4] enfourcha sa monture, se dirigea vers Son Maître et eut un
  entretien secret,
caché aux yeux de la création par les pouvoirs du Seigneur le Victorieux.

Toutes les créatures célestes accoururent vers Ahmad
pour l'aller saluer et un à un le suivre en rendant grâce à Dieu !

Chacun des Prophètes se réjouit de la venue d'Ahmad[5]
et ils déclarèrent que le ciel avait été élevé grâce à la lumière d'Ahmad,

que d'elle aussi, lune et soleil avaient l'un et l'autre tiré leur éclat
et que de la lumière d'Ahmad toute chose créée tenait son existence,

que, de même, Dais, Trône, Calame et Tables, tout,
de la terre jusqu'au plus haut des cieux, grâce à Ahmad, était illuminé,

que, de par la vénération pour Ahmad, l'eau était fraîche et désaltérante,
et que quiconque en boit parce qu'assoiffé, à en boire recouvrait la vie,

que, de par la vénération pour Ahmad, terre et ciel furent fixés,
de par la vénération pour Ahmad, tous nos problèmes dénoués.

Tant Ahmad occupe mes pensées que je suis transporté hors de moi-
tant Ahmad occupe mes pensées que j'en geins et dépéris   [même

---

[4] Les lettres *yā* et *sīn* qui servent de titre à la sourate XXXVI sont utilisées comme un titre mystique désignant le Prophète ; certains commentateurs interprétant *sīn* comme une abréviation de *'insān*, voient en ces deux lettres une invocation « ô homme ! » (compris comme l'homme par excellence, le meilleur de l'humanité).

[5] Lors de son ascension, Mouhammad aurait été accueilli par les Prophètes qui l'avaient précédé. Selon les auteurs il aurait rencontré au premier ciel, Adam, au second, Jean et Jésus, au troisième Joseph, au quatrième, Idrîs, au cinquième Aaron, au sixième Moïse et, au septième, Abraham (M. Gaudefroy-Demonbynes, 1957, p. 95). Dans la Bordah (*op. cit.*, 1894, pp. 112-113), Bourâk conduit Mouhammad à Jérusalem où il salue les Prophètes conduits par Abraham, Moïse et Jésus, puis il monte au ciel par un escalier de lumière et il rencontre au premier ciel, Adam, au second Zacharie et Jean, au troisième, Jacob, Joseph, David et Salomon, personne au quatrième, au cinquième, Ismaël, Isaac, Aaron et Loth, au sixième, Moïse, Edris (Hénoch) et Noé, au septième Abraham. Et, dit le poète : « Tous les prophètes et les apôtres de Dieu t'ont fait marcher devant eux comme les serviteurs cèdent le pas à leur maître » (v. 119).

Teddeendi gilli e wecco am so ɗe nyeeƴoyii 18
so mi uumataa eɗe nyeeƴa kam fa mi wullora.

Cuŋlir-mi Aamada jamma am e nyalawma fuu 19
mbeegaa-mi Aamada faa mi hoyɗa mi saydira.

Miɗo muura kala fuu jamma ɗomɗude Aamadaa 20
fa mi heewa gilli mi fekkitoo fa mi wullora.

Buucam e heyram fuu taƴii sabi Ahmadaa 21
ana haani taƴƴe[e] fa silkitoo fa mi maayora.

Reedam hiwiima fa becce am aariima doon- 22
ngal sawgu Ahmada wakti fuu fa mi hultora.

Kala nyiŋɗo kam sibi haali am mo cifii-mi oo 23
mbi'anaa mo : « Nyiŋ faa njetto-ɗen ne to laaxira ! »

Yeew gilli Alla e makko, mboppaa nyiŋde kam ! 24
Beegeede Aamada lobbo kala fuu anndiraa.

Aan noo Tagoyɗo tagoore kala fuu beegaama 25
jiidal e Aamada sakko neɗɗel baatara !

Miɗo weera Joomam yiide Ahmada nyannde fuu 26
ndeen muuyɗo fuu yo fennu sattina yankira.

Miɗo weera Joomam yiide Aamada wakti fuu 27
ndeen muuyɗo fuu nyeeɓoo fa fennora jalnora.

Var. :

18. (1) ... ŋeyƴoyi   (2) ... eɗe ŋeyƴa kam...
19. (1) ... nyalooma fuu   (2) ... saylira.
20. (1) Miɗo ŋuura...
22. (2) ... sawqu... waqtu...
23. (1) ... sabu haali...   (2) mbiyanaa... njotto-ɗen...
24. (1) ... ngoppa nyiŋde...
27. (2) ... ŋeemo fa... .

---

[e] *tayƴe : tayɗe.*

sous le poids de l'amour en mon cœur lorsqu'il en est étreint[6]
et si je n'en geins point, si fort m'étreint que j'en pleure.

Ahmad est l'obsession de toutes mes nuits et de tous mes jours,
telle est pour Ahmad ma dilection que j'en rêve et en délire !

Chaque nuit je gémis, assoiffé d'Ahmad,
et, plein d'amour, j'éclate en sanglots et en plaintes.

J'ai poumons et foie tout déchirés à cause d'Ahmad,
il leur faudrait l'être jusqu'à ne plus tenir que par un fil, pour que j'en
[meure !

J'ai le ventre si enflé que mes flancs se sont écartés sous le faix
de ma passion pour Ahmad à tout instant au point que j'en suis apeuré !

À qui me blâmerait à cause de mon état tel que je l'ai décrit,
tu n'as qu'à dire : « Blâme, mais attendons d'être parvenus en l'autre mon-
[de !

Considère l'amour de Dieu pour lui et cesse alors de me blâmer !
Tout homme de bien est connu pour sa dilection envers Ahmad !

Eh, toi ! Si Celui qui créa la création entière a eu le désir
de rencontrer face à face Ahmad, l'aura davantage encore l'imparfaite
[créature humaine ! »

J'implore de mon Maître la grâce de voir Ahmad chaque jour
et lors, contredise qui voudra, s'enferrant dans le refus de croire !

J'implore de mon Maître la grâce de voir Ahmad à tout instant
et lors, ait mépris qui voudra, se livrant à démentis et railleries !

---

[6] Le poète se livre, à partir de ces vers, à une description très réaliste de l'émotion mystique qui l'étreint ; cette dimension émotionnelle est d'ordinaire évoquée dans le cadre de l'expérience mystique ultime recherchée par les diverses branches du soufisme pour accéder à l'union de l'âme avec l'essence de la divinité ; ici, toute la dilection de l'auteur se porte sur le Prophète.

Miɗo weera Aamada yiide ɗum fa o hamra kam   28
ndeen muuyɗo fuu ɗuurtoo woliidam zumbira.

Miɗo weera Joomam yiide Aamada jamma fuu   29
ndeen muuyɗo fuu dawa fenna faa rewa fuuyora.

Nguurndam welaa gaa yiide Aamada, nan giȳam !   30
Yo mi holle Aamada faa mi siŋra mi maayora !

Yo mi holle Aamada faa mi fiilta mi fukkoyoo   31
yo mi holle Aamada faa mi faata mi haaŋɗora[f] !

Yo mi holle Aamada faa mi santa mi doyȳoyoo   32
fa mi haaca gilli mi maaya ɗoon fa mi majjora !

Yo mi holle Aamada faa mi seera e yimɓe fuu   33
fa mi soyloyoo feeteede makko mi yoomtira !

Yo mi holle Aamada faa mi muumɗa mi faaɗoya   34
fa mi ronka darnude koyɗe am fawg-as-saraa !

Yo mi holle Aamada faa mi luumnoo juungo mum   35
noon koyɗe mum noon hoore mum fa mi hamdira !

Yo mi holle Aamada faa mi wanca zunuubu fuu   36
faa kaanɗi makko ɓutoo e am liɓa kam mbara !

Miɗo wulla Aamada haddi fuu fa o walla kam   37
haajeeji am jominoodî fuu fa mi huntira.

Miɗo wulla Aamada haddi fuu fa o yoolta kam   38
e zunuubu mawɗo mi huyfa haddi mi fuunȳora.

Var. :

28. (1) ... fa mo hamra kam.
31. (1) ... filta...   (2) ... mi fahta mi hamɗora.
34. (2) ... fawqa sara.
35. (2) ... hamdina.
37. (2) ... humtora.
38. (2) e zunuubu mawɗo e haddi fuu mi funȳora nyaaȳa.

---

[f] *haaŋɗoraa* : prononcé *haanɗoraa*.

J'implore de mon Maître la grâce de voir Ahmad afin qu'il m'instruise
et lors, se détourne de ma parole qui voudra, en demeurant dans le péché !

J'implore de mon Maître la grâce de voir Ahmad chaque nuit
et lors, contredise de bon matin qui voudra, persistant dans son incon-
[science !
La vie n'est douce que pour voir Ahmad, entends, mon ami !
Puisse Ahmad m'apparaître et que je m'en grise à en mourir !

Puisse Ahmad m'apparaître et que, me dégageant, je me laisse choir !
Puisse Ahmad m'apparaître au point que je sois frappé d'hébétude à en
[perdre la raison !

Puisse Ahmad m'apparaître au point que je bute et aille m'affaler,
que je hurle mon amour et meure sur la place jusqu'à m'en perdre !

Puisse Ahmad m'apparaître afin que je me sépare de tout le monde
pour m'élancer seul[7] et, dans mon désir fou de lui, recouvrer la paix !

Puisse Ahmad m'apparaître au point que j'en reste sourd et muet,
que je ne puisse plus tenir mes jambes plantées droites sur le sol !

Puisse Ahmad m'apparaître afin que je lui baise la main
ainsi que les pieds et la tête et que j'en rende grâce à Dieu !

Puisse Ahmad m'apparaître au point que je prenne en aversion tout pé-
que l'obsession de lui m'emplisse, me terrasse et me tue !   [ché,

J'implore Ahmad de toutes mes forces pour qu'il me secoure
dans tous mes problèmes et que j'en sois libéré !

J'implore Ahmad de toutes mes forces pour qu'il me sauve des flots
du péché majeur, que je devienne tout léger et puisse ainsi flotter !

---

[7] Le verbe employé évoque l'action d'un animal qui, énervé, se détache du troupeau et erre seul.

Miɗo wulla Aamada tannyoral o nanoowo kam 39
nootaagu makko henyoo e am fa mi yanwira.

Miɗo wulla Aamada sufta kam nder wayɓe am 40
nayo soobotooɓe tageefu kala ɓe torrira.

An-nafsi noon Sayɗaana noon dunyaa, nanam ! 41
E hawaa, nanam ! Jukkaaɗo fuu ɗee jukkiraa.

Miɗo wulla Aamada faa o hanndoo ɓernde am 42
fa mi yiita ngoonga mi annda ɗum fa mi huutira.

Miɗo wulla Aamada faa o moyƴina gikku am 43
bonnooɗo haddi dow makko moyƴere gikkora.

Miɗo nodda Aamada, yarnanam taaliiɓe am ! 44
Jarnooɗo fuu sibi horma Aamada yarniraa.

Miɗo nodda Aamada, yarnanam taaliiɓe am 45
fa ɓutaa ɓe nuuru, ngaɗaa ɓe hiiɓe ɓe kiinoraa !

Miɗo nodda Aamada, yarnanam taaliiɓe am ! 46
Nder wecco maaɗa ɓe ɗomɗitan fa ɓe ngaatora.

Miɗo nodda Aamada yarnanam taaliiɓe am 47
fa ɓe njiita ngoonga ɓe njokka ɗum fa ɓe maayora.

Miɗo nodda Aamada yarnanam taaliiɓe am ! 48
Bonnooɗo fuu dartoo e ngoonga fa lollira.

Miɗo nodda Aamada yarnanam taaliiɓe am ! 49
Kala zunbunooɗo hutoo zunuubu fa wancora !

Var. :

39. (2) ... mi yaqwira.
40. (1) ... suuta...   (2) nayon...
41. (1) An nafsu...
42. (1) ... faa mo hanndoo...
43. (1) ... faa mo moyƴina jikku am   (2) ... ɗo makko...
44. (1) ... taaliɓɓe...   (2) ... sabi horma...
45. (1) ... taaliɓɓe...   (2) fa ɓutaaɓe nuura...

J'implore Ahmad – il est assurément celui qui peut m'entendre :
que sa réponse m'arrive vite pour que j'y puise force et courage !

J'implore Ahmad : qu'il me soustraie[8] à mes ennemis,
les quatre qui sont acharnés à tourmenter toute la création !

L'âme ainsi que Satan et ce bas monde, entends-moi,
et le désir, entends-moi : tout homme châtié, l'est à cause d'eux.

J'implore Ahmad afin qu'il guide mon cœur
pour que je rencontre la vérité, en ait la connaissance et y conforme mes
[actes.
J'implore Ahmad afin qu'il amende ma conduite :
qui dans le passé fut le plus mauvais peut auprès de lui espérer le Bien.

J'invoque Ahmad : « Abreuve pour moi mes disciples[9] ! »
Qui a déjà bu, c'est en vertu de la vénération pour Ahmad qu'il fut abreu-
[vé !
J'invoque Ahmad : « Abreuve pour moi mes disciples
afin, les ayant emplis de lumière, d'en faire des êtres sauvés et qui y pui-
[sent leur salut ! »

J'invoque Ahmad : « Abreuve pour moi mes disciples :
qu'en ton sein ils se désaltèrent jusqu'à en éructer ! »

J'invoque Ahmad : « Abreuve pour moi mes disciples
afin qu'ils rencontrent la vérité et y attachent leur pas jusqu'à en mourir ! »

J'invoque Ahmad : « Abreuve pour moi mes disciples ! »
Qui fut mauvais, qu'il se redresse dans la vérité au vu de tous !

J'invoque Ahmad : « Abreuve pour moi mes disciples ! »
Qui avait péché maudisse désormais le péché et s'en fasse l'ennemi !

---

[8] Textuellement « me repêche » ; le poète poursuit ici l'image du vers 38 où le verbe utilisé est en
fait « sauver de la noyade ».
[9] C'est-à-dire, au sens étymologique du terme, « mes élèves ».

363

Miɗo nodda Aamada yarnanam taaliiɓe am   50
worɓeeje maɓɓe e rewɓe fuu faa kanndiraa !

Belkoo tageefo mi wulli maa ma^g ko mbaawtu-ɗaa   51
jaɓanam a moyƴo dow maaɗa moyƴuki anndiraa !

Belkoo tageefu mi wulli maa ma ko mbaawtu-ɗaa   52
danndam a baawɗo dow maaɗa kisndam dimmiraa !

Belkoo tageefu mi wulli maa ma ko mbaawtu-ɗaa   53
jaɓanam a kewtuɗo teddungal rabb-al-waraa !

Labawal Koreyši mi wulli maa ma e haaje am   54
sooninke ɓii-sooninke haajam woytiraa !

Labawal Koreyši mi wulli maa ma e haaje am   55
aan cuuso iwɗo e suuyɓe kulol am mooltiraa !

Labawal Koreyši mi wulli maa ma e haaje am   56
biltoowo taan biltoowo haajam fa'atiraa.

Mi hirii yimooɓe ma faa ɓe ɓillii faamu am   57
sabi yimde Burɗo mo Alla ɓurni ɓe njeptiraa.

Mi hirii yimooɓe ma faa ɓe ɓillii faamu am   58
sabi mooɓtugol gettooje maaɗa ɓe omtiraa.

Var. :

51. (1) Belko tageefu...   (2) ... ɗo maaɗa...
52. (2) ... ɗo maaɗa kisindam...
54. (1) ... quraysi...
55. (1) ... quraysi...   (2) an cuyɗo iwɗo e susɓe...
56. (1) ... quraysi...   (2) ... fadtiraa.
57. (2) ... ɓe njettira.
58. (1) ... yimooɓe mo...

---

^g *ma* : marque d'insistance.

J'invoque Ahmad : « Abreuve pour moi mes disciples,
tous, hommes et femmes afin qu'ils trouvent ainsi leur guide ! »

Favori sur toute la création, je t'implore, en ta parfaite capacité,
agrée-moi, tu es le Bienveillant et c'est en toi que se put connaître la
[Bonté.
Favori sur toute la création, je t'implore, en ta parfaite capacité,
préserve-moi, toi qui en as le pouvoir, en toi est tout espoir de salut !

Favori sur toute la création, je t'implore, en ta parfaite capacité,
agrée-moi, tu es celui qui a gagné l'estime du Seigneur du genre humain !

Splendeur des Koreïch, j'implore ton aide en ma tâche[10] :
au généreux, fils de généreux, pour ma tâche ai fait appel !

Splendeur des Koreïch, j'implore ton aide en ma tâche :
en toi, preux issu de preux, contre mes craintes ai trouvé refuge !

Splendeur des Koreïch, j'implore ton aide en ma tâche :
au dénoueur[11], petit-fils de dénoueur, est retournée ma tâche !

Tant suis envieux de tes chantres qu'ils m'ont obsédé l'esprit[12] :
c'est pour avoir chanté le Meilleur à qui Dieu donna sa préférence, qu'ils
[furent félicités !

Tant suis envieux de tes chantres qu'ils m'ont obsédé l'esprit :
c'est pour la multitude de leurs louanges à ton endroit qu'ils sont sortis
[de l'ombre !

---

[10] C'est-à-dire la composition de ces prônes en forme de poèmes auxquels s'adonne l'auteur.
[11] C'est-à-dire à « celui qui remet en ordre, celui qui résout les problèmes ».
[12] Textuellement « ils ont opprimé/oppressé mon entendement ».

Muhammadu Abdullaay Su'aadu

Mi hirii yimooɓe ma faa ɓe ɓillii faamu am   59
sabi yimde 'Burɗo wo dimme kisndam laaxira.

Njettoyki Jooma e maaɗa tiimtii ɗum kala   60
ndeen gooto fuu ɓama seeɗa reentina yeeftiraa.

Fay miin e majjude tiinitii-mi fa mooɓtu-mi   61
gettooje maa sabi fadlu maaɗa ɗe newniraa.

Jaɓanam ko kaal-mi a ɗunngataako ko nodde-ɗaa   62
mbeli geddi Jooma wa kaɗki maaɗa ɗi mboppiraa.

Miɗo juula juulde nde heewa leydi e kammu fuu   63
dow maaɗa Aamada haamidan yaa haasira !

Kala aalo'en e sahaaba'en e rewoyɓe fuu   64
salmin e maɓɓe ilaahunaa yaa faaɗira !

Var. :

59. (1) ... yimooɓe mo...   (2) sibi... kisindam...
60. (1) Njeytoyki...
61. (1) ... tinnitii-mi fa moɓtu-mi   (2) ... sabu...
63. (2) ... Amada... hasiira !
64. (1) Kala ahlo'en...   (2) ... ilaahu na...

Tant suis envieux de tes chantres qu'ils m'ont obsédé l'esprit :
car chanter le Meilleur c'est espoir de salut en l'autre monde !

L'œuvre célébrant ton Maître et toi a surpassé tout cela !
Lors, chacun en prenne une part, la retienne et en comble sa solitude !

Même moi, dans mon ignorance, me suis attaché à amasser foison
de tes louanges et, de par ta grâce, elles furent chose aisée.

Sois consentant à mes paroles, tu ne saurais rester sourd à l'appel
    qu'on t'adresse
dès lors qu'est bannie l'opposition à ton Maître, ce que tu proscris !

J'appelle une bénédiction qui s'étende à la terre comme au ciel
sur toi Ahmad le Loué, le Rassembleur !

Tous, parents, compagnons et disciples,
qu'appelle sur eux la paix, notre Dieu, ô Créateur !

POÈME IX

IX

Miɗo yetta Joomam Tagɗo annabi Ahmada[a]   1
6urnaaɗo dow 6urnaa6e wi'etee Ahmada !

Nde O heertorii en bammbu makko fa kooli-ɗen   2
e janaale men 6illiiɗe barke Muhammada !

Miɗo juula 6urɗum juulde fuu dow Ahmada   3
faa calminoy-mi ma'an ɗe nduumono[b] e Ahmada !

Yim6am nanee wa'ajuure ŋarɗunde ju66uki   4
ju66aande dow giɗgol Nulaaɗo Muhammada !

Oon njim-mi njokku-mi nyeemtinoy-mi ko gollunoo   5
faa anndiraa-mi humaade nyeemtude Ahmada !

Oon njim-mi njettu-mi ndammbitoy-mi 6ural e mum   6
oon Laamɗo 6urni nde noddi ɗum, yaa Ahmada !

Oon jinɗo[c] Ahmada sikke yaltii maa hisoy   7
moolaange jaango e dow bi'aangol Ahmada !

Oo neɗɗo fuu guurtinɗo sunna Muhammada   8
maa hewtu jaango hoɗorde tatte Muhammada !

Kooho tageefo dow kammu faa ley leydi fuu   9
woni inneteeɗo Cu6aaɗo meeɗen Ahmada !

Kala 6ernde fuu yooltiinde gilli Muhammada   10
harmin no sumre yiite barke Muhammada !

O jokolle moyŋaro lobbo yiingo mo haalataa   11
konngol giɗaaɗe wo bajjo Aminata, Ahmada !

Var. :

3. (2) faa calminoy-mi ceniiɗe ɗiɗi dow Ahmadaa !

---

[a] Toutes les voyelles finales, longues ou brèves, sont prononcées longues.
[b] *nduumono : nduumanoo.*
[c] *jinɗo : jiɗɗo.*

IX

Je rends grâce à mon Maître Créateur du Prophète Ahmad
qui sur tous les Élus fut le préféré, le dénommé Ahmad,

car il nous a accordé le privilège d'être par lui pris en charge pour que
    nous soyons confiants
jusqu'en l'angoissante exiguïté de nos tombes, par la grâce de Mouham-
                                     [mad !
J'appelle la première de toutes les bénédictions sur Ahmad
et en même temps la paix éternelle promise à Ahmad !

Mes frères, écoutez donc un prône joliment composé
et mis en vers, sur l'amour pour l'Envoyé Mouhammad !

C'est lui que je chante, que j'ai suivi et tenté d'imiter dans ses actes
au point d'être connu pour mon application à imiter Ahmad.

C'est lui que je chante, que j'ai loué et pris pour modèle d'excellence,
à lui que le Seigneur donna sa préférence en l'appelant, ô Ahmad !

Celui qui aime Ahmad, c'est hors de doute, celui-là sera sauvé
du feu redoutable de l'Au-delà[1] sur une simple parole d'Ahmad.

Toute personne qui aura revivifié la tradition de Mouhammad
aura en l'Au-delà séjour assuré aux côtés de Mouhammad.

Premier de toute la création, du plus haut du ciel et jusque sur la terre,
est celui que l'on nomme notre Élu, Ahmad !

Que pour tout cœur débordant d'amour pour Mouhammad
soit bannie la brûlure du feu, par la grâce de Mouhammad !

Un jeune homme splendide, de belle apparence et ne tenant point
de propos futiles[2], tel fut le fils unique d'Aminata, Ahmad !

---

[1] Textuellement « (feu, sous-entendu) dont on doit implorer protection demain ».
[2] Textuellement « ne tenant pas de propos des (choses) aimées », ces plaisirs étant considérés comme sans intérêt.

O jokolle moyŋaro lobbo needi et gikku fuu
joom-diina moyŋaro anndiraaɗo Muhammada !   12

O jokolle moyŋaro lobbo darnde e njahki fuu
kaawniiɗo njahki fasiihi ɗemgal Ahmada !   13

O jokolle moyŋaro moyƴo yumma e baaba fuu
moyƴi hoɗorde e lasli oon woni Ahmada !   14

O jokolle moyŋaro moyƴo yelde mo haaɓataa
humanaade wolde ceniiɗo miilo, Muhammada !   15

O jokolle moyŋaro ŋarɗa-wahre e daande fuu
annoora lewru nde nyeemti tiinde Muhammada !   16

O jokolle moyŋaro keewɗo dokke mo haaɓataa
jama'aaji hoɓɓe e nyannde fuu woni Ahmada !   17

O jokolle moyŋaro jiɗɗo ngoonga e yimɓe mum
ɓanngirɗo ngoonga mo majjinaaka, Muhammada !   18

O jokolle moyŋaro belɗo-uurngol – nan giƴam !
faa misku nyeemtiniraama uurngol Ahmada !   19

O jokolle moyŋaro hinnirante e yimɓe fuu
cuuroowo ayyibe[d] kulɗo gacce, Muhammada !   20

O jokolle moyŋaro laaɓɗo reedu mo tikkataa
mbeli aaya tikkananee Cuɓaaɗo Muhammada !   21

O jokolle moyŋaro famɗa-nyaamde mo himmataa
himmeeji duniyaa, coo Cuɓaaɗo Muhammada !   22

O jokolle moyŋaro jokko enɗam keewtuɗo
kala fuu ɓureeje mo nyeemtataako, Muhammada !   23

O jokolle moyŋaro ŋarɗa-fedde mo yeyƴataa[e]
miccaade Laamɗo e wakti fuu woni Ahmada !   24

---

[d] *ayyibe : ayiibe.*
[e] *yeyƴataa : yejjataa.*

C'était un jeune homme splendide, de bonne éducation et de bonne con-
d'une piété splendide et bien connu pour cela, Mouhammad !   [duite,

C'était un jeune homme splendide, de belle stature et de belle allure
et doué d'une merveilleuse éloquence, Ahmad !

Un jeune homme splendide dont mère et père étaient parfaits
et parfaits aussi le campement et la lignée, tel était Ahmad !

Un jeune homme splendide aux incisives joliment espacées, jamais
las de ce ceindre pour le combat et pur en ses pensers, Mouhammad !

C'était un jeune homme splendide, à la barbe et au col magnifiques,
la clarté de la lune prit pour modèle le front de Mouhammad !

Un jeune homme splendide, munificent et jamais las
des foules d'hôtes qu'il recevait chaque jour, tel était Ahmad !

C'était un jeune homme splendide qui aimait la vérité et ses gens,
qui s'est illustré par la vérité et jamais ne fut dans l'erreur, Mouhammad !

C'était un jeune homme splendide, d'un parfum si suave – entends, mon
que le musc a eu pour modèle le parfum d'Ahmad !   [ami ! –

C'était un jeune homme splendide, plein de miséricorde pour tous,
couvrant les faiblesses de qui redoute la honte de ses fautes, Mouham-
[mad !
C'était un jeune homme splendide, intègre et étranger à la colère
hors la sainte colère au service de la révélation, l'Élu, Mouhammad !

C'était un jeune homme splendide, sobre et qui ne se souciait guère
des passions de ce monde, ô l'Élu, Mouhammad !

C'était un jeune homme splendide, respectueux des liens de parenté
et qui, plein de toutes les vertus, est inimitable, Mouhammad !

Un jeune homme splendide, (chef) d'une magnifique équipe et qui n'oublie
de penser, à toute heure, au Seigneur, tel est Ahmad !   [pas

Joom-fedde nuurɗunde taskoraande e ɗowtagol   25
jamiraaɗî Laamɗo e rewde sunna Muhammada !

Ɓe jokolɓe yuultuɓe tewde moyyere laaxira   26
entaaɓe entudi annabiijo Muhammada !

Haalooɓe ngoonga jaɓooɓe ngoonga ɗo wardi fuu   27
gollooɓe ngoonga humiiɓe rewde Muhammada !

Ɓe reworɓe laaɓondirooɓe deedi ɓe coomataa   28
konnaagu gooto e becce, yiɓɓe Muhammada !

Ɗuurtiiɓe jawle e laamu fuu fa ɗo paantataa   29
nyaamoyde jiibe nefaanduᶠ ɓernde Muhammada !

Hawroyɓe gikku e golle fuu fa ɗo lurrataaᵍ   30
foyondirde jiibe nde mboppa sunna Muhammada !

Ɓe ngalaa penoowo ngalaa nyo'oowo ngalaa banyoo-   31
wo ngalaa bi'oowo ɓutiiɓe nuuru Muhammada !

Ɓe ngalaa kaɗoowo ngalaa tefoowo ngalaa desoo-   32
wo ngalaa ɓamoowo, ne'iiɓe needi Muhammada !

Ɓe ngalaa kuloowo ngalaa dogoowo ngalaa tayoo-   33
wo e enɗamaaji yarooɓe kedde Muhammada !

Mooɓtiiɓe duncude fooyre Ahmadaa hawruɓe   34
gikkuuji haddi ɓe luundataako Muhammada !

Laaɓooɓe terɗe seniiɓe miilo ɓe kaalataa   35
fuhsuuji duniyaa yaagotooɓe Muhammada !

Kala fuu ji'aaɗo e maɓɓe haarmaa seynumaa   36
eɓe uura uurngol nanndo uurngol Ahmadaa !

ᶠ *nefaandu* : sous-entendu *duniyaaru*.
ᵍ *luurataa* : *luhrataa, luurrataa.*.

Chef d'une communauté lumineuse et remarquable pour son obéissance
aux commandements du Seigneur et sa fidélité à la Règle de Mouhammad.

C'étaient des jeunes gens partis en quête du bonheur en l'autre monde,
éduqués suivant l'éducation du prophète Mouhammad.

Des hommes à la parole véridique et qui agréaient la vérité d'où qu'elle
qui faisaient œuvres de vérité, et résolus à suivre Mouhammad.   [vînt,

C'étaient des frères, sincères les uns pour les autres, ne celant
en leur sein nulle hostilité pour personne, des amis de Mouhammad.

Des hommes qui s'étaient détournés des richesses comme du pouvoir, ir-
    révocablement,
et de se nourrir des viandes impures de ce monde répugnant au cœur de
                                                        [Mouhammad.

Des hommes à l'unisson dans leur nature et dans leurs actes, sans jamais
    de dissensions
pour se diputer une viande impure au mépris de la Règle de Mouhammad.

Parmi eux, point de menteur, point de diffamateur, point d'ennemi,
point de délateur, mais des hommes emplis de la lumière de Mouhammad !

Parmi eux, point d'égoïste[3], point de quémandeur, point de thésauriseur, point d'accapareur, mais des gens formés à l'école de Mouhammad !

Parmi eux, point de couard, point de lâche, point de briseur de liens
familiaux, mais des hommes s'abreuvant des reliefs de Mouhammad !

Des hommes assemblés pour attiser la nitescence d'Ahmad et qui, de
caractères parfaitement accordés, n'auraient su contester Mouhammad !

Des hommes propres de corps et purs de pensée, qui ne s'entretenaient
    point
des turpitudes de ce monde, et pleins de décence devant Mouhammad !

Ne se pouvaient voir parmi eux qu'hommes satisfaits et plaisants,
embaumant d'un parfum semblable au parfum d'Ahmad.

---

[3] Textuellement « qui refuse de répondre à une sollicitation ».

Waalooɓe juulde nde nyalla hoorde nyalooma fuu 37
reentirɓe moyyere juurotooɓe Muhammada !

Nantiiɓe gollude golle majjere annduɓe 38
hebbinɓe juulde e annabiijo Muhammada !

Haayiiɓe ɓerɗe e ɗemɗe fuu fa ɗo njeyyataa 39
jamiraaɗi Laamɗo ɓodooɓe dammbugal Ahmada !

Hoolniiɓe henyondirooɓe kala fuu e moyyere 40
nanngooɓe salligi heewɓe gilli Muhammada !

Waalooɓe[h] woyde e uumde oonde e jemma fuu 41
sabi miilde maayde cuɓaaɗo meeɗen, Ahmada !

Ɓee worɓe moyyuɓe yiɓɓe moyyere lobbuɓe 42
ɓanngirɓe moyyere faabotooɓe Muhammada !

Hey ! Yimɓe, moyyinon no[i] koreeji mon 43
ngollon no ngoonga, mba'on no fedde Muhammada !

Ndammbon no rewɓe ne'on sukaaɓe ɗalon fijo 44
njeewton no yeewtere Laamɗo yeewtiri Ahmada !

Mboppon wiɗaade e ayyibaaji[j] reworɓe mon 45
ndeen laaɓoton no e bondi barke Muhammada !

Ngarton no Laamɗo njaɓon no ngoonga ndewon no ɗum 46
nyaayon no hannde e jaango fuu sabu Muhammada !

Nanngton no ɗemɗe nyo'ooɗe yimɓe Muhammada 47
fati paggo-ɗon wanyoyeede annabi Ahmada !

---

[h] Le récitant prononce *wahlooɓe*.
[i] *no : na.*
[j] *ayyibaaji : ayiibaaji.*

Après une nuit de prières ils passaient tout le jour à jeûner,
toujours vigilants au bien, et s'en allaient saluer Mouhammad.

Des hommes qui se retenaient de faire œuvre d'ignorance, ayant eu la
connaissance,
et ne cessant d'appeler la bénédiction sur le prophète Mouhammad.

Des hommes chastes en leur cœur comme en leurs propos et qui jamais
n'oubliaient
les commandements du Seigneur, et se glissant à la porte d'Ahmad.

Des hommes dignes de confiance, rivalisant chacun d'empressement à
bien agir,
respectueux des ablutions rituelles et pleins d'amour pour Mouhammad.

Des hommes qui passaient leurs nuits à pleurer, geindre et gémir
à la pensée de la mort de notre Élu, Ahmad.

C'étaient des hommes bons, épris du Bien et dotés de toutes les qualités
qui s'illustrèrent par leur vertu et apportèrent leur concours à Mouhammad.

Ô gens de bien, faites que vos familles soient vertueuses !
Faites œuvres de vérité et soyez tels que la communauté de Mouhammad !

Tenez les femmes recluses, éduquez les enfants, renoncez aux divertisse-
ments
et n'ayez d'entretiens que sur ce dont le Seigneur entretint Ahmad !

Cessez de fouiner pour chercher les défauts de vos frères,
lors, vous purifieriez-vous des vices, par la grâce de Mouhammad !

Revenez donc au Seigneur, acceptez la vérité et vous y conformez
et allez pleins d'assurance aujourd'hui et demain[4] grâce à Mouhammad !

Retenez vos langues de médire des gens de Mouhammad,
n'accumulez pas des raisons d'être détestés du Prophète Ahmad !

---

[4] C'est-à-dire « en ce monde comme en l'autre ».

Homo majji Laamɗo nde yeddi ɗum faa halkoyii   48
nder yiite jahnnama[k] waasi barke Muhammada !

Kala fuu tagaaɗo nde saawi ngayngu e muuminii[l]   49
oon ɓernde mum fuurnaama barke Muhammada !

Yo Allaahu moolnam wanje[m] muumini moyƴo fuu   50
noon wanje fuu kala baawɗo hinnude Ahmada !

Noon cimtiranɗo nde innda Laamɗo e Gaaɓdo fuu   51
yaa moolnoyam honnaade ɗum sabu Ahmada !

Kala biiɗo kam nyeemiiɗo[n] kam sabi husudu mum   52
oon mursirii nder becce seeri e Ahmada !

Kaforaa zunuubam laɓɓinaa nder ɓernde am   53
kaforaa e saara'en ti barke Muhammada !

Noon yiɓɓe am e reworɓe am taaliiɓe am   54
yo a hanndo fuu ɓutoyaa ɓe gilli Muhammada !

Ndokkaa ɓe cellal ɓerɗe non duu e terɗe fuu   55
sabi barke Seexam keɓɗo barke Muhammada !

Ndarnir-mi yimram ndee e juulde e Ahmada   56
faa calminoy-mi ceniiɗe ɗiɗi dow Ahmada !

---

[k] *Jahannama* : prononcé *jahnnama* (apocope due aux exigences de la métrique).
[l] Allongement métrique de la syllabe finale.
[m] *wanje* : *wanyde*.
[n] *nyeemiiɗo* : *nyeeɓiiɗo/ŋeeɓiiɗo* ou *nyemƴiɗo/ŋemƴiɗo*.

Qui a ignoré le Seigneur et s'est rebellé contre Lui au point d'aller périr,
    maudit,
au feu de la Géhenne, c'est qu'il fut privé de la bénédiction de Mouham-
                                               [mad.

Tout être créé, s'il a, cachée au fond de lui, de l'aversion pour un croyant,
c'est que son cœur, fourvoyé, a été détourné de la grâce de Mouhammad.

Puisse Dieu me préserver de toute hostilité envers tout croyant honnête
de même qu'envers tout homme capable de miséricorde, Ahmad !

De même tout homme qui fait acte de foi[5] en prononçant les noms du
    Seigneur et du Bienheureux,
Ô ! préserve-moi de lui être hostile, pour l'amour d'Ahmad !

Tout homme qui m'a calomnié ou m'a méprisé par jalousie,
celui-là en a été perdant, au fond de son cœur, et s'est séparé d'Ahmad.

Pardonne-moi mes péchés et purifie le fond de mon cœur,
accorde ton pardon aux parents, de par la grâce de Mouhammad

ainsi qu'à mes gens, à mes frères en religion et à mes élèves !
Puisses-tu tous les protéger, emplis-les d'amour pour Mouhammad !

Accorde-leur la santé tant du cœur que du corps
grâce à la bénédiction de mon Cheikh qui l'a reçue de Mouhammad !

J'ai introduit mon poème en appelant la bénédiction sur Ahmad
je le termine avec les deux rakats[6] en appelant le salut sur Ahmad.

---

[5] Le verbe employé signifie « prononcer la formule de la *shahâda*, en guise de profession de foi ».
[6] Textuellement « les deux pures ».

POÈME X

X

Mi yettii ma yaa Allaahu Tagɗo ko woodi fuu   1
nde heyi fuu e dokkal mum, giyam fahmu[a] tannyoraa !

Mi balmii ma balmuki kuyɗo jiituɗo nehma maa   2
fa dimmbii kuyam sabi yiide nehma no sankiraa.

Mi juulan e ɓurɗo tageefu leydi e kammu fuu   3
mo kala kiiɗo hiira ti-horma mum hisa hiinora[b].

Muhammada giɗo Joom-Arši korsuɗo haddi fuu   4
mo hono mum walaa wonnaaka gila ga fa laaxira.

Mi faandiima yuuɓude[c] yimre worworde yammbunde   5
e dow dahmugol sawgu nabiyyi nde yuuɓiraa.

Lahii sawgu makko e terɗe am fa ɗe naawi kam   6
fa ol-mi no lekki njoorki cuuntaaki[d] feyyoraa.

Kenel ceeɗu yoorini lekki nder togge cukkuɗe   7
wo non henndu sawgu-l-Mustafaa yoorni dawniraa[e].

Var. :

6. (2) ... cuntaaki feyyere.
7. (2)... yoorinan wara.

---

[a] *fahmu* : comme pour *nehma*, plus loin, le récitant reste fidèle à la prononciation originelle des termes empruntés à l'arabe.

[b] *kiiɗo, hiira, hiinora* : < **kisɗo, *hisra, *hisnora* ; par ailleurs, bien que bref ce –a final est prononcé long, comme toutes les voyelles terminant un hémistiche ou un vers, quelle que soit leur valeur grammaticale.

[c] *yuuɓude* : *yuɓɓude* (*yusɓude*, dans les dialectes orientaux).

[d] *cuuntaaki* : *cuumtaaki*.

[e] On attendrait *ndawrinaa*.

X

Je te rends grâce, ô Dieu, le créateur de tout ce qui existe
et jouit de sa générosité – mon ami, comprends et en sois convaincu !

J'entonne un chant de louange, en homme passionné qui a reconnu tes
    bienfaits
et tout vibrant d'exaltation d'avoir vu comment furent dispensés ces
                                              [bienfaits.

Je prierai pour le meilleur de toute la création, aussi bien terrestre que
    céleste,
celui par la grâce de qui tout homme sauvé a le salut et peut l'apporter
                                              [aux autres.

Mouhammad, ami du Maître du Trône, objet d'une suprême dilection,
tel que, comme lui, il n'en est point ni à qui, depuis ce monde et jusqu'en
                                      [l'autre, il fut donné d'être.

J'ai eu pour dessein de composer un poème d'une mâle ardeur
et c'est sur la suavité de l'amour pour le Prophète qu'il a été composé.

Son amour s'est en mes veines coulé[1] jusqu'à m'en faire souffrir
au point que j'aie dépéri tel un arbre fané[2], sec et premier à être coupé.

Comme une brise de saison sèche a desséché un arbre au milieu de bois
    touffus
de même est-on, sous le souffle torride de l'amour pour l'Élu, tout pâli.

---

[1] Tout ce poème est très imagé : l'emprise de son amour pour le Prophète est ici rendue par une image qui évoque une plante rampante étendant ses tiges dans le corps du poète. C'est ce qui nous amène à traduire cette image par « couler dans les veines ».
[2] Textuellement « j'ai perdu mes feuilles comme un arbre ».

Ko wonnoo e ɓernde e bondi fuu faa nde heefa ɗum   8
nde ɓuta ɗum hagiigaaji nde ẏooltoo nde faacora[f].

Fa joom-kaaki fuu wara lawẏa faa laaɓa ẏoogora   9
fa ɓuta kaaki mum roondoo fa yardoya wuurtira.

Dalon ngoonga fuɗa nder wecco mum ŋarɗa heccida[g]   10
seyoo seyo guurtuɗo ɓaawo maayde faa naftoraa !

Nde yarnaama fuu ɓeydoo fa wirfina ɗowdina   11
nde waɗa piindi puɗgol ɓeyngu jippina[h] sawtora

Fa ɓennda fa sammee saamitoo faa ɓe naftoroo   12
fa kala garɗo fuu suɓa nyaama faa falta haarora.

So haariino yaŋwa e golle mum tiiɗa tinnitoo[i]   13
humoo kumi jeeɗiɗi femmba Sayɗaan no riiwora.

Kumol nanɗe non duu jiile non ɓernde hum joga   14
e juuɗe e koyɗe e faraji nanngtude kimmiraa !

Wo non kunndugal nanngtaa fati a bon fa bonnoraa   15
tageefo – nanam hey waayam ! Moola faa mbopporaa[j] !

Kumoro-ɗen ɗi jeeɗiɗi fuu kulen naadde[k] e jeeɗiɗi   16
cumooɗi fa teew fuu holnya gi'e kela piltora.

Var. :

8. (1) … faa ndu heefa ɗum (ndu *i. e.* henndu)   (2) ndu…
11. (2) …uurngol ɓeyngu…

---

[f] On attendrait *faccora.*
[g] *heccida* : prononcé *heecida.*
[h] *jippina* : *jibbina.*
[i] *tinnitoo* : *tiinnitoo.*
[j] *mbopporaa* : le récitant prononce *mbooporaa.*
[k] *naadde* : **naatde*, prononcé *nahde* par le récitant.

Tout ce que dans le cœur, il y avait de vices, puisse ce poème l'en
    épurer[3]
et l'emplir de vérités au point que, comblé, ce cœur en déborde à verse !

Et que toute personne qui a des récipients vienne les rincer bien propre-
    ment, s'en servant pour puiser,
les remplir et les charger sur sa tête afin d'aller boire et ainsi reprendre vie.

Laissons la vérité germer en son sein, devenir belle et toute neuve,
qu'il connaisse la joie de qui, mort, a retrouvé vie, et qu'il en ait bénéfice !

Qu'une fois bien arrosée, elle se développe, étendant ses branches et son
puis fleurisse, pousse ses boutons, bourgeonne et fructifie...   [ombre

puis mûrissent les fruits que l'on gaule et fait tomber pour en jouir
et que tout passant en choisisse, en mange son content et s'en rassasie.

Rassasié, il sera plein de vigueur pour agir, plein d'endurance et de per-
    sévérance,
ceint de sept baudriers, il combattra Satan, le mettant ainsi en fuite.

Le baudrier de l'ouïe comme celui de la vue et celui du cœur, ceins-t'en
    et les garde,
et encore, mains et jambes et *pudenda*[4], mets toute ton application à les
                             [maîtriser !

C'est aussi la bouche que tu dois maîtriser de peur, étant mauvais, d'être
    par elle, cause de mal.
La création entière, entends-moi, ô camarade ! préserve-t'en et t'en dé-
                             [tourne !

Ceignons donc ces sept baudriers et craignons d'entrer dans les sept
    fournaises
si brûlantes que toute la chair y est flambée et que les os se brisent et en
                            [ressortent !

---

[3] Textuellement « le récurer ».
[4] Nous optons pour ce terme emprunté au latin, pour être fidèle à la langue du poète qui, par bien-séance, recourt ici au terme arabe.

E jeeɗiɗi baalɗe tagaaɗo fuu yeddii tagɗo ɗum   17
ɓe ndiiwataa ɓe njaasaa pewjungel bonnde, guutira !

Mi hunoriima jeeɗiɗi am e jeeɗiɗi ɗi lim-mi ɗii   18
bi ismi-l-illaahi-l-a'zaami faa mi yaŋwira.

Mi mooliima jeeɗiɗi bonɗi ɗii faa mi hisora ɗii   19
ti nuuru nabiyyi-l-Mustaafaa faa mi hinnoraa.

Saɗiima kam tagaaɗo fa woodi yeggiti tagɗo ɗum   20
nde hilni jinayaaji fa halkoo faa halkoraa.

Belaaɗe ndahi ɓerngel faa giite[1] mum mbumii melew   21
yi'aa ngoonga nantaa ngoonga jaka meere hoomtiraa.

Ko ndullin-ɗaa giitol maa ndaarde meereeji miccitaa   22
a timman ɗi timman ndaartu moyƴere laaxira !

Fa dulli ko taŋraa welsindiima e moyƴere   23
yani dolnoriingel meere – nan ngoonga naftoraa !

Ko ndullin-ɗaa giitol maa ndaarde meereeji miccitaa   24
a timman ɗi timman ndaartu moyƴere laaxira !

A anndaa nde ngonnete-ɗaa a anndaa nde maayataa   25
a anndaa ko mbarjete-ɗaa goree[m] ! mimsu cimtiraa !

Var. :

17. (2a) ɓe ndiiwataa ɓe njiyataa...
    (2b) ɓe ndiiwataa ɓe ndiwataa pewjungel bonnde guftira.

---

[1] *giite : gite.*
[m] *goree :* forme courte de *goreejo* « camarade (de la même classe d'âge) ».

Celui qui en sept jours fut créé s'est rebellé contre qui l'avait créé[5],
ceux qui ne le chassent pas ne valent pas moins que ce misérable aux
                                  [desseins malins, ignore-les donc !

Je fais serment sur les sept parties de mon corps et les sept maux que
au nom du Dieu de Majesté, pour que j'en sois fortifié.   [j'ai énumérés,

Ces sept vices, pour y échapper, je me suis mis sous la protection
de la lumière du Prophète, l'Élu, afin d'en être sauvé.

Ce m'est pénible qu'un être créé jusqu'à exister, oublie qui l'a créé
en s'adonnant aux péchés[6] jusqu'à se perdre et à cause d'eux se vouer à
                                      [la damnation.

Les plaisirs ont tant asservi son pauvre cœur que, la vue totalement
    obstruée,
il est aveugle à la vérité, sourd à la vérité et, hélas ! se leurre de vaines
                                       [joies !

Pourquoi as-tu laissé ta vue s'égarer à ne prêter attention qu'aux vanités ?
    Songe donc
que tu auras une fin, tout comme elles, et recherche le bonheur de l'autre
                                       [monde !

Tu as fini par oublier pour quoi tu fus créé et tu as négligé le Bien !
Malheur ! Pauvre affamé de vanités, entends la vérité et en tire bénéfice !

Pourquoi as-tu laissé ta vue s'égarer à ne prêter attention qu'aux vanités ?
    Songe donc
que tu auras une fin, tout comme elles, et recherche le bonheur de l'autre
                                     [monde !

Tu ignorais quand tu recevrais l'existence et tu ignores quand tu mourras,
tu ignores ce que tu auras à payer[7] ! Camarade, repens-toi et fais acte de
                                     [foi !

---

[5] Il s'agit d'Iblîs.
[6] Textuellement « aux péchés d'adultère ».
[7] C'est-à-dire les récompenses ou les châtiments qui t'attendent en l'autre monde.

A anndii ko mbinndane-ɗaa a anndii ko ndoomre-ɗaa   26
wo nimre yanaande e gilɗi mum, miiltú ngulloraa !

A hilniima bonngol micca woyta faa tallo-ɗaa   27
fa pukkoro-ɗaa sabi hawla otta faa maayoraa.

Tayaa ɗoyɗi kala fuu jemma miilde yenaande[n] maa   28
kulaa poolo-ɗaa sabi haybu Joomaa fa piltoraa !

Kulaa ndeendi mbelnaandi ngaɗaa seeɗa nguure maa   29
ngaɗaa yarngo maa hakindiingo ŋarɗaa fa nuurɗoraa !

Kelaa reedu maa kala kelki mardaandu tuuyo maa   30
fati a faaboo Seyɗaan maa ndu haara o yaŋwira.

Ngaɗaa hoore maa yo no maayɗo ronkude damrude   31
wo oon nanndu-ɗaa wondaa ko majjere miccoraa !

Ɗalaa wanje[o] kiite Laamɗo hiiti e taŋre mum   32
fati a sumru terkol maaɗa yiite fa kurmoraa !

Nji'aa baawɗe min indi-l-illaahi nuzuuluhu[p]   33
fati a dammu baawɗe e donkinaaɗo so ndonkoraa !

Kulaa Tagɗo kala fuu kulɓiniiɗi nde hoolni ɗum   34
fa ruhbina kala fuu bonɗo feefoo faa majjora[q] !

Var. :

29. (2) ... fa ɓiltoraa.
30. (2) ...faa ndu haara...
34. (2) ... bonɗo beepoo faa maajoraa.

---

[n] Le récitant utilise les deux formes : *yanaande* et *yenaande*.

[o] *wanje : wanyde*.

[p] Citation en arabe quelque peu déformée : *min ᶜindi illāhi nusūluhu*, « du côté de la divinité, sa descente ».

[q] *majjora* : le récitant prononce *maajora*.

Tu sais que ce à quoi tu es destiné, tu sais que ce qui t'attend
ce sont les ténèbres de la tombe et sa vermine, penses-y, tu peux appeler
[au secours !

Tu fus obstiné dans le mal, réfléchis, lamente-toi, à t'en rouler au sol
et y rester gisant, abattu par la terreur et geignant à en mourir !

Chaque nuit te plonge dans l'insomnie à la pensée de ta tombe !
tremble et laisse-toi ébranler par la crainte de ton Seigneur pour t'en
[libérer !

Crains la chère délicieuse et en sois parcimonieux dans tes vivres,
bois de façon modérée et ta beauté en sera illuminée !

Impose toutes privations à ton ventre, où ton désir a son empire,
de peur d'apporter à Satan ton concours ou que, à l'assouvir, celui-ci
[n'en soit conforté !

Fais que toi-même ce soit à un mort, incapable de tout expédient,
que tu sois semblable et, à moins que d'être dans l'erreur, songes-y !

Cesse d'être hostile au destin que le Seigneur a ordonné pour sa création
de peur de consumer au feu ton faible corps jusqu'à être carbonisé !

Vois que les pouvoirs découlent de la puissance divine
et n'attribue pas des pouvoirs à qui en fut refusée la capacité, au risque de
[te trouver sans recours !

Redoute Celui qui a créé tout ce qu'il y a de redoutable, s'y fiant
pour effrayer tout méchant et qu'il s'enfuie en criant au point de s'égarer !

Bamaa haaje maa njoongaa e makko fa mbilto-ɗaa 35
fati a joongu haaje e donkinaaɗo so puuyoraa !

Dalaa ndundaraaku e haasidaaku fa mbarje-ɗaa 36
mbelel Joomaa cellaa nyawrungel ɓernde yoomtiraa.

Prends tes problèmes et remets-t'en à Lui pour les résoudre
ne les remets pas entre les mains de qui n'en a nulle capacité, tu en serais
[pour tes frais !

Abandonne outrecuidance et jalousie afin d'avoir récompense
du moindre acte agréable à ton Maître, d'être guéri de ces maux et que
[ton cœur en soit réconforté !

POÈME XI

XI

Mi yettan Tagoyɗo tagoore dow gilli Ahmada   1
nde fodi loomtagol leydeeje nyeemtinde[a] Ahmada.

Nde nuurɗini ɓerɗe sahaaba'en e waliyyu'en   2
e lewru e naange ti juzu'u nuuru Muhammada.

O noon Arsi noon Kursiyyi noon Galaamu tannyoraa   3
ko nuurɗini ɗee fuu nuɗfatan min Muhammada.

Mi balmii ma yaa Joom-manngu cankiiɗo arzige[b]   4
nde nyimniri leydi e kammu sabi gilli Ahmada.

Mi juulan e Ahmada juulde fantunde moyŋare   5
mi silminoyi dow makko ɗe[c] ɗiɗi sarmada.

Nanee yimre ɗoofiinde e nder becce ɗomɗuɗe   6
ɗe ɗomɗaali duniyaa ɗomɗinaaɗe Muhammada.

So Ahmadaa naatii becce taуoral ɗe kuyfiɗan   7
ko huyfii ɗo Laamɗo ti-barke nuuru Muhammada.

Mo njii-ɗaa kala wo kimmaaɗo duniya[d] e jawle mum   8
mbiyaa « Hey ! a mursii yo a seerii e Ahmada! »

Var. :

1. (2) ... leydeele...
2. (1) ... waliyyi'en   (2) ... ti-juz'u...
6. (2) ɗe ɗomɗaani...
7. (1) ... koyfiɗan   (2) ko hoyfitoo Laamɗo...
8. (1) ... yo kimmaaɗo...   (2) ... a mursi...

---

[a] *nyeemtinde* : prononcé *nyemtinde* ; de même *joom-* est prononcé *jom-*, *noon, non.*.
[b] Dans les vers 4 à 6, les voyelles finales (*-e*) du premier hémistiche sont prononcées longues (*-ee*) pour des raisons métriques. Il en est de même aux vers 10, 15, 17, 19, 24, 37, 38, 41, 46, 53-54, 59 et 61. Il en est de même pour toutes les finales de vers : Ahmadaa, Muhammadaa...
[c] L'irrégularité métrique de ce vers incite à l'hypothèse d'une omission, celle de *ceniiɗe*, attesté ailleurs (dernier vers du poème IX).
[d] Les deux formes *duniya* et *duniyaa* apparaissent selon les besoins de la métrique.

XI

Je dois rendre grâce à Celui qui créa la création avec l'amour pour Ahmad
en assurant aux divers pays des successeurs voués à l'imitation d'Ahmad

et illuminant les cœurs des compagnons et des saints,
et la lune et le soleil, d'un atome de la lumière de Mouhammad !

Et de même, Dais céleste, Trône et Calame, sois-en certain,
tout ce qui a fait leur éclat, c'est une gouttelette de la lumière émanant de
[Mouhammad !

Je m'en remets à toi, ô Maître de Majesté, détenteur de la faveur divine
quand terre et ciel furent fixés pour l'amour de Mouhammad.

J'appellerai sur Ahmad la bénédiction en une prière la plus belle qui soit
que je terminerai avec les deux rakats en appelant la paix éternelle sur
[Ahmad.
Entendez un poème qui a jailli de mon sein assoiffé,
assoiffé non du monde d'ici-bas, mais assoiffé de Mouhammad !

Ahmad entré en mon sein, mon cœur devait assurément être allégé,
ce qui auprès du Seigneur est léger, l'est par la grâce de la lumière de
[Mouhammad.

À tout homme que tu vois, épris de ce monde et de ses richesses,
tu peux dire : « Allons ! tu es perdant puisque tu as rejeté Ahmad ! »

Mo njii-ɗaa kala wo ɗuurtiiɗo duniya e koomti mum   9
mbiyaa : « Hey ! jaka a yarnaama nuuru Muhammada ! »

Yeewee so jiibe yo nyaameteeɗum e muslimi   10
wo noon jawle duniya nefniraa ɓernde Ahmada !

Walaa fuu kisanɗo to Laamɗo mbeli dewɗo Ahmada   11
wo kayru peneeru ndu woorni on rewde Ahmada.

Nanee yimre beegaande nde beegaaɗo yuɓɓi[e] ɗum   12
keɓon ɓerɗe mooɗon ɓeydoroo yiɗde Ahmada !

Mi ooloo mi ugga mi ŋuura beegeede Ahmada   13
mi dimmboo ti kewtuki dahmugol[f] gilli Ahmada !

Mi taya ɗoydî kala fuu jamma miilaade Ahmada   14
mi hiirtoo mi wottoo nuuru sawqu Muhammada.

Mi yarnee koral dibawal ɓutiingal hagiigata   15
e hukumuuji ɗoofiiɗî e nder becce Ahmada.

Mi hebbina buucam[g] noon teketti[h] e jawfu fuu   16
mi liiyoo mi waata mi walya[i] nuuru Muhammada.

Mi oynoo reworɓam ɗomɗunooɓe yo ngar njara   17
mo moyyere fodaa yarneema nuuru Muhammada.

Var. :

12. (2) keɓen ɓerɗe meeɗen...
13. (2) ... dammugol...
15. (2) ... e nder wecco...
16. (1) ... tetekki e jawu fuu   (2) mi liyya...

---

[e] Le récitant prononce *yuuɓi*.
[f] *dahmugol : dakmugol*.
[g] *buucam : bucce am* ; de même au vers suivant *reworɓam : reworɓe am*.
[h] Prononcé ici *tekketi*.
[i] *mi waata mi walya : mi gaata, mi galya*.

À tout homme que tu vois qui s'est détourné du monde et de ses séduc-
dis : « Alors là ! tu as été abreuvé à la lumière de Mouhammad ! » [tions,

Reconnaissez que si les viandes illicites étaient nourriture mangeable pour
   des musulmans
alors de même, les biens de ce monde ne seraient pas répugnants au cœur
                                   [d'Ahmad !

Nul ne connaîtra le salut auprès du Seigneur sinon le fidèle d'Ahmad,
c'est ce monde mensonger qui vous a déviés du service d'Ahmad !

Entendez un poème d'amour mystique composé par un fervent
et y gagnez que vos cœurs voient en eux croître l'amour pour Ahmad !

Je meugle, je rugis, je râle, dans mon amour fervent pour Ahmad,
pris de tremblements pour avoir eu accès à la suavité de l'amour d'Ahmad.

Suis pris d'insomnie, toutes les nuits, à la pensée d'Ahmad,
soir et matin, ai pour pitance la lumière de l'amour d'Ahmad !

Suis abreuvé à une profonde coupe toute pleine de la vérité
et des connaissances émanant du sein d'Ahmad !

J'en emplis mes poumons et mes entrailles et tout mon ventre,
et, secoué de hoquets, j'éructe et régurgite la lumière de Mouhammad !

J'avertis de mes cris mes proches assoiffés : qu'ils viennent boire !
Qui au Bien fut promis, sera sûrement abreuvé de la lumière de Mou-
                                     [hammad !

Muhammadu Abdullaay Su'aadu

Mo halkuya fodaa ɗuurtoo fa jalnora haala am   18
o jokkita bonɓeʲ Kurayši jalnooɓe Ahmada.

Mi faltoo jokolɓe suɓaaɓe selluɓe haɓɓere   19
yakawɓe yaqiinin nanndo fedde Muhammada.

Be lanndindoo ɓe mooɓtoo doomde ŋuuraango ŋuurndi   20
ndi huunan ndi aftoo darnugol sunna Ahmada.   [ndii

Ndi tiinondiraᵏ e ga'i bumɗi bumnaaɗi ɓerɗe ɗii   21
ndi fiiftoo ndi fowloo faade wayɓe Muhammada.

Ndi femmban ndi halka ko femmbanoo faa ndi noyka   22
ndi jaaloo ndi nuurɗina leyɗe min nuuri Ahmada. [ɗum

Jaloowo waree non nyeeminooɗoˡ ɓiyum dahee   23
genndum e jawkal mum waɗee ngeɗu Ahmada.

Gorel ɓaleewel bonngel waree tatte cilluki   24
yanii luuɓa-kunndugal maayra ngayngu Muhammada.

Wo noon worde yeddere Alla hirsee e callugol   25
nde yoornde peɗeeli nde wanje diina Muhammada.

Var. :

18. (2) mo jokkita...
19. (2) ... yaqiinu...
20. (1) Be landinoo...   (2) ndi huuna...
21. (1) Ndi tinnondira...
23. (1) ... ŋeeminooɗo...   (2) e genndum...
24. (1) Goral ɓaleewal bonngal...   (2) yeni...
25. (2) yoornde peɗeeli nde...

ʲ Le récitant prononce *bomɓe.*
ᵏ Création d'un verbe à partir du nominal *tiinde* (front).
ˡ *nyeeminooɗo : nyeeɓinooɗo, ŋeeminooɗo, ŋeeɓinooɗo.*

Qui à la damnation fut promis, se détourne en se gaussant de mes propos,
marchant sur les traces des méchants Koreïchites qui se gaussaient d'Ah-
[mad !

Je mets à part[1] des jeunes gens choisis, animés d'une saine détermination,
fermes en leur certitude, à l'image de la communauté de Mouhammad !

Ils s'apprêtent, se regroupant dans l'attente d'un mugissement du taureau
    mugissant
qui beuglera, en creusant du sabot les assises où ériger la Tradition d'Ah-
[mad.

Il s'affrontera en cossant avec des taureaux aveugles aux cœurs aveuglés,
il renâclera et s'élancera à grandes foulées vers les ennemis de Mouham-
[mad.

Il attaquera, anéantissant ce qu'il avait à combattre, jusqu'à le réduire en
et, victorieux, il illumine les pays de la lumière d'Ahmad !   [poussière

Un railleur sera tué et celui qui n'avait eu que mépris verra son fils réduit
et son épouse et ses misérables biens impartis à Ahmad.   [en captivité,

Un noiraud, méchant personnage, sera tué à côté d'un acacia[2],
et malheur ! le puant-de-la-bouche mourra victime de son aversion pour
[Mouhammad.

De même un gros homme, négateur de Dieu[3], sera égorgé dans une rivière
lui qui avait les doigts secs[4] et abhorrait la religion de Mouhammad

---

[1] Le verbe utilisé (*mi faltoo*) évoque le tri opéré par un berger parmi ses bêtes pour sélectionner un groupe – en particulier, celui qui servira de peloton de tête. Dans ce poème l'auteur emploie un vocabulaire imagé qui fait principalement référence au contexte pastoral : les verbes du vers 13 (*mi ooloo, mi ugga, mi ŋuura*) décrivent divers cris d'animaux, le verbe du vers 17 (*mi oynoo*) reproduit les cris poussés par un berger pour protéger son troupeau de la menace d'un fauve. La métaphore filée va s'accentuer, au vers 20, avec le terme *ŋuurndi ndii* (le mugissant) qui renvoie au nominal sous-entendu *ngaari* ou *kalhaldi* (taureau ou étalon, qualificatif élogieux couramment attribué à toute personnalité remarquable) et avec *aftoo* qui décrit l'action d'un taureau grattant le sol du sabot.

[2] Le poète énonce un certain nombre de prédictions dans lesquelles son auditoire actuel reconnaît des personnes impliquées dans les luttes de l'époque. Ainsi le méchant noiraud du vers 24 serait l'un des Diawambé de Sébéra qui avaient persécuté l'auteur ou bien Aali Awdi, chef du Farimaké et chef guerrier des Peuls.

[3] Il s'agirait ici, pour les uns, de Âmadou Âmadou lui-même, le petit-fils de Chêkou Âmadou, pour d'autres, de Kawdo Boukari, le Diawando qui dénonça l'auteur à Âmadou Âmadou et fut à l'origine des persécutions qui l'obligèrent à fuir Hamdallâye.

Gorel leeptarel ngel canndalaaku ɓutii e mum 26
waree tulnde Seeno maayra seerde e Ahmada.

Wo noon gorko joom-hukumuuji bumɗi kasen sokee 27
fa timmina aamun wardoyee gawlu Ahmada.

Nanee tannyoree ɓee worɓe nayo fu ko kuuwetee 28
njaɓon ɗum bilaa sakkin ka sidiqi Muhammada.

Mo fennii ɗalon ɗum tasko-ɗon ɗum fa nyannde ndeen 29
mbi'on ɗum : « A hersii jeddunooɗo Muhammada ! »

Muhammadaa jillaa ferre^{m} haala e golle fuu 30
Muhammadaa tokara^{n} nulaaɗo Laamɗo Muhammada.

Saɗiima kam e yimɓam wayɓe ngoonga ɗo feenyi fuu 31
nde koomtitorii diinaaji diina Muhammada.

So annduɗo honniima ngoonga Alla ɗo wardi fuu 32
o seerii e deftere jippinoonde e Ahmada.

Pene o wondunoo faade ngoonga warde o nannditoo 33
e moyƴuki jiituki^{o} makko diina Muhammada.

Var. :

27. (1) ... kasin...
28. (1) ... nayon fu...   (2) ... sidqi...
30. (1) Muhammadu jillaa fewre... (2) Muhammadu... .
31. (2) ɓe koomtitorii dinaaji...
32. (1) so anndu ɗo...   (2) ... deftere jippinaande...
33. (1) ... warde o nanndinoo

---

^{m} *ferre* : *fewre.*
^{n} *tokara* : *tokoraa.*
^{o} variante : *yonnyuki.*

Un misérable individu, difforme et tout enflé d'outrecuidance[5]
sera tué sur une dune du Sêno[6], mourant de s'être séparé d'Ahmad.

Et encore un homme détenteur de sciences occultes sera emprisonné
et, au bout d'un an, sera mis à mort suivant la sentence d'Ahmad[7].

Entendez et soyez assurés que ces quatre personnages seront ainsi traités,
admettez cela sans en douter et comme parole véridique de Mouham-
[mad[8] !

Qui a osé démentir, abandonnez-le mais ne le quittez pas des yeux jusqu'au jour
où vous pourrez lui dire : « Tu t'es couvert de honte toi qui avais contredit
[Mouhammad !

Mouhammad ne mêle nul mensonge en ses propos ni en ses actes,
Mouhammad, l'homonyme de l'Envoyé du Seigneur, le Loué, Mouham-
[mad ! »

Il m'est pénible ainsi qu'à mes gens que des ennemis d'une vérité pourtant si éclatante
se soient laissés séduire par leurs trompeuses natures plutôt que par Mou-
[hammad[9] !

Si quelqu'un qui a eu la connaissance s'est fait l'ennemi de la vérité divine où qu'elle soit advenue,
il a rompu avec le Livre dont fut donnée la révélation à Ahmad !

Plongé dans les mensonges comme il l'était avant l'avènement de la
vérité, il se donne les apparences
d'une parfaite entente avec la religion de Mouhammad[10] !

---

[4] Cette expression stigmatise l'avarice mais peut aussi faire allusion à la main caleuse d'un travail-
leur manuel d'origine servile, ce qui, ici, peut être interprété comme une qualification particulièrement dépréciative du personnage évoqué.

[5] Il s'agirait de Saydou Sêkou Saydou de Kakagna.

[6] Nom donné aux régions de terre sablonneuse.

[7] Il s'agirait de Abdoullâye Bôri Hamman Sala, fils de Hamman Sala Môdi Âya, de Ténenkou.

[8] À partir de ce vers le poète joue sur son homonymie avec le Prophète.

[9] Autre traduction possible : se soient complus aux pièges de leurs penchants plutôt qu'à la religion
de Mouhammad.

[10] Variante : « il déguisait sous une apparente bonté sa fourberie (*yonnyuki*) à l'égard de la religion
de Mouhammad ».

O heɓa darjawel duniyaa e nder ɓerɗe majjuɗe 34
o sawtira ɗum honnaade nyeemtinɗe Ahmada.

O nyeemtina Sayɗaana ko wi'inoo e Ahmadaa 35
mbiyaa mo : « A maayran suuno haasidi haasida ! »

Wo noon yimɓe joom-defteeje salinooɓe Ahmada 36
e dow tannyoral defteeje maɓɓe Muhammada.

Nanee haasidaaku so ngoonga feenyii ko huuwata 37
wo nyawrude becce e wanje jokkuɗo Ahmada.

Koɗorɗe wo ɗiɗi ngoni yeeso meeɗen to laaxira 38
wo ɗum waddi en gila nyannde ɓannguki Ahmada.

De ɗiɗi fu ɗe keewan ɗum ɗe podanaa to Joomi men 39
faa naaru-llahum summa l-jinaanu li Ahmada[p].

Reworɓam ngaree tuubee kulol Laamɗo Tagɗo on 40
fa paydoro-ɗon ɓattaaɗe janngo Muhammada.

Dalon wanje kewtuɗo ngoonga min indi rabbihi[q] 41
e wi'ide[r] mo fuu : « Wati nanndoyee wayɓe Ahmada ! ».

Walaa fuu bi'iile e ngayngu ko mi nantanaali on 42
mi faalaaka nii sabi kewtugol barke Ahmada.

Var. :

34. (1) Mo heɓɓa...   (2) mo sawtira... nyemtinɗo...
35. (1) Mo nyemtina Sayɗani...   (2) ... a maayran suunu...
36. (1) Won non... defteele...
37. (2) ... jokkude...
38. (2) ... gilla nyaande...
40. (1) ... tuubee kulee...   (2) fa ɓeydoro-ɗen...
41. (1) Dalen...   (2) ... wata nandoyen...
42. (2) ... sabu...

---

[p] Phrase en arabe : *nāru lahum ṭumma al-jinān li* (feu sur eux et puis les jardins sur...).

[q] ar. : *min ʿindi rabbihi* (du côté de son seigneur).

[r] *wi'ide* et, plus loin, *bi'iile* : parole(s) blessante(s), médisance(s). Ces formes sont inhabituelles. La forme courante du pluriel est *biile*, celle du singulier est rare et varie (*wiire*, *bingol*).

Il gagne une misérable gloire temporelle auprès des cœurs égarés
et s'en prévaut pour déployer son hostilité envers ceux qui ont pour
[modèle Ahmad !
Il imite Satan, dans ses médisances contre Adam.
Dis-lui : « Tu mourras à cause de ta convoitise d'envieux égoïste ! »

Il en est de même des gens qui, bien que détenteurs de nombreux livres,
    avaient refusé Ahmad
en dépit de la certitude apportée par leurs livres, sur Mouhammad.

Apprenez que les effets de la jalousie, lorsque s'est révélée la vérité,
c'est de souffrir en son cœur de la haine pour qui a suivi Ahmad !

Ce sont deux séjours qui nous attendent en l'autre monde
et c'est là ce qui nous a conduits depuis le jour de l'apparition d'Ahmad.

Et ces deux lieux de séjour seront pleins de ce qui leur a été destiné par
les feux pour eux et les jardins pour Ahmad !   [notre Maître :

Mes frères, venez faire repentance et craignez le Seigneur qui vous a
afin d'avoir demain la chance d'être tout près de Mouhammad !   [créés,

Abandonnez votre hostilité à l'égard de qui a eu accès à la vérité venue
    de son Seigneur,
et toutes vos calomnies ! Ne devenez point une réplique des ennemis
[d'Ahmad !

Il n'est pas de propos diffamatoire et haineux que je n'aie entendus de
mais je ne m'en soucie guère, ayant eu accès à la faveur d'Ahmad ! [vous

Walaa mo mbi'an-mi e mon walaw wultindaade ɗum
ko haanii e am nyeemtinde gikku Muhammada.
43

Ko Ahmada wi'aano e yimɓe mum ana yawti ɗum
mi waaɓii mi honnaama e yimɓe am yo no Ahmada.
44

Mi daŋnaay ko harmi mi bahrataa nyaamde ɓalli mon
mbeli nde kaal-mi konngol Laamɗo maa gawlu Ahmada.
45

Mo honniima oo wallaahi ! tayoral wo naafigi
wo nihnih ɓe konnoriino nabuwwata[s] Ahmada.
46

Be njalnora yimkol njokkukol[t] kam ɓe pekkitoo
ɓe nyaaman ɓe kaara ɓe njalta aybinde Ahmada.
47

Be mbiya en ɓe ŋoɓa ɓe nyeemoyoo[u] en ɓe mbarjoyee
jahiimi e waayde suroore kala fedde Ahmada.
48

Be mbiya yimɓe warɓe e am : « Ko tefoton e batte oo ? »
ɓe nyeemtina buu-Jaali[v] ko wi'iino e Ahmada.
49

Yoga e maɓɓe wii : « Oo ko wo binndoowo sihri nii
o janngaali defte ! », ɓe njeggitii nuuru Ahmada.
50

Var. :

43. (1) ... mbiyammi... wultindaaɗe...   (2) ... jikku...
44. (1) ... wiyano...   (2) ... mi honnaama yimkol am yeru Ahmadaa
45. (1) Mi daŋayli...   (2) mbele nde...
46. (1) Mo honniima o ... yo naafigi   (2) wo ni ni ... nubuwwata...
47. (2) ɓe nyaama...
49. (2) ... bajaali ko wiino...
50. (1) ... kay yo binndoowo sihru ni

---

[s] *nabuwwata* : déformation de l'arabe *nubuwwat* (prophétie).
[t] *yinkol njokkukol* : *yinkon njokkukon* ou *yinkoy njokkukoy*.
[u] *nyeemoyoo* : *nyeeɓoyoo*.
[v] *buu-Jaali* : *abu-Jaali*.

Il n'en est point contre qui je parlerai parmi vous, même pour le confondre
de mensonge,
ce que l'on doit, pour moi, c'est imiter le comportement de Mouhammad.

Ce qu'Ahmad eut à subir de médisance parmi ses gens va bien au-delà de
cela !
J'ai eu le privilège d'avoir des ennemis parmi mes gens, tout comme Ah-
[mad !

Je n'ai pas rendu licite ce qui est illicite ni ne participais aux conciliabules
pour vous calomnier !
Bien plutôt ne parlè-je que de la parole du Seigneur ou de celle d'Ahmad.

Qui s'en est fait l'ennemi, par Dieu ! est assurément un hypocrite
tout comme ceux qui s'étaient opposés à la prophétie d'Ahmad !

Ils s'esclaffent, se gaussant des humbles fidèles qui m'ont suivi !
Ils mangeront tout leur saoul et sortent pour diffamer Ahmad[11] !

Ils nous critiquent, nous déchirant à belles dents et avec une moue mépri-
sante : leur récompense future sera
la Géhenne et l'absence de toute intercession de la part de la communauté
[d'Ahmad.

Ils disent aux gens qui sont venus à moi : « Que recherchez-vous auprès
de celui-là ? »
Ils imitent Abou Diâli[12] dans ses médisances passées envers Ahmad !

Certains d'entre eux disent : « Bah ! celui-là, il écrit des charmes magiques
c'est tout[13],
il n'a pas étudié les livres ! » ; ils ont oublié la lumière d'Ahmad !

---

[11] Est-ce là une allusion à un événement de la vie du Prophète rapporté par les Hadiths (?) lorsque celui-ci, voulant révéler sa mission à ses proches les convia par deux fois à un repas qui, bien que maigre, rassasia la quarantaine de convives mais se termina sur un échec ; en effet les oncles de Mouhammad non seulement ne se laissèrent pas convaincre, mais quittèrent les lieux, pleins de soupçons et de railleries. (M. Godefroy-Demombynes, *Mahomet*, Albin Michel, 1957, pp. 76-77).

[12] Aboû Djahl est évoqué comme le Koreichite le plus acharné dans son opposition au Prophète.

[13] *Sihri* : [siḥr] (charme magique) ou [šiᶜr] (poésie, vers), référence à une pratique du « maraboutage » ou au statut de poète de l'auteur ? Ce qui nous incite à retenir la première interprétation, est l'emploi du verbe « écrire » (utilisé pour la confection des talismans), le verbe utilisé pour la poésie étant non pas « écrire », mais « chanter ». Toutefois l'ambiguïté du terme ici tient au fait que la pratique de la magie ainsi que la composition poétique furent parmi les accusations les plus fréquentes énoncées par les adversaires du Prophète, en son temps, pour refuser son message.

Yoga e maɓɓe wii : « Fay juulde makko oo fahmataa ! »   51
ti jawgol kalaama-llaahi furgaana[w] Ahmada.

Yoga e maɓɓe wii kam : « Janngu nahwu faa moodo-ɗaa ! »   52
ɓe ngattoy nahwu wo nuuru ɓernde Muhammada.

Ɓe anndaa wo nuuru-llaahi woni layli ɗum kala   53
e reende kalaam-allaahi nyeemtinde Ahmada.

Fa njaltin-mi annde gam feeti janngude ɗum kala   54
ɓe mbi'i kam ko wi'aano e Ɓurɗo meeɗen Ahmada.

O fohndan[x] oo joom-hakkile ndeen noo o wallifoo   55
wo nih nih ɓe mbiinoo Ɓurɗo meeɗen Muhammada.

Fa Joom-manngu jaabii jinngonoyde[y] Nulaaɗo mum.   56
Tayee pohndoyee fohndoyki[z] aglu Muhammada

Onon nee, tayee pohndon yo no tayki am, njimon   57
ma on nanndoyii wiinooɓe ɗum ɓee Muhammada.

Var. :

51. (2) e jawgol... furgaanu...
52. (2) ɓe ngattoy naahu wo nuuri...
53. (1) ... lasli ɗum...
54. (2) ɓe mbi'i kam yo no ko wiyano e cuɓaaɗo Muhammadaa.
55. (1) ... haqille...   (2) wo ɗum nii...
56. (2) pondoyee...
57. (1) ... pondon no hono tayki...
    (2) ma on nannditin e wiinooɓe ɗum e Muhammadaa.

---

[w] ar. : *kalām allāhi* (langage de Dieu) et *furqān* (différenciateur).
[x] *fohndan* et, aux vers suivants, *pohndoyee fohndoyki...*, *pohndon* : cette prononciation semble refléter une certaine conscience de l'étymologie du verbe (< *fot-d-) qui, selon les dialectes, prend les formes *foondude/fonndude/fonndude*.
[y] *jinngonoyde : jinnganoyde*.
[z] *foondoyki* : on attendrait *poondoyki*.

D'autres, parmi eux, disent : « Même sa prière, lui, ne la comprend pas » :
c'est qu'ils font peu de cas de la parole divine du Code sacré d'Ahmad !

D'autres encore me disent : « étudie la grammaire pour devenir un let-
     tré ! »
Ils mettent la grammaire à la place de la lumière du cœur de Mouhammad.

Ils ignorent que c'est la lumière divine qui est à l'origine de tout cela
et que c'est préserver la parole divine qu'imiter Ahmad.

Au point que j'ai exprimé des connaissances sans même avoir étudié tout
Ils m'ont adressé les critiques qui l'avaient été à l'Élu Mouhammad[14]. [cela.

Il choisit son mètre[15], en homme avisé, et puis compose ses poèmes :
c'est exactement ainsi qu'ils avaient critiqué notre Excellent, Mouham-
                                                                    [mad.

Jusqu'au jour où le Maître-de-Grandeur, en réponse, décida de prendre la
     défense de son Envoyé.
Cessez et tentez plutôt de vous mettre à la hauteur de l'esprit de Mouham-
                                                                    [mad !

Et vous, donc, essayez de suivre la même scansion que moi et chantez !
Ou alors vous allez être tout comme ceux qui avaient ainsi critiqué Mou-
                                                                    [hammad !

---

[14] Une tradition – controversée, certes – veut en effet que le Prophète ait été un « illettré ».
[15] Textuellement, « il mesure, égalise » ; le poète choisit en effet un type de mètre précis puis organise ses mots (*o wallifoo*) suivant la mesure des pieds qui lui correspondent.

Muhammadu Abdullaay Su'aadu

Muhammada janngaay gabula furgaana tannyoral   58
wo noon miin ne du mi janngaali, yeew nanndu o Ahmada.

Wanaa paggagol anndeeje husudu e ndunndaru   59
ɗowata yimɓe faa coora nder liwaa'u Muhammada.

Wo annoora mawnuki Laamɗo rufetee e ɓernde yaa   60
nde ɗemɗe ndoggana ɓannginde jamiraaɗi Ahmada.

Kulon Laamɗo kewton nahwu noon fiqihi noon luxa   61
ko nanndaay ko mon koo ndammbitaa ɗum dow Ahmada.

Walaa suuyde Laamɗo e waawde wiide deworɗo mum   62
jokolɓe ɓadorotoo Burɗo meeɗen Muhammada.

Wo rewde mo rewde tagoowo lamru e nahyu fuu   63
wo ɗoon ɓurdugol heɓetee e nyeemtinde Ahmada.

Homo ne yarii ɓiraaɗam bee yarde kammbulam   64
sako nee jarɗo wafaran nuuru min nuuri Ahmada.

Mi juulii cuɓaaɗum juulde dow ɓurɗo rusulu fuu   65
banu-haasiminke inneteeɗo Muhammada.

Var. :

58. (1)... qabla furgaana tannyor   (2) ... mi janngaay...
59. (1) Walaa...
61. (1) Kulaa...non luga   (2) ko nannda ko mon ko ndambitaa ɗum e Ahmadaa.
62. (1) Walaa suuyde Alla...   (2) ... ɓadorto...
63. (2) ... heɓetee e yiide Ahmadaa.
64. (2) sako no jarɗo wafram nuuri...
65. (2) ... inndeteeɗo...

Mouhammad n'a pas étudié avant le Différenciateur[16], c'est chose certaine,
il en est de même pour moi : je n'ai pas étudié. Vois la ressemblance avec
[Ahmad !

Savoirs, jalousie et outrecuidance accumulés, ce n'est certes pas là
ce qui conduira les gens pour qu'ils trouvent abri sous la bannière de
[Mouhammad !

C'est bien plutôt la lumière de la grandeur du Seigneur se déversant dans
les cœurs
tandis que les langues s'activent pour proclamer les commandements
[d'Ahmad.

Craignez le Seigneur et retrouvez une grammaire, un droit et une langue
qui n'ont rien de commun avec les vôtres[17], tu peux calquer cela sur le
[cas d'Ahmad.

Ce n'est pas de braver le Seigneur et d'être expert à médire de son
prochain
qui permettra aux jeunes gens d'approcher de notre Excellent, Mouham-
[mad.

C'est en le suivant et en obéissant au créateur de ce qui est prescrit comme de ce qui est proscrit,
c'est là qu'on pourra l'emporter dans l'imitation d'Ahmad.

Quel homme qui a bu du lait frais aurait fort envie de boire de l'eau mêlée
de son[18] ?
a fortiori celui qui s'est abreuvé aux flots de lumière émanant de la lu-
[mière d'Ahmad !

J'appelle la plus choisie des bénédictions sur le Meilleur de tous les pro-
le Hachémite, le dénommé Mouhammad !   [phètes,

---

[16] Qualificatif désignant le Coran. Il est ici rappelé une tradition selon laquelle Mouhammad a eu la révélation du Coran sans avoir auparavant pratiqué la lecture et l'écriture.

[17] Le savoir de ses adversaires est ici stigmatisé comme entaché d'orgueil ou de prétention. Par contraste, le poète rappelle la modestie de l'instruction du Prophète, qui ne l'a pourtant pas empêché de recevoir la révélation d'un texte dont la perfection linguistique fait désormais loi.

[18] Il s'agit plus précisément de l'eau dont on a lavé le mil pour le débarrasser du son, et que l'on donne à boire aux chevaux ou au bétail.

MÂBAL

MÂBAL

Le poète Bâ Hamma, dit *Maabal* [1] est né à Konko (Cercle de Niafounké) et il vint vers 1914 (ou 1920 selon les informations recueillies) à Bandiagara où il est mort.

On lui doit ce poème composé en l'honneur d'El-Hadj Oumar ainsi qu'une élégie de soixante-trois vers dédiée à Tierno Bôkar Sâlif et un poème mystique intitulé *Sorsoreewel* (Le Fouinard) [2].

Ce poème a été enregistré par mes soins en 1977 à Bandiagara ; il était chanté par le chantre *Aamadun Kunnje* dit *Missi*, né à Wori (cercle de Douentza) vers 1910 et qui, venu à Bandiagara depuis son jeune âge, fut un élève de *Ceerno Bookari Saalihu* (Tierno Bôkar Sâlif). La transcription en a été établie avec la collaboration d'Almâmi Malîki Yattara.

---

[1] Pour plus de précisions concernant ce poète, voir pp. 15-16 et 45-46.
[2] Théodore Monod, 1947 et 1948.

À EL-HADJ OUMAR

Maabal

Mi faamtoronoo paabiiɗo Hassan e mantude   1
muraadam yo ɗum nii aan mo wuurdaali mawtude[a].
Mi juulii e dow tabitirɗo[b] rukku e sujjude
se newnani min neldaaɗo hinne e teddude
mo nay ɗiɗi farlaa fawti naafila Ahmadaa.

Ahmadu Foodiya Muusa fulfulde omtorii   2
ibnun Muhayyabi oon mo jaareeɓe mbappirii
yonii kaawɗe ndii kalhaldi Hawsa no wanjorii
ujunaaji jeeɗiɗi yettu ma e ko o wa'ajorii !
Ibnu Sa'idi sa'adirii yimde Ahmadaa.

Jokolɓe ndawii konu dawɗo Halwaaru wappitii   3
miɗen kormoroo faa nyannde pittaali ŋabbitii
yonii kelɗo Kaaso e Kaarta baayyande[c] ɗun fotii
laamorɗe Dumbiya kodda Aadama udditii
e nder jadi diina-l-laahi jaarii Muhammadaa.

Dawii hajji wartii daasi jeysuuji – coo walii !   4
e nder ci'e heefordiiɓe tooruuji mun helii
yo aan wari wayɓe se jaɓɗo ɗoftaade fuu ɗali
yo aan felli Siikoro, Seeku, aan ɗoofi ɗoon Ali
yo aan anndi masijidi nder madiinaaji Ahmadaa.

Var. :

1. (1) Mi faabtori oon paabiiɗo…
   (2) … mo wurdaay…
   (4) so newnani…
   (5) mo nay ɗiɗi farlaa faatinaa fiilu Ahmadaa.
2. (2) … mo Aaraaɓe nyemmbini
   (5) ibnu Sa'idi saabirii… (saabirii < ar. [ṣābir] « patient, persévérant »).
3. (4) laamorde Dumbiya…
   (5) … diina-l-laaha…
4. 2) … tooruuji mun kelii

---

[a] *mawtude* : verbe formé à partir du mot arabe [mawt] désignant la mort.
[b] Le récitant dit *tabitorɗo*.
[c] *baayyande* : *baay'ande*, verbe formé à partir du verbe arabe [bāyaᶜ] « faire soumission à ».

J'ai eu pour mon chant de louange recours à Celui qui aida Hassan[1]
car tel est mon dessein, ô toi dont la vie à la mort ne fut point assujettie !
J'appelle la bénédiction sur celui qui à la prière[2] voua tout son temps
et la mit à notre portée, eut en message miséricorde et révérence,
et qui, pour les quatre rak'at[3], aux obligatoires ajouta les surrérogatoires,
[Ahmad !
Ahmadou Fôdiya Moûssa[4], en langue peule, s'est exprimé
c'est à Ibn-Mouhayyabi[5] que les chantres l'ont comparé :
combien de chefs-d'œuvre ce taureau du Haoussa[6] n'a-t-il pas produits
avec ses sept mille vers d'actions de grâce outre ceux de prédication !
Ibn Sa'id[7] a eu l'heur de célébrer Ahmad !

Jeunes preux ont pris tôt la route et de bon matin l'armée sans bruit a
quitté Halwâr
et nous voilà pleins de vénération jusqu'au jour où les âmes seront ressus-
citées !
Il est temps qu'au vainqueur du Kâsso et du Kârta, il soit fait soumission :
les fiefs de Doumbiya, le dernier-né de Âdama[8] les a conquis[9] et mis
sur les chemins de la religion divine, et il a rendu grâce à Mouhammad !

Parti en pèlerinage, en est revenu avec derrière lui des armées – ô le saint !
et dans les villages des païens, a brisé leurs idoles.
C'est toi qui as mis à mort les ennemis tandis que fut épargné quiconque
acceptait de se soumettre !
C'est toi qui as mitraillé Sîkoro, Cheikh, toi qui en as fait sortir Ali[10] !
C'est toi qui as connu la mosquée dans les cités d'Ahmad !

---

[1] Sans doute s'agit-il du poète Hassan ibn Thabit, chantre du Prophète.

[2] Textuellement « qui fut constant en inclinaison [rukū᷄] et prosternation [sujūd] ».

[3] rakkat : ar. [rakᶜāt] inclinaisons dont le nombre est fixé pour chaque prière. Il est ici fait allusion aux règles applicables pour les prières du début de l'après-midi et du début de la nuit.

[4] Poète célèbre de la fin du XVIIIᵉ et début du XIXᵉ siècles, originaire du Farimaké et qui, dit-on, fut appelé à Hamdallâye par Chêkou Âmadou, en 1818 ; auteur de la trilogie figurant dans ce recueil.

[5] Ibn Mouhayyabi : textuellement « le fils-du-très-respectueux », qualificatif désignant un poète arabe.

[6] Le Haoussa désigne dans cette région du Mali, la rive gauche du fleuve Niger (par opposition au Gourma, la rive droite). Le qualificatif de « taureau » (plus exactement « étalon ») est traditionnelle-ment attribué aux personnages que l'on veut honorer.

[7] Ibn Sa'id : il s'agit soit d' El-Hadj Oumar dont le père avait nom Sa'îdou Ousmâne, soit de l'auteur du célèbre poème *Al-Burda* (Le Manteau), *Al-Būṣīri, bun Saᶜid*.

[8] Âdama était la mère d'El-Hadj Oumar. Doumbiya était le roi du Kâsso et du Kaarta.

[9] Textuellement « les a ouverts », expression consacrée pour désigner la conquête d'un village païen, durant le jihad.

[10] Entrée à Ségou Sikoro, l'armée d'El-Hadj Oumar investit, le 9 mars 1861, le palais de Ali, que celui-ci avait fui précipitamment (voir D. Robinson, *La guerre sainte d'al-Hajj Umar*, Karthala, 1988, p. 251).

Maabal

Madiina e Makkata kam e Bayti-l-mugaddasi   5
kala yo jadi maa nuur al-zamaanu e leyɗe Siin
daɗii yire mun danyi ɓirde ɓeynooji koyhosi
e nder tiinde belko'o mawɗo jawaadu oon fesi
se omtanoyaa zikruuji taanii Muhammadaa !

Wallaahi wallaahi ! Mi naatii mi yaltataa   6
ɗariigata seexam, seexu muuɗun mi seltataa.
Ceniiɗo yo wan kawral wo saare to jannata
fa ɓanngana ɓee yankirɓe wumɓe ɓe njiitataa
ɓural Allaa yen ma ɓurde illa to Ahmadaa !

Ndaɗoowu e nder daɗi saama cuftaa nde njaalorii   7
ɓe njaltii e boowal Alla Laamiiɗo ngal ndiri
cilol ngol se juunnoo juuɗɗi gaaɣorɗi fuu mberii
dimaaɗi tayi tabe mun tawi mbaawataa ndarii
hayaatan mo yaarani guuji jokkooji Ahmadaa !

Coo ndimu yaaya e baaba kaayiingu kalhalu   8
e nder cuɓi teertuɗi tewde Allaahu noon mbelu !
Mi fodaama e nder almuɓɓe gilla to awwalu
miɗon ndewi faa njii-ɗen Muhammada joom-malu
welii feere men seexuujo taanii Muhammada !

Var.

5. (3) daɗii yiru mun... kosoosi
   (4) ... jawwadu...
   (5) se omtonoyaa...
7. (1) Daɗoowu e nder daɗi saanga suftaa...

418

Médine et la Mekke et, avec elles, la Demeure-du-Pur[11]
toutes furent tes chemins, Lumière-de-ton-Temps aux pays de Chine[12].
Il a surpassé toute sa génération et eut l'heur de traire des laitières intaris-
    sables
et, au front du favorisé du sort, Le-Grand, Le-Généreux[13] ouvrit une fente
pour que lui soient révélés les *zikr* du descendant de Mouhammad[14] !

Par Dieu ! Par Dieu ! Je suis entré pour n'en plus ressortir
dans la Voie de mon Cheikh[15] et, de son Cheikh, ne m'écarterai plus.
Pur ! Puisses-tu faire que le grand Rassemblement soit une cité au paradis
pour que ce soit clair pour ces mécréants aveugles qui ne reconnaissent
    pas [la vérité] !
Puisse l'excellence de Dieu t'accorder d'être le meilleur depuis le temps
                       [d'Ahmad !

Premier parmi les cavaliers du peloton de tête lors de leur sélection pour
    une victoire future !
Ils se sont élancés fougueux sur le terrain de course du Seigneur Dieu,
si longue était la piste à parcourir que tous les coursiers, hauts et robustes,
    ont échoué,
les destriers ont foulé ses traces mais, s'en voyant incapables, se sont ar-
    rêtés
quand lui, depuis longtemps déjà est parti rejoindre les étalons dans le sil-
                       [lage d'Ahmad !

Ô le pur-sang, pur de par sa mère et de par son père, étalon bien dressé,
arrivé le premier parmi les chevaux de choix qui ont foncé à la recherche
    de Dieu !
Mon destin fut, dès les origines, d'être au nombre des disciples,
nous sommes des fidèles, dans l'espoir de voir Mouhammad le bien-
    heureux,
à nous particulièrement, cher est le Cheikh, descendant de Mouhammad !

---

[11] Désignation traditionnelle de Jérusalem.

[12] C'est-à-dire, « jusqu'aux confins du monde ».

[13] Attributs de Dieu.

[14] Il s'agit du Cheikh Tidjâni et des oraisons particulières (*zikr* [ḍikr]) récitées par les adeptes de la confrérie tidjaniyya dont El-Hadj Oumar fut le principal propagateur en Afrique de l'Ouest.

[15] Il s'agit de Tierno Bokar Sâlif de Bandiagara (voir Â. Hampâté Bâ, *Vie et enseignement de Tierno Bokar, le Sage de Bandiagara*, Éditions du Seuil, 1980) ; et « son Cheikh » désigne El-Hadj Oumar.

Maabal

Malii en malii en Fuuta fuu Nulɗo Ahmadaa   9
Kanyum tagi nahyu e laamru sunna Muhammadaa
yidii en yeɗii en Seexu Tijjaani Ahmadaa
e cinndule men barkinɓe barke Muhammadaa
yonii min yanii nyeeɓiiɗo salaatuuji Ahmadaa.

Muriidun Mujiibun muuyi feccii jiyaaɓe mun   10
sey jokku mo muuy-ɗaa fuu ta ŋeema ɗariiqa mun.
Ko yiɗi oo se wanyii oo too e jokkude diina mun ?
ta on paabo ngam Allaa Biliisa e golle mun
ɗalee nyaamde ɓalli e wiide ɓattiiɓe Ahmadaa.

Heyii dewɗo sunna Nulaaɗo Ahmadu Maasina   11
e Alfaa Umaru al-Hajji Seexu ko sellinaa
Usumaana Foodiya Bello haggan ko ardinaa
e rawsun riyaasun Seexu Bakkay ko anndinaa
ɓe fuu sirri Laamɗo ɓee fuu ɓe yilliiɓe Ahmadaa.

Wo yaa ɓoccoongel ruŋa iwde baamle ɗo kawritii   12
wati a hel nde noyyo-ɗaa kaaye ngoodaa ɗo fellitii !
So metteede Joomaa ɗaɓɓu ngam dee a farritii
lommbaade hakkunde maaje keewɗe se mbummbitii
kasen hujja fuu walanaa maa jaango to Ahmadaa.

Mo waajaaka ɗun wi'a haala mbonka mi harminii   13
mi wi'ataa mi yiɗataa biiɗo haggan mi goomɗinii
mi jeyaama e nder goomɗinɓe dokkal muhaymini.
Wo yaa saahiba-l-maduhun-nabiyyu mi silminii
e dow maa e dow kala juulɗo jiɗɗo Muhammadaa.

Var.

9. (4) e cinnduli mun barkinɗi...
10. (2) ...ta ŋeeɓa ɗariiqa mun   (3) ko yiɗi oo se wanyi oon ton...
12. (1) Wo yaa baasangel ruy iwde...

420

Il nous a accordé la félicité, oui, à nous et à tout le Foûta, Celui qui a
    envoyé Ahmad !
C'est lui qui a créé ce qui est proscrit et ce qui est prescrit par la Règle
Il nous a aimés et nous a gratifiés du Cheikh Tidjâni Ahmad   [d'Ahmad.
ainsi que nos condisciples qui ont répandu la bénédiction de Mouham-
    mad,
bonheur pour nous, malheur pour qui n'a eu que dédain pour les prières
                                                            [d'Ahmad !

Celui-qui-veut, Celui-qui-exauce[16] a voulu distinguer ses sujets :
attache tes pas à qui tu veux et ne te détourne pas de sa voie.
Pourquoi aimer celui-ci et détester celui-là, si l'on suit sa religion ?
N'apportez pas, pour l'amour de Dieu, votre concours à Iblis en ses œuvres
bannissez médisance et calomnie envers ceux qui sont si proches d'Ahmad !

Parfait exemple d'homme fidèle à la tradition de l'Envoyé : Ahmadou du
    Mâssina !
C'est tout aussi sûr pour ce qui est d'El-Hadj Oumar le Cheikh,
mais en vérité Ousmân Fôdiya Bello a été placé en tête
et Secours-auquel-on-demande-aide, Cheikh Bakkay a reçu la connais-
    sance[17] :
eux tous, pour ce qui est des secrets du Seigneur, tous les ont partagés
                                                            [avec Ahmad.

Las ! Pauvre petit œuf, fuis loin de là où des collines se rejoignent
de peur de te briser en mille morceaux alors que, des rocs, pas une par-
    celle ne se détache !
Si c'est le déplaisir de ton maître que tu cherches à causer, tu risques fort
de te trouver au beau milieu de fleuves en crue qui ont débordé
et il n'y aura pour toi plus aucun argument, plus tard, auprès d'Ahmad.

Qui ne prône pas cela n'a que mauvais propos, que je me suis interdits.
Je ne dirai point que je n'aime pas qui dit une vérité, en laquelle je crois
je fais partie de ceux qui ont foi en la générosité du Tutélaire.
Ô Maître-des-Louanges-du-Prophète, j'appelle la bénédiction et la paix
sur toi et sur tout fidèle qui aime Mouhammad.

---

[16] Qualificatifs désignant Dieu.

[17] Le poète rappelle ici, sans souci chronologique, les figures les plus célèbres de l'aire peule : Sêkou Âmadou, fondateur de l'Empire peul du Massina, El-Hadj Oumar, fondateur de l'Empire toucouleur, Ousmân Dan Fodio, fondateur de l'Empire de Sokoto et enfin Ahmad al-Bakkay, Cheikh des Kounta de Tombouctou et maître de la Qâdiriyya, qui eut tant avec les Peuls du Massina qu'avec les parti-sans d'El-Hadj Oumar des relations fluctuantes et même hostiles.

Maabal

Hariire raneere ko Taal o Toorooɗo min tami   14
jadol mun fa min njottoo to kalhaldi Haasimii
alaa jankiral sifa makko illa to jaalimi
du'aa'u yo heỳam miin e dunkeeɓe laazimi
waaziifa e taalilaaji taanii Muhammadaa !

Senuye woodani joom-lekki caltinki ɗee cate   15
Habiibu e Aamadu mun e Tafsiiru, coo bote !
Miɗen kalfinii koddaajo ittanɗo min mote.
Asii ɓulli belɗî ɓulooji de so hokki min fate
mo min ẏooŋraᵈ min ɓuta becce beege Muhammadaa.

Na'aamu ko woni ɗiin ɓulli jiimoy e dewtere   16
Safiinatu ndeen anndaama saabiima moyẏere.
Wallaahi wallaahi ! Mi haaldaani majjere !
Humanii jihaadu e hajju yillii e sarfere
lewlewndu kuɓɓuki fooyre diina Muhammadaa !

Sa'iidu ko danyi sa'ada yo al-horma Aadamaa   17
ɓii Aysa aan suftaa e rewɓe zamaanu maa
yo barkiniraa usuruure barkeeji kodda maa
wa yaa Seexu Mahmadu gaaliyya iwdi Faaɗima
binta rasuul-Allaahi jibinaaɗo Ahmadaa.

Mo faamaali Aamada Seexu Tijjaani anndiraa   18
mo ɗun weli fuu seyoroo mo ɗum metti suŋliraa.
Laawol walaa warraaka faa wela faandoraa.
Weli mettataa ko'e men to joom-muuyde hoddiraa
Ceniiɗo yo hollidin juulɓe fuu jaango Ahmadaa.

Var..

15. (1) Seene woodani... ɗee caɓe
      (2) ... Tawsiiru...
16. (1) ... tiimoy dewtere
17. (2) ɓii A'isa... jamaanu maa

ᵈ *yooŋra : yoogira.*

Soie immaculée, tel est Tâl, le Tôrôdo, dont nous avons pris fermement
la voie afin de parvenir auprès de l'étalon hachémite.
Il n'est de controverse sur ses qualités que de la part d'un homme injuste.
Que nous suffisent les oraisons, à moi et aux fidèles des séances de *zikr*,
du *wâzîfa* et des *tâlila*[18] du descendant de Mouhammad !

La pureté est l'attribut du Maître d'un arbre aux branches ramifiées[19] :
Habîbou et son Âmadou et Tafsîrou, gloire à eux !
Nous nous en sommes remis au dernier-né qui nous a libérés de toute
    rancœur.
Il a creusé des puits où sourd une eau délicieuse, et nous a donné une pui-
sette
avec laquelle puiser pour emplir les poitrines d'amour pour Mouhammad.

Assurément, ce que sont ces puits, va le voir en lisant le livre
de *La Nef*, livre bien connu comme source de bienfait !
Par Dieu, par Dieu ! mes propos ne sont point entachés d'erreur !
Il s'est ceint pour la sainte lutte et le pèlerinage, et il a rayonné,
feu flamboyant allumant la lumière de la religion de Mouhammad !

Sa'îdou, ce qu'il a eu de bonheur c'est à l'honneur d'Âdama qu'il le doit.
Fille d'Aïssa, c'est toi qui fus élue parmi toutes les femmes de ton temps.
Puisses-tu être bénie de dix bénédictions pour ton dernier-né !
Ô Cheikh Mahmadou Gâliyya[20], de la descendance de Fâtima,
fille de l'Envoyé de Dieu, engendrée par Ahmad !

Si l'on ne sait qui est Âmada, c'est sous le nom de Cheikh Tidjani qu'il
Qui y agrée, y trouve joie, qui s'en agace, en a tourment,   [est connu.
la voie [religieuse] n'a pas été faite pour plaire, tel n'est pas son but :
que cela nous ait plu et non déplu, c'est que tel fut le destin à nous fixé
    par le Maître-du-vouloir.
Puisse le Pur montrer demain à tous les croyants réunis, Ahmad !

---

[18] Séances de récitations des oraisons particulières (*zikr*) de la confrérie tidjaniyya.
[19] L'image de l'arbre généalogique est ici évoquée : le maître de l'arbre est Dieu, l'arbre est Sa'îdou Ousmâne, le père d'El-Hadj Oumar et les trois noms cités dans le vers suivant désignent trois des frères de celui-ci. El-Hadj Oumar étant le dernier des dix enfants qu'eut sa mère Adama, il est souvent qualifié de « dernier-né ».
[20] Après avoir rendu hommage au père et à la mère d'El-Hadj Oumar, le poète évoque le lettré marocain Mouhammad al-Ghâli, qui avait été désigné par Ahmad al-Tidjâni comme responsable de l'ordre pour le Hijaz et qui fut le maître auprès duquel El-Hadj Oumar s'initia aux pratiques de la confrérie et dont il reçut le titre de khalifa pour sa région.

Maabal

Minen liwndu liwtani ɓinnde toowtiinde dow caɓe,   19
minen fooyre ɓanngani saanga min njaaloraa nyiɓe,
minen njokki laawol dewɗo ngol fuu sanaa suɓee !
Se won biiɗo fennan ɗun ma min njeddu min kaɓee.
A seexuujo daɗɗo mo seexu mun woni Ahmadaa !

Waliyyu mo arzuku heewko tampanta Qaadiri !   20
Safiinatu Sa'ada laana belko'u mo deertorii
puɗɗooɗe hajju yo diina Allaahu timmorii.
Ko heewii re'ii sako seeɗa ɓanngirɗo aaxiri !
Aalimun xawsaaniyyu yo kiɓɓiiɗo Ahmadaa !

Ceniiɗo yiɗaa wanyiindu kamraa ndu sabe mun,   21
njiɗo nde horsinii fuu jeyaaka e fedde mun :
mahooru se toownana neɗɗo suuraaji koomti mun
ɗowrooru jawdi e laamu lelnooru tuugi mun
so rewɓe e dental tuuyo woɗɗii Muhammadaa.

Danyii ndu anyii ardiima jaleeye Fuuta fuu   22
ferdi e mun ana fella ɗuurtiiɗo sunna fuu
fa'a mo fa'i fa'ataa mo fa'raaka torra fuu.
Tayaale to Joomen ɗee ne ngooraali wonki fuu
to neɗɗanke faandoo timminaa Nulɗo Ahmadaa !

Wallaahi ! Aan waɗi ɗun ko siira Nulaaɗo maa   23
a jaɓiino ko oon nyaagii, a teddirɗo haala maa
so waɗii ko wanaa ɗun duu yo ciigol podooje maa.
A joom-mawngu tedduɗo noon a jaadirɗo kiite maa
Umaru nee danyii heddaade dow diina Ahmadaa.

Var.

19. (1) Minen liwndu liwntani...
21. (1) ... wanyiindu taŋraandu sabe mun
22. (2) ... ɗuurtiiɓe sunna fuu
    (3) ... farraaka torra fuu
    (5) ... timmanoo nulɗo...
23. (1) Wallaahi aan fodi ɗun...

Pour nous une gaule a gaulé un fruit poussé au plus haut des branches
pour nous une lumière est apparue à l'instant où les ténèbres sur nous
     prenaient le dessus !
Nous, nous avons suivi la voie qui à ses fidèles assure d'être élus
et s'il en est qui osent démentir cela, nous devrons les contredire ferme-
Tu es le cheikh arrivé en tête et dont le cheikh est Ahmad !   [ment.

Même saint comblé de dons devait se donner grand peine pour le Puissant !
Avec le *Safînat Sa'âda*[21], la *Nef du Bonheur*, il a pris le départ[22],
avec un début de pèlerinage c'est la religion divine qui s'accomplit.
Ce qui abonde s'épuise, a fortiori le « peu », voué à une fin certaine !
Un savant, un privilégié ! C'est un homme accompli, proche d'Ahmad !

Le Pur n'aime point ce monde haïssable qu'on doit combattre pour l'amour
qui l'aime par-dessus tout, n'appartient point à sa communauté :   [de lui,
c'est un modeleur qui érige pour l'homme des images qui le séduisent,
un guide qui le mène par la richesse et le pouvoir et lui tend ses pièges,
car femmes et tout ce qu'il y a de désirs, c'est bien loin de Mouhammad !

Il a eu tout en ce monde mais l'a abhorré, il a pris la tête de tous les peu-
     ples du Foûta
et émigré avec lui, prenant pour cible tous ceux qui s'étaient détournés de
     la loi religieuse
marchant contre qui s'opposait[23], n'attaquant pas qui n'était mu par aucu-
     ne malveillance.
À sa part de destin auprès de notre Seigneur, certes aucune âme n'échappe
et le destin de tout être humain est mené à son terme par Celui qui a en-
                                             [voyé Ahmad.

Ô Dieu ! C'est toi qui as fixé ce que devait être la vie de ton Envoyé
mais tu as aussi consenti à sa requête, toi dont puissante est la parole ;
si se réalise autre chose qu'elle, c'est encore là manifestation de ta déci-
Tu es aussi Éminent que Vénérable, et Juste en tes jugements !   [sion.
Oumar assurément a eu l'heur de décéder en honneur de la religion
                                                      [d'Ahmad.

---

[21] *Kitāb safīnat al-saʿāda*, l'ouvrage le plus connu d'El-Hadj Oumar.

[22] Le verbe utilisé ici évoque l'image d'un piroguier qui éloigne son esquif de la rive en poussant sur sa perche.

[23] Il est ici fait de nouveau allusion au roi bambara de Ségou, Bina Ali, et à la bataille décisive de Woïtala (entre le 5 et le 9 septembre 1860) qui donna la victoire à El-Hadj Oumar sur l'armée ségo-vienne.

Maabal

Fodoore nde warnoo Seexu naatii e kijjugol   24
tawee Demmba Aamadu Saydu hokkaama jaalagol
fiigol e sokugol fuu kazaa non e hirsugol.
A moyƴii a moyƴii Seexu Tijjaani loomtagol
bappanyo maa battinɗo puɗɗooɗe Ahmadaa.

Baabam Makki baa Haadi Abbiyun e Murtadaa   25
safiyyu amen yaa seyfi wayɓe Muhammadaa
wa yaa sayyid-al-Fuutiyyi saa'iri Ahmadaa !
Salaatu yo won dow oon mo njim-ɗaa Muhammadaa
sahaabaaɓe mun kala aalo'en yimɓe Ahmadaa !

Binndi annii no mi yuɓɓa Joom-baawɗe hoddorii.   26
Allaahu 'aalamu jaango lillaahi heertorii
jama'aaje muuminu'en ko Jawaadu hiitorii
Kanyum anndi baaɗini men kazaa non e zaahiri.
Ceniiɗo yaafam o yaafo juulɓe Muhammadaa !

Var.

24. (2) ... rokkaama jaalagol
    (5) ... ɓattinɗo puɗɗooɗe Ahmadaa.
26. (5) Ceniiɗo yo yaafam yaafo...

Quand par le destin fut fixé que le Cheikh s'engageât dans le pèlerinage
c'est alors qu'au Demba d'Âmadou Saydou[24] fut donné d'emporter la
lui fut donné de battre et emprisonner et même égorger !   [victoire,
Tu as été parfait, oui, parfait, Sêkou Tidjâni, comme successeur
de ton oncle, qui a accompli ce qu'avait commencé Ahmad !

Père de Makki, père de Hâdi, Habîbun et Mourtadâ[25],
notre élu entre tous, ô Sabre contre les ennemis de Mouhammad,
ô seigneur du Foûta, chantre d'Ahmad !
Bénédiction soit sur celui-ci, que tu célèbres, Mouhammad,
sur ses compagnons et toute sa famille, la communauté d'Ahmad.

Ces écrits, si je les compose, c'est le Tout-Puissant qui en a ainsi décidé.
Dieu sait mieux que quiconque que l'avenir n'appartient qu'à lui.
L'ensemble de tous les musulmans, c'est en généreux qu'il les juge
car lui, connaît ce qui en nous est caché tout comme ce qui est visible.
Puisse le Pur me pardonner et pardonner aux croyants de Mouham-
                                                    [mad[26] !

---

[24] Âmadou (fils de) Saydou est le frère d'El-Hadj Oumar, connu aussi sous le nom d'Alfâ Ahmadou.
Le Demba de Âmadou Seydou désigne Sêkou Tidjâni, neveu d'El-Hadj Oumar, qui régna sur le
Massina de 1864 à 1887.

[25] Énumération des fils d'El-Hadj Oumar : Makki (1836-64), Hâdi (1839-64), Mourtada (1849-
1922) ; Habîbou est le troisième fils d'El-Hadj Oumar, le premier qu'il ait eu avec Meryem, fille de
Mouhammad Bello.

[26] Ce vers est chanté deux fois.

GLOSSAIRE

GLOSSAIRE
des
termes arabes[1]

Ce glossaire comprend principalement les termes arabes cités sous leur forme originelle ou reconnaissables comme tels. Il ne fournit pas les emprunts qui ont été intégrés à la langue au point de ne plus être sentis comme des emprunts ni même parfois
être repérables en raison de leur adaptation aux règles grammaticales de la langue ;
c'est en particulier le cas d'un grand nombre de verbes : *duumaade* ([dwm], durer,
permaner), *nafude* ([nf°], être utile), *tuubude* ([twb], se repentir), *wallifaade* (['llf]
composer un ouvrage), *yaafude* ([°fw], pardonner), *yarlaade* ([rḍy], tolérer, pardonner), *yamirde* (['mr], ordonner) etc...

a'zaami : 'a°ẓam (Très-Grand).
aadamiyyata : ādamiyya (humanité).
aada : °āda (coutume).
aadi, pl. *aadiiji* : °ahd (engagement, serment).
aali ou *aalu*, pl. *aalo'en* : 'āl (parenté, parentèle, famille, descendants, en
  particulier, du Prophète).
aalimun : °ālim (celui qui sait).
aamiina : 'āmīn (amen, ainsi soit-il).
aamun : °ām (année).
aaxiraa, aaxiri : 'āḫira (fin, autre monde) ; voir aussi *laaxira* et *uxuraa*.
aaya : 'āya (verset).
abadiyyi : 'abadiyy (éternel, perpétuel).
addunya et *adunaaru* : ad-dunyā (le monde d'ici-bas) ; voir aussi *duniyaa*.
adiibe : 'adīb (lettré, bien éduqué).
aglu et *agulu* : °aql (intelligence, raison).
ahbaabi : ḥabīb, *pl.* 'aḥbāb (amis).
ahdi : °ahd (engagement, serment).
ahlunke : mot formé à partir de 'ahl (famille, communauté).
ahraa : 'aḥrā' (convenables) ou 'aḥrā (plus convenable, plus apte à) ;
  mis pour : bi al-'aḥrā (à plus forte raison)
ajabu(uji) : voir *azaaba*.
alaamaa : °alam (signe), 'a°lām (signes).
aliimun et *almiiɗo*, pl. *almuɓɓe* : °alīm (savant, docte).

---
[1] Nos vifs remerciements vont à Micheline Galley qui a eu l'amabilité de relire ce glossaire
pour vérifier la transcription des termes arabes.

aljanna et *aljenna* : al-janna (le jardin, le paradis).

alluha : lawẖa, *pl.* 'alwāẖ (tablette, planchette à écrire).

almaami : al-'imām (l'imam, le chef).

almuɓɓe : pl. de *almuudo* < [°lm] (apprendre, savoir).

amaana : 'amāna (loyauté).

amalu(uji) : °amal (acte, ouvrage, œuvre).

ammbari : °anbar (ambre).

amru : 'amr (ordre), voir aussi *laamru*.

amwaatu('en) :'amwāt (morts).

ankabuuti : °ankabūt (araignée).

annabi, annabiijo, annabiyemme, pl. *annaba'en* : an-nabiyy, *pl.* 'anbiyā' (le prophète, *pl.* prophètes) ; voir aussi *nabiyyu*.

annafsi : voir *nafsu*.

anniya : an-niyya (l'intention, le but).

annoora : an-nūr (la lumière). voir *nuuru*.

anta : 'anta (toi).

anyaabi : 'anyāb, *pl.* de nāb (dent, canine).

arhaam : voir *rahimi*.

arriya'i : ar-riya' (le bel aspect).

Arsi : °arš (trône, toit, tente, pavillon) ; dais céleste sous lequel trône Dieu au palier ultime des cieux.

arzige/arzuku : rizq, *pl.* 'arzāq (moyens de vivre, biens, richesse...).

ashaabin : 'aṣḥāb, *pl.* de ṣāḥib (compagnon).

ašyaa'i : 'ašyāᶜ, *pl.* de šiᶜa (parti, secte ; partisans d'Ali).

ataraabin : 'atrāb, *pl.* de tirb (contemporain, ami, compagnon).

atbaa'i : 'atbāᶜ, *pl.* de tabiᶜ (qui suit qn, propriété de qqn).

atiidun : °atīd (futur).

awlaadi : 'awlād (enfant, fils).

awra : °awra (sexe).

awwala : 'awwal (premier, principe) ;
    awwalan gabla awwalu : 'awwal qabl 'awwal (premier avant les premiers).

ayaa layta : 'ayā layta (ah ! plût à Dieu que...).

aybinde : verbe formé sur °ayb (défaut).

aybu, pl. *aybuuji* (se trouve aussi sous les formes *ayabuuji* et même *ayiibe* et *ayyibe,* pl. *ayyibaaji*) : °ayb (défaut, vice).

aynin : °ayn (source) ;
    tasniimi aynin (nectar d'une source).

aynaaya maa naamu : °aynāy mā nāmu (mes yeux n'ont pas dormi).

aynayni : °ayn (œil) (°aynayn : cas oblique du duel).

ayyinaade : verbe sur la racine /°yn/ (désigner particulièrement, rendre patent).

azaaba, pl. *azabuuji* et *ajaabuuji* : °aḏāb (châtiment, tourment, supplice).

azal : 'azal (éternité). *azaliyyi* : 'azaliyy (éternel).

aziimi : °azīma (constance) ou °aẕīm (grand, important, majeur).

azwaajin : 'azwāj, *pl.* de zawj (moitié d'un couple, époux, épouse).

azzallaalu : 'aḏlāl (état, condition) ou ḏalāla (abaissement, bassesse) ou ḏallal (abaisser, avilir) ?

baaba : bāb (porte).

baadîni : bāṭin (caché, intime, secret).

baataraa : < 'abtar (mutilé, incomplet, sans valeur).

baayyande/baay'ande : verbe < bāyaᶜ (reconnaître pour chef, faire soumission).

bada'an : bad'a ou badā'a (début, au début) ;
  bada'an wa aaxiraa : bada'an wa 'āḫira (du début à la fin).

badr : badr (pleine lune) ; badr al-dujja (lune des ténèbres).

bahimme, pl. bahimmeeji : bahīma (bête, brute).

bahru : baḥr (mer, océan) ;
  bahru an-nadaa : baḥru an-nadan (mer de générosité).

bal : bal (mais, au contraire, bien plutôt).

balaa : balā (certes, oui, sans doute).

balaa'u : balā' (fléau, épidémie, épreuve).

Balaqiisa : Bilqīs (nom de la reine de Saba).

bani-haasiminke : < bani hāšimiyyi (fils du Hachémite).

baraa : barā (création).

barke : < baraka (bénédiction).

barrun : barr (innocence, bonne foi ; bienfaisance).

basaahira : bašā'ir (bonnes nouvelles).

basdu : basṭat (étendue, capacité).

basiiru : bašīr (porteur de bonne nouvelle, « évangéliste »).

(m)baxiilaaku : < baḫīl (avare).

bayaana : bayān (argument ; sens clair d'un mot ; éloquence).

bayana/bayna : bayn (espace, intervalle).

Bayti-l-mugaddasi : bayt-al-muqaddas (demeure-pure : Jérusalem)

bi : bi (par, au moyen de) ;
  bi ismi-l-illaahi : bismi-llāhi (au nom de Dieu) ;
  bi jaahi : bi-jāhi (par la puissance de, par la gloire de...) ;
  bi gawlin sabitin : bi-qawlin ṭābitin (avec une parole sûre).

bid'a, pl. bida'aaji : bidᶜat (innovation, hérésie).

biiru : bi'r (puits).

bilaa : bilā (sans) ;
  bilaa baataraa : bilā 'abtar (sans imperfection) ;
  bilaa sakkin ka sidqin : bilā šakkin ka ṣidqin (sans doute et/comme sincèrement).

Biliisa : 'iblīs (Iblis, nom du Diable).

binta : bint (fille de).

budalaa'u : budalā', *pl.* de bidl (tout ce qui est donné ou reçu en échange).

buhtaanu : buhtān (mensonge, calomnie).

buldaanu : buldān (villes, pays, régions).

Buraaga et *Buraaqa* : burāq (nom de la monture fantastique qui emporta le Prophète dans les cieux lors de son ascension).

burhaanu : burhān (argument, preuve).

buyuuti : buyūt (maisons).

caahiiɗo : participe formé sur la racine /ṣḥḥ/ (être bien, correct, sans défaut, vrai).

caarhude : verbe formé sur la racine arabe /šrḥ/ (exposer, commenter).

daaba, pl. *daabaaji)* : dābba (toute bête de somme).

daaru : dār (maison) ;
    daaru-l-xuldi : dār al-ḫuldi (maison d'éternité).

daariyyu : < racine [dry] (apprendre, comprendre).

daliili : dalīl (preuve, indice, signe, argument).

daraja et *darja* : darja (rang, dignité).

daygu rahimi : ḍayqu raḥimi (au sein d'une matrice).

daymuumiyyi : < daymūma (durée, continuité).

dayyaanu : dayyān (rétributeur, juge).

diidaanu : dīdān, *pl.* de dūda (ver).

diina : dīn (religion).

du'aa'u ou *du'aaru* : du°ā' (prière, invocation).

duburu : dubur (derrière).

duhaa : ḍuḥā (matin).

duja : dujā, *pl.* de dujya (obscurité, ténèbres).

duniya(a) ou *dunyaa, dunuyaa* : dunyā (ce bas-monde). Voir aussi *addunya*.

ɗariigata : ṭarīqat (voie).

ɗaybata : ṭayba (Exquise : qualificatif désignant Médine) (voir aussi *Taybata*).

ɗuguyaanu : ṭuġyān (injustice, impiété, révolte contre Dieu).

ɗuufaanu : ṭūfān (Déluge).

faadîraa : fāṭir (Créateur).

faajira : fājir (débauché, pervers, sorcier).

faamu et *fahmu* : fahm (capacité de comprendre, entendement, intelligence).

Faaruuqu : fārūq (qui tranche, distingue, sépare ; «Différenciateur») surnom du Calife Omar.

fadlu ou *fadulu* : faḍl (supériorité, mérite, grâce, faveur).

fann(iiji) : fann (espèce, catégorie ; art, science ; subdivision).

faraji et *fariji(iji)* : farj (fente, partie du corps que la pudeur prescrit de cacher) ; voir aussi *farji*.

Fargadi : farqad (nom de deux étoiles voisines du Pôle).

fariida ou *farilla* : farīḍat (prescription divine, loi, précepte).

farji : farj ; voir *faraji*.

farla et *farra* : farḍ (voir *fariida, farilla)*.

fasiihi : faṣīḥ (élégant, éloquent).

fattaahu : fattāḥ (victorieux).

fatuhu : fatḥ (victoire) ;

fawg-as-saraa : fawq aṭ-ṭarā (sur la terre).

fayda (et *faydam)* : fā'ida (profit, bénéfice).

fida'u : fidā' (rançon, ce qui rachète) ; pl. *fida'uuji* (prières dites à l'intention d'un défunt).

fiɗɗata : fiḍḍa (argent).

fiqihi : fiqh (connaissance de la jurisprudence).

Fir'awna : Firʿūn (Pharaon).

firdawsi : firdaws (jardin, paradis, nom du septième ciel).

fuhs(uuji) : fuḥš (turpitude ; propos indécents, immoraux).

furgaanu ou *furqaanu* : furqān (différenciateur, ce qui distingue le bien du mal : épithète désignant le Coran).

gaadiri : qādir (puissant) ; voir aussi *qaadira, qaadiri.*

gaadii et *gaali(i)* : qāḍi (juge).

gaahira : qāhir (victorieux).

gaamuusu : qāmūs (abîme de l'Océan, nom d'un dictionnaire).

gabdu : ġabṭ (prospérité, bonheur, bien-être).

gabula : qabl (avant).

gaburu, pl. *gaburuuji* : voir *qabru.*

gadara : qadar (valeur, dignité ; destinée, sort).

galaamu : qalām (calame, roseau) ; voir aussi *qalaamu.*

Gar'uuna : Qarūn (Qar'oun ou Coré).

garni : qarn (corne) ;
   garni-n-nuuri : qarn an-nūri (corne de lumière).

gawlu : qawl (ordre, parole).

gawsu : ġawṯ (secours) ; voir aussi *xawsu.*

gayyi : ġayy (erreur) ;
   waadi al-gayyi : wād-al-ġayyi (vallée de l'erreur).

guduwatu : qudwa (exemple, modèle).

gudubu : quṭb (pôle).

guwwatu : quwwa (force).

haadi : hād (guide, conducteur).

Haaje, pl. *haajeeji* et *haaju*, pl. *haajuuji* : ḥāja (affaire ; besoin).

haali : ḥāl (nature, caractère, manière d'être).

haamidan : ḥamīd (digne d'éloge).

haasa : ḥāša (loin de…, excepté…).

haasidaa, haasidi, haasidaaku : mots formés sur l'adjectif arabe ḥāsid (jaloux, envieux).

haasiminke : mot formé sur hāšimiyy (hachémite).

haasira : ḥāsir (sans voile ni cuirasse, *i. e.* authentique).

haasiraa : < [ḥšr] (rassembler).

haayiiɓe : participe pluriel formé à partir de ḥayā' (avoir honte).

haddi : ḥadd (limite).

hafiizun : ḥafīẓ(qui garde, qui préserve).

haggan : ḥaqqan (vraiment, justement).

hagiiga(ta) : ḥaqīqa (vérité) ; voir aussi *haqiiqa.*

hajju : ḥajj (pèlerinage) ; *hajjude* : v. < ḥajja (aller en pélerinage).

hakkile et *hakille* : voir *haqqile.*

halfinde : verbe < [ḥlf] (s'engager par serment).

hal taraa : hal tarā (qu'est-ce que tu vois).

hamdu : ḥamd (gloire) ;
   hamdillaahi : ḥamdu lillāhi (gloire/louange à Dieu) ;

liwaa'i-l-hamdu : liwā' al-ḥamdi (drapeau de la gloire).

hamdirde : verbe < [ḥmd] (remercier) ou < ḥamdu (gloire, louange).

hamrude : < [ḫbr] (informer).

hannaanu : ḥannān (très miséricordieux).

haqiiqa, pl. *haqiiqaaji* (et *hagiiga, hakiika*) : ḥaqīqa (vérité).

haqqi et *haaqi* : ḥaqq (vérité, droit ; devoir).

haqqilla : ᶜaql (raison, esprit, intelligence).

haram, pl. *haraamuuji* : ḥarām (ce qui est illicite).

   harminde : déclarer illicite.

hariire : ḥarīr (soie).

hasiboore : < [ḥsb] (compter, juger).

hasru(uji) ou *hasuruuji* : ḥašr (rassemblement).

   haasiraa : < [ḥšr] (rassembler, réunir).

hawaa : hawān (désir, amour, passion).

hawad(eeji) : ḥāwḍ (bassin).

hawla et *howla* : hawl (terreur).

hayaatan : ḥayā (vie).

hayawaanu : ḥayawān (animal).

haybu : hayba (respect, vénération mêlée de crainte).

hayraanu : ḥayrān (stupéfait, perplexe).

hayyaabi : hayyāb (très respectueux).

hazzaaji : hazaj (rythme, modulation de la voix).

   maayo hazzaaji : mètre poétique *hazaj*.

hijaabu : ḥijāb (voile, rideau).

hikumata : ḥikma (sagesse, savoir).

hikaaya : ḥikāya (récit, histoire).

hisaabu et *hiisa* : ḥisāb (calcul, arithmétique).

horma et *alhorma* : ḥurma (chose sacrée, honneur).

howla : hawl (terreur), voir *hawla*.

hujja : ḥujja (argument, preuve, prétexte).

hujubun : ḥijāb, *pl.* ḥujub (voile, rideau).

hukum(uuji) : ḥukm (loi, règle ; sagesse) et ḥukumā (jugement, sentence).

husudu : ḥusud, *pl.* de ḥāsid (envieux, jaloux). voir aussi *haasidaa*.

huurul-ayni : ḥūru-l-ᶜayni (text. qui a le noir et le blanc de l'œil très contrastés).

ibhaamu : 'ibhām (incertitude, doute).

Ibiliisa : 'Iblīs (nom du Diable). Voir aussi *Biliisa*.

ibnu- : 'ibn (fils).

ibra : 'ibra (aiguillon ; boussole et, au figuré, exemple, guide).

ibriiqu : 'ibrīq (théière).

ihsaanu : 'iḥsān (bienfait, vertu, bienfaisance).

iimaanu : 'īmān (foi) ; voir aussi *limaanu*.

iitibaaraa : 'iᶜtibār (considération, estime).

iiwaanu : 'īwān (palais).

ijtihaadu : 'ijtihād (effort, assiduité, application).

ijtimaa'u : 'ijtimāᶜ (assemblée, réunion).

ilhaamu : 'ilhām (inspiration divine).

illaahuma : forme emphatique de Allāh.

ilmu : ᶜilm (connaissance) ;
  ilmu-l-haqiiqata : ᶜilm al-ḥaqīqa (connaissance de la vérité).

imaam an-nabiyyi : 'imām an-nabiyyi (le guide du prophète) ; voir aussi *imaamu*.

imaamu : 'imām (imam).

insu, pl. *insaani* et *insaanu*, pl. *insuuji* : 'ins, *pl.* 'insān (homme/hommes, humanité).

islaamu : 'islām (islamisme, obéissance).

isyaanu : ᶜiṣyān (désobéissance, révolte).

itibaara(aji) : ᶜitibār (estime, considération).

ixwaanu : 'iḫwān (frères).

iyaanan : ᶜiyānan (de ses propres yeux).

jaalimi : ẓālim (tyran, oppresseur).

jaannama et *jahnnama* : jahannam (Enfer, Géhenne).

jaannu : jānn (génie).

jaati : ḍāt (essence, personne) ; voir aussi *zaati*.

jahiima et *jahiimi* : jaḥīm (feu intense, feu de l'Enfer).

jahnama, jahnnama, jannama : jahannam (Géhenne).

jajjallaahu kayra : déformation de *jazak allaahu kayra* : jazāka allā-hu ḫayran (que Dieu te récompense en bien).

jakawdo : < [qwy] (être fort).

jalaalataa : jalāla (majesté, grandeur).

jamaa, pl. *jama'aaji/jama'aaje* : jamāᶜa (assemblée).

Jamaanu : zamān (temps, époque, génération) ; voir aussi *zamaanu*.

jannata : janna (jardin, paradis).

jawaabu : jawāb (réponse).

jawaadu : jawād (généreux).

jawaal : zawāl (déclin).

jawfu : jawf (ventre).

jawhari : jawhar (joyau, bijou, perle).

jeenoowo : < zinā (adultère).

jeenude : voir aussi *zeenude*.

jeysu ; jayš (armée).

jihaadi : jihād (lutte, combat).

jiiraanu : jīrān (voisins).

Jinaanu, pl. *jinaanuuji* : jinān (jardins).

jinaanu(uji) et *jinyaaji* (pl.) : < zinā (adultère).

jinna, pl. *jinnaaji, jinnanuuji* : jinn (génie) (cf. sourate 28 = LV, v. 14).

julma : métathèse, pour *jumla* (pl. *julmaaji*).

jumla : jumla (foule, multitude).

junuubu : voir *zambu* et *zunuubu*.

juuroo : verbe *juuraade* < [zwr] (honorer d'une pieuse visite, aller en pèlerinage à un lieu saint).

juzu'u : juz' (particule).

kaafiri : kāfir (infidèle, incrédule, renégat).
kaafuura : kāfūr (camphre).
kaburu, qaburu, gaburu : voir *qabru*.
kafara(l) et verbe *kaforde* : < [ġfr] (pardonner).
kalaama : kalām (parole, langage, discours).
kalk(ooji) : < [hlk] (périr, être damné).
kamaazaa taraa : kamāḍā tarā (comme tu as vu).
kamalu : kamal (totalité).
kamdiraa : voir *hamdirde*.
kamraaɗo : participe passif < ḫabar (nouvelle).
karaamata : karāma (pouvoir conféré aux saints, prodiges ; respect, considération) (en l'honneur de).
karhan : karhan (de force).
kariimun : karīm (généreux).
kasboowo : nom d'agent < [ḥsb] (compter, juger).
kawnu et *kawni* : kawn (existence, vie) ;
  li kawni jaraa : li (de, pour) kawn jarā (vie est advenue) ;
  sayyid al-kawnayni (seigneur des deux existences).
Kawsara : kawṭar (plénitude, abondance ; nom d'un des fleuves du paradis).
kaydu(uji) : < kayd (ruse, artifice, stratagème).
kazaa : kaḍā (comme ceci, ainsi, de cette manière).
kazaabi : kaḍḍab (imposteur).
kufuraanu : kufrān (incrédulité, impiété, infidélité).
kulliyya : kulliyya (totalité, ensemble).
kumalu : kamāl (totalité).
kunha : kunh (extrémité ; l'essence, le fond d'une chose).
kursiyyu : kursiyy (siège, fauteuil).
laa budda : lā budda (sans échappatoire, nécessairement).
laafaanu : < lafā' (terre, poussière, chose vile).
Laaxira/laaxiri : al-'āḫira (l'autre monde, l'autre vie, la vie future) ; voir aussi *aaxiraa, aaxiri, uxuraa*.
laazimi : lāzim (réunion de confrérie pour réciter le *zikr*).
la'anaaɗo : participe passif < [lᶜn] (maudire).
laɗaa : laṭā (place, lieu).
lahdu(uji) : laḥd (tombeau).
lamru, pl. *lamruuji* : al-'amr (l'ordre, le commandement, le pouvoir) ; voir aussi *amru*.
larhaam : al-'arḥām (les matrices).
larwaahi : al-'arwāḥ *pl.* de rūḥ (les âmes) ; voir aussi *rawhaana, ruuhu*.
lasli : al-'aṣl (origine, souche, race, lignée) ; voir aussi *layli*.
lawhi : lawḥ (table, planchette) ; voir aussi *alluha*.
layli : voir *lasli*.
li-kawni : li-kawni (de l'existence, de la création).
limaanu : al-'īmān (la foi, la croyance religieuse) ; voir aussi *iimaanu*.
liwaa'u : liwā' (étendard, drapeau).
ludfu : luṭf (grâce, faveur, bienfait) ; voir aussi *ludufu*.

438

ludufu : voir *ludfu.*

lugaa et *luxa* : luġa (langue).

luulu : lu'lu' (perle).

maa'u : mā' (eau).

maahin : māhin (serviteur).

maalu : māl (richesse) ; voir aussi *malu.*

maasuuqu : < [ᶜšq] (aimer éperdument, être épris de).

maatuuqu : < [ᶜatq] (idée d'ancienneté, de statut libre et d'excellence).

ma'an : maᶜan (avec, ensemble, en même temps) ; voir aussi *maahan.*

madiina(aji) : madīna (ville).

maduhu : madḥ (louange).

mafsul(uuji) : mafṣil (articulation).

mahan : voir ma'an.

Mahmuuda, Mahmuudu : maḥmūd (loué, digne de louanges).

makuru : makr (ruse, subterfuge, tromperie).

malaa'ika, pl. *malaa'ika'en* : malā'ik (anges).

malak-al-mawtu : malak al-mawt (ange de la mort).

maliiki n-naasu : malīk an-nās (maître-des-hommes).

malu : voir *maalu.*

manniyi : manniy (sperme).

manzilaa : manzil (lieu de halte, station, logement).

marhaban : marḥaban (bienvenue à…).

marjaanu : marjān (corail).

masiibo, pl. *masiibooji* : maṣūba, muṣāba, musība (malheur, accident).

masijidi : masjid (temple, lieu de prière, mosquée).

mawlaa : mawlā (maître).

mawtude : v. < mawt (mort).

miftaahu : miftaḥ (clé).

miizaanu : mīzān (balances).

min : min (de…)

  min baadi : min baᶜdi (après que).

  min indi rabbihi : min ᶜindi rabbihi (du côté de son seigneur).

mir'aaju : miᶜrāj (escalier, ascension).

misaalu : miṯāl (modèle, exemple ; qualité/quantité d'une chose).

miski et *misku* : misk (musc).

mixlaagu : miġlāq (sceau, cadenas).

mosola : maṣlaḥa (avantage, utilité).

mudda l-basar : muddat al-baṣar (l'étendue de la vision).

muhayminu : muhaymin (qui a l'œil sur…, témoin visuel).

mujiibun : mujīb (qui répond).

mujtaba : < 'ajāba (répondre favorablement, exaucer).

mukarrami : mukarram (vénéré, honoré, respecté).

munaafaa : déformation de manfaᶜa (profit, bénéfice) ; voir aussi *munnafaa.*

munaafiq : munāfiq (hypocrite) ; voir *naafigi.*

munaafixu : munāfiḫ (celui qui souffle).

munaa n-nafsi : munā n-nafsi (les souhaits de l'âme).

munjidu : munjid (qui aide) (nom d'un dictionnaire).

muniiru(n) : munīr (qui éclaire).

munkari : munkar, *pl.* munkarāt (désapprouvé, ce qui déplaît à Dieu, actions blâmables) ; voir aussi *munkiraa*.

munkiraa : voir *munkari*.

munnafaa : manfaᶜa (gain, profit, avantage, bénéfice) ; voir aussi *munaafaa*.

muntahaa : muntahā (limite).

munziri : mundir (qui exhorte, avertit).

muraadu : murād (désir, besoin ; but que l'on se propose).

muriidun : murīd (qui veut).

mursalu : mursal (envoyé, missionnaire).

muslimi : muslim (musulman).

mustafaa : muṣṭafā (choisi, élu).

muujizaaje : muᶜjiza (miracle).

muumini et *muuminu*, *pl.* *muumini'en/muuminu'en* : mu'min (croyant).

muxtaar : muḥtār (agréé, élu).

muzallila : muzallil (léger, facile à digérer).

naafigi : nafaqa (être hypocrite) et munāfiq (hypocrite) ; voir aussi *munaafiq*.

naaru : nār (feu) ;
   naaru-llahun : nāru lahum (feu sur eux).

naasu : nās (hommes)

naaziraa : nāẓira (œil).

na'am : naᶜam (oui) ; *na'aamu*.

nabi/nabiyyu : nabiyy (prophète) ; voir aussi *annabi*.

nafa(a) : nafaᶜa (être utile).

naafila : nāfila (prière surérogatoire).

naagaawa, *pl.* *naagaaji* : nāqa (chamelle).

nafsi : nafs (âme, principe vital, personne).
   munaa n-nafsi : munā an-nafsi (souhaits de l'âme).

nahli : naḥl (abeilles).

nahwu : naḥw (grammaire).

nahyu : nahy (interdiction).

najaas(uuji) : najāsa (saleté, souillure, impureté).

namaariiqu : namāriq (coussin de selle).

nammaamu : nammām (calomniateur).

nashondirde : v. < [nṣḥ] (donner de bons conseils).

nasru : naṣr (secours, aide ; victoire, triomphe).

nassi : naṣṣ (texte).

neema et *ne'ema*, *nehma*, *pl.* *neemaaji* : niᶜma (faveur, bienfait, grâce).

nganima : ġanīm (part de butin, bonne aubaine).

niiraanu: nīrān (feux).

nisuwaanu : niswān (femmes).

nubuwwata : nubuwwa (prophétie).

nudfu et *nudfatan* : nuṭfat (gouttelette).

nugabaa'u : nuqabā', *pl.* de naqīb (chef d'une tribu, gouverneur d'une province).

nujabaa'u : nujabā', *pl.* de najīb (noble, généreux, de bonne race).

nuuru : nūr (lumière) ;
   nuuru-l-islaamu : nūr al-'islām (lumière de l'islam) ;
   Usumaana zu-n-nuurayni : ᶜuṯmān ḏū an-nūrayn (Ousman aux-deux-lumières).

nuzulu : nuzūl (descente).

qaadira/qaadiri : qādir (puissant) ; voir aussi *gaadir*.

qaalaaku : < qāḍi (juge).

qabru, pl. *qaburuuji* : qabr (tombeau).

qalamu : qalam (calame, roseau ; écriture).

qisasu(uji) : qiṣṣa (histoire, récit, mémoires, conte) ; voir aussi *xisasuuji.*

quḋubu, pl. *quḋubuuɓe* : quṭb (pôle).

qufuraanu : ġufrān (pardon, indulgence).

qur'aanu : qur'ān (lecture, Coran).

raa'i : rāᶜī (pasteur, berger ; gouvernant).

raaya : rāya (étendard, drapeau).

rabbu : rabb (seigneur) ;
   rabb al-gaahiraa : rabb al-qāhira (seigneur-le-victorieux) ; *rabb as-samaa wa s-saraa* : rabb as-samā' wa aṯ-ṯarā (seigneur du ciel et de la terre) ;
   rabb al-waraa : rabb al-warā (maître du genre humain).

rahiigun : raḥīq (vin excellent, nectar, boisson paradisiaque).

rahiimu(n) : raḥīm (miséricordieux, compatissant).

rahimi, pl. *arhaam* : raḥim, *pl.* 'arḥām (utérus) ;
   daygu rahimi : ḍayqu raḥimi (creux étroit d'un utérus).

rahmaanu : raḥmān (miséricordieux).

rahmata : raḥma (miséricorde).

rajiimi : rajīm (lapidé ; maudit).

raqiibun : raqīb (qui observe, gardien, surveillant) ;
   raqiibun atiidun : raqīb ᶜatīd (gardien du futur) ; voir aussi *rugabaa'u.*

rasuul : rasūl (envoyé).

rawda : rawḍ (jardin) et *rawdat* : rawḍa (jardin et, spécialement, le lieu du tombeau du Prophète Mouhammad).

rawhaana('en) : voir *larwaahi* et *ruuhu.*

rawsun, pl. *riyaasun* : ġawṯ, *pl.* ġiyāṯ (secours, aide / aides).

ridwaanu : riḍwa, *pl.* ruḍwān (agrément, satisfaction contentement, bon plaisir) ;
   baaba ridwaanu : bāb riḍwa (porte du bonheur).

rif'ataa : rifᶜa (rang élevé, considération dont on jouit).

rijaalu : rajul, pl. rijāl (homme d'âge mûr).

risaalata : risāla (message, apostolat).

riyaa'i : riyā' (bel aspect).

rizqu(uji) ou *rizukuuji* et *rizuguuji* : rizq, *pl.* 'arzāq (moyens de vivre, richesse). ; voir aussi *arzige, arzuku.*

rufagaa'u : rufaqā', *pl.* de rafīq (compagnon, camarade, ami).

rugabaa'u : ruqabā', *pl.* de raqīb (qui observe, gardien surveillant) ; voir aussi *raqiibun*.

ruhba et *ruuba* : v. < ruᶜb (crainte, frayeur) ; *ruhbinde* : faire craindre.

rukku : rukūᶜ, rakᶜa (inclination du corps pour la prière).

ruuhu : rūḥ (âme, esprit dont sont inspiré les Prophètes) ; voir aussi les pluriels *rawhaana*, *larwaahi*.

rusulu : rusul, *pl.* de rasūl (prophètes).

saa : sāᶜa (heure) ; voir aussi *saatu* ;
    saa sawaa'u : sāᶜa sawᶜā' (heure pénible).

saabe, saabu, sabaabu : sabab (cause, motif).

saa'iri : šāᶜir (poète).

saafi'u : šāfiᶜ (solliciteur).

saahi : ṣāḥi (ami) ; *yaa saahi* : yā ṣāḥi (ô mon ami).

saahib : ṣāḥib (compagnon du Prophète), pl. *saahiiɓe* et *sahaaba'en*.

saalihu : ṣāliḥ (vertueux).

saatu : sāᶜa (heure) ; voir aussi *saa*.

sa'aada, sa'aadi : saᶜāda (bonheur, félicité).

sa'adi : saᶜd (bon augure).

sabaabu : sabab (cause, raison).

sabu'ina : sabᶜūn / sabᶜīn (soixante-dix) ;
    sabu'ina hujub : sabᶜun et sabᶜīn ḥujub (soixante-dix rideaux, voiles).

saffu, pl. *saffooji, saffeeji, saffuuji* : ṣaff (rang, série).

safi et *safiwal* : safīh (sot, insensé, insolent).

safiinatu : safīna (pirogue, navire).

safiyyu : ṣafiyy (choisi, élu, ami sincère).

safiyyu : šafīᶜ (intercesseur).

sahaaba'en (pl.) : ṣaḥāba (compagnons) ; voir aussi *saahib*, pl. *saahiiɓe*.

sahwaaji : šahwa (désir, volupté).

sakiike : šaqīq (parent, frère germain).

salaamu : salām (paix, salut) ;
    salaamu aleykum : as-salāmu ᶜalaykum (la paix sur vous).

salaatu : ṣalāt (bénédiction) ;
    salaatu-laahi : ṣalāt-'allāh (bénédiction de Dieu).

samaa : samā' (ciel).

samaawaati : samāwāt (cieux).

samadu : ṣamad (éternel).

samsu : šams (soleil) ;
    samsu ad-duhaa : šams aḍ-ḍuḥā (soleil du matin).

saraa : ṯarā (terre) ;
    rabba-s-samaa wa-s-saraa : rabbu as-samā'i wa aṭ-ṭarā (seigneur du ciel et de la terre).

sarii'a : šarīᶜa (loi, code).

sarmadaa : sarmad (perpétuel).

sarri : šarr (mal, méchanceté, iniquité, guerre) ;
    sarri insaanu (le plus méchant des hommes).

sattaaral : < sattār (qui voile, qui protège ; un attribut de Dieu).

442

sawaabu : ṣawāb (ce qui est juste, droit, vrai, convenable).

sawgu : šawq (désir ardent, amour).

sawtu : ṣawt (son, bruit ; voix).

saybaanu : šayb (chenu).

Saydaana, Saydaani : šayṭān (Satan) ; voir aussi *Seydaani*.

sayyida : sayyid (seigneur) ;
   sayyid-al-kawnayni : sayyid al-kawnayni (seigneur des deux existences) ;
   sayyid-al-waraa : [sayyid-al-warā] (seigneur du genre humain).

seeku : šayḫ (vieillard) ; voir aussi *šeexu*.

Seydaani : šayṭān (Satan) ; voir aussi *Saydaani*.

seyfi : sayf (sabre, épée).

seylaaɓe : déformarion du pluriel de ṣāḥib (compagnon).

siddiiqu : ṣiddīq (véridique, surnom de Abou Bakr).

sifa : ṣifa (caractère, description) ; v. *sifaade*.

sihri : ši°r (poème vers) ; voir *siiru*.

siira : sīra (conduite, manière de vivre, vie).

siiru : voir *sihri*.

simaruuji : ṭamār (fruit), ṭimār (fruits).

simtirde : < ar. sammata (invoquer le nom de Dieu sur…).

sinfu(uji) : ṣinf / ṣanf (espèce, sorte, catégorie).

siŋra ou *singra, singirde* : <[skr] (s'enivrer).

Siraadi : ṣirāṭ (pont du Sirât).

siraajun : sirāj (cierge) ;
   siraajun muniirun sirri : sirāj munīr sirri (cierge qui éclaire le mystère) ;
   siraaju l-hudaa : sirāj al-hudā (flambeau des guides).

sirri et *sirru* : sirr (secret, mystère).

sobbaana : subḥān (gloire à…).

su'aalu : su°āl (question).

sub'aanu : šub°a (ce qui suffit à rassasie).

sugulla, pl. *sugullaaji* : šuġl (préoccupation, affaire ; souci). ; voir aussi *suŋlirde*, etc.

sukarati ou *sakaraati* : sakra (agonie).

sukuraanu : sakrān (ivrogne).

summa : ṭumma (puis).

summatu : sum°a (bonne réputation).

sunna, pl. *sunnaaji* : sunna (manière de se conduire ; loi, méthode, règles de la tradition islamique).

suŋlirde, suŋlirdo, suŋlitaade, mots formés sur šuġl ; voir *sugulla*.

suruuran : surūr (réjouissance, joie).

suura : ṣūra (forme, image, aspect).

suuri : ṣūr (cor, trompe).

šeexu : šayḫ (cheikh, maître spirituel) ; voir aussi *seeku*.

ši'iru : ši°r (poésie, vers) ; voir *sihri, siiru*.

taajir : tājir (commerçant).

taajun ammu tiijaanu : tājun °ammu tījān (couronne de toutes les couronnes).

taalibaajo, taaliiɓe et *taaliɓɓe* : ṭālib (étudiant).

tabaabu : tabāb (perte, faiblesse, impuissance).

tafsirɗo : < tafsīr (exegèse).

tasniimi aynin : tasnīm ᶜaynin (nectar d'une source).

Taybata : voir *Daybata*.

tilfooji : < [tlf] (perdre, ruiner).

umyaanu : ᶜumyān (aveugles).

urwatu-l-wusugaa : ᶜurwat al-wuṭqā (anse/lien la/le plus solide).
   urwatu-l-wusuga : ᶜurwat al-wuṭuq (lien le plus solide).

uxuraa : 'uḫrā (l'autre vie) ; voir aussi *laaxiraa*.

uyuubi : ᶜuyūb (défauts, vices).

waadi : wād (vallée).
   waadi l-gayyi : wād al-ġayyi (Vallée-de-l'Erreur).

waaju, wa'aju, waazu : waᶜẓa (exhortation à faire le bien et éviter le mal, sermon) ; *wa'ajaade* : verbe formé sur waᶜẓa (prône, sermon).

waasidu : wāsiṭa (médiateur, moyen) et wasīṭ (médiateur, intercesseur).

waasu(uji) : < waḫš (bête fauve, animal sauvage) ; voir aussi *wahsu*.

wafaa : wafā' (accomplissement d'une promesse) ;
   zul-wafaa : ḏu l-wafā' (qui réalise la promesse).

wafaa : wafā (mort) ;
   zu-l-wafaa : ḏu-l-wafā (maître de la mort).

wafara(n) : wafr (abondance).

wahsu, pl. *wahsuuji* : waḫš (animal sauvage, bête fauve) ; voir aussi *waasu(uji)*.

wahyu : waḥy (révélation ; écrit, lettre) ; *wahyude* : waḥyā (inspirer quelqu'un).

wajuhu : wajh (visage, face).

wakfu(uji) : < waqf (pause dans la lecture, césure dans un vers) ; voir aussi *wakufuuji*.

wakiilu : wakīl (mandataire, délégué).

wakkati : voir *wakti*.

wakti, waktu, wakkati, wattu : waqt (temps) ; voir aussi *waqti*.

walahaana : (al-)walhān (l'Insensé : nom de Satan).

waliyyu, pl. *waliyyu'en* : waliyy (saint) ; *waliyyaaku* (sainteté).

wallifaade : v. < ['llf] (composer un ouvrage).

waqti : waqt (temps) ; voir *wakti*.

waqufu(uji) : voir *wakfuuji*.

waraa : warā (genre humain).

wasfu : waṣf (description, attribut, qualité, épithète).

wasawaasu : waswās (tentation, ce qui est suggéré par Satan) ; voir aussi *wasuwasu*.

wasuwasu : voir *wasawaasu*.

wilaaya : wilāya (autorité, emprise ; administration).

wirdu, pl. *wirdiiji* : wird (partie du Coran imposée comme lecture).

xaaya : ġāya (terme, limite, borne).

xabiiru : ḥabīr (bien renseigné, instruit de tout).

xalqi : ḫalq (création, peuple, gens).

xanafiisu : ḫanāfis, *pl.* de ḫunfus (scarabée noir, bousier).

xawaadîra : ḫawāṭir (pensées, idées).

xawsu : ġawṭ (secours, aide) ; voir aussi *gawsu.*

xawwaanu : ḫawwān (très perfide, grand trompeur).

xaybu : ḫayb (ce qui est caché, invisible) ; voir pl. *xuyuubi.*

xayri-l-waraa : ḫayr al-warā (le meilleur du genre humain).

xidaabu : ḫiṭāb (allocution, discours, harangue).

xisasu(uji) : qiṣṣa (histoire, récit, mémoires, conte) ; voir aussi *qisasuuji.*

xismaanu : ḫismān (adversaire).

xuldi : ḫuld (éternité) ;
    daaru-l-xuldi : dār al-ḫuldi (demeure de l'éternité).

xusaa'u : ḫušᶜ (humilité) ou ḫuššaᶜ, *pl.* de ḫāšiᶜ (humble, soumis, bas).

xusuraanu : ḫusrān (pertes, dommages, préjudices).

xuyuubi : ḫuyūb (choses cachées, invisibles) ; voir *xaybu.*

yaadila : v. < [ᶜdl] (être juste, équitable, vrai).

yaalirde : v. < [ḥžr] (être présent).

yaasiina : v. < [hsn] (être beau).

yahfu : v. < [ᶜfw] (pardonner).

yagiinu et *yaqiinin* : yaqīn (certitude).

yakawɓe : < [qwy/ (être fort, énergique).

yamirde et *yambirde* : v. < ['mr] (ordonner, commander).

yankirde : v. < [nkr] (refuser, ne pas reconnaître).

yaŋwude : v. < [qwy] (être, devenir fort).

yaqiinin : voir *yagiinu.*

yardude, yarlaade, yarrude et *yarraade* : v. < [rḍy] (agréer).

zaabu : ḏahb (or).

zaafara : zaᶜfarān (safran).

zaahira, zaahiri : ẓāhir (évident, manifeste).

zaati : ḏāt (essence ; personne) ; voir aussi *jaati.*

zamaanu : zamān (temps, époque, génération) ; voir aussi *jamaanu.*

zambu, pl. *zambuuji* : ḏanb, *pl.* ḏunūb (faute, péché) ; voir aussi *zunuubu* et *junuubu.*

zamzam : zamzam (eau du puits de zamzam à la Mekke).

zanjabiila : zanjabīl (gingembre).

zawhar : jawhar (joyaux).

zeenude : v. < zinā' (péché d'adultère) et zāni (qui commet l'adultère) ; voir aussi *jeenude.*

zikru : ḏikr (réminiscence, mention, invocation, prière).

zinaan(uuji) : jinān (paradis).

zumbirde : v. < ḏanb, *pl.* ḏunūb (péché/s).

zu-n-nuurayni : ḏū n-nūrayni (aux deux lumières, surnom de Ousmâne).

zunuuba ou *zunuubu,* pl. *zunuubaaji* : se rencontre aussi sous la forme de *zambu,* pl. *zambuuji,* selon que l'emprunt est fait à partir du pluriel ou du singuler du mot arabe ḏanb, *pl.* ḏunūb (faute, péché).

zurriya : ḏurriyāt (descendance).

RÉFÉRENCES BIBLIOGRAPHIQUES

BÂ Âmadou Hampâté, *Vie et enseignement de Tierno Bokar. Le Sage de Bandiagara*, Paris, Éditions du Seuil, Points, Sagesse, 1980.

— Élégie pour la mort de Tierno Bôkar Sâlif (transcrite, traduite et annotée par Chr. Seydou), *Journal des Africanistes*, t. 63, fasc. 2, 1993, pp. 61-80.

— *Oui mon commandant ! Mémoires (II)*, Paris, Actes Sud, 1994.

BÂ Âmadou Hampâté et CARDAIRE Marcel, *Tierno Bokar, le sage de Bandiagara*, Présence africaine, 1957.

BASSET René, *La Bordah du Cheikh el Bouṣiri*, Paris, Leroux, 1894.

BERQUE Jacques, *Les dix grandes odes arabes de l'Anté-Islam. Les Mu'allaqât* traduites et présentées par..., Paris, Sindbad, La Bibliothèque arabe.

BOTTE Roger, Pouvoir du Livre, pouvoir des hommes : la religion comme critère de distinction, *Journal des Africanistes*, 60, fasc. 2, 1990, pp. 37-51.

BRENNER Louis, *West African Sufi : The Religious Heritage and Spiritual Search of Cerno Bokar Saalif Taal*, London, C. Hurst & Company, 1984.

— « Sufism in Africa », in JACOB K. (ed.), *Olupona, African Spirituality*, New York, The Crossroad Publishing Co, 2000, pp. 324-349.

AL-BÛSÎRI Sharafu-d-Dîn, *ALBURDA (le manteau)*, traduit par le Cheikh Hamza Boubakeur, Montreuil, Imp. TIPE, 1980.

Encyclopædia of Islam, New Edition, Leiden, Brill, 1986.

Encyclopédie de l'Islam, Leiden, E. J. Brill, 2ème édition, 1954...

GAUDEFROY-DEMOMBYNES Maurice, *Mahomet*, Paris, Albin Michel, 1957.

AL-GHAZÂLÎ Abou Hâmid Mouhammad, *Ad-dourra al fâkhira*, traduction par L. Gauthier, Leipzig, Otto Harrassowitz, 1925.

KANE Ousmane, « Shaikh al-Islam al-Hajj Ibrahim Niasse » in ROBINSON D. et TRIAUD J.-L. (éds), *Le temps des marabouts. Itinéraires et stratégies islamiques en Afrique occidentale française, v. 1880-1960*, Paris, Karthala, 1997, pp. 303-304.

MONOD Théodore, Un poème mystique soudanais : Sorsorewel (Le Fouinard), du poète Mâbal, traduit du peul en français par Âmadou Hampâté Bâ, *Le Monde non chrétien*, n° 2, avr.-juin 1947, pp. 441-450. Un poème mystique soudanais, présenté par Théodore Monod, *Présence africaine*, n° 3, mars-avril 1948, pp. 441-450.

LEVTZION Nehemia and POUWELS Randall L. (eds), *The History of Islam in Africa*, Oxford, James Currey, 2000.

RINN, *Marabouts et Khouan*, Alger, 1884.

ROBINSON David, *The Holy War of 'Umar Tal. The Western Sudan in the mid-Nineteenth Century*, Oxford, Clarendon Press, 1985. *La guerre sainte d'al-Hajj Umar. Le Soudan occidental au milieu du XIXᵉ siècle*, Paris, Karthala, 1988.

— « Revolutions in the Western Sudan », *in* LEVTZION N. and POUWELS Randall L. (eds), *The History of Islam in Africa*, Oxford, James Currey, 2000, pp. 131-152.

ROBINSON David et TRIAUD Jean-Louis (éds), *Le temps des marabouts. Itinéraires et stratégies islamiques en Afrique occidentale française, v. 1880-1960*, Paris, Karthala, 1997, pp. 303-304.

SANANKOUA Bintou, *Un Empire peul au XIXe siècle. La Diina du Maasina*, Paris, Karthala-ACCT, 1990.

SEYDOU Christiane, *Silâmaka et Poullôri. Récit épique peul* raconté par Tinguidji, Paris, Classiques africains 13, 1972.

— Trois poèmes mystiques peuls du Foûta Djalon, *Revue des études islamiques*, 40, 1, 1972, pp. 141-185.

— Panorama de la littérature peule, *Bulletin de l'IFAN*, t. 35, n° 1, série B, 1973, pp. 176-218 (en particulier pp. 207-218).

— « "Le Chameau": poème mystique ou... pastoral ? », in *Itinérances en pays peul et ailleurs*, t.2, Paris, Mémoires de la Société des Africanistes, 1981, pp. 25-52.

SOW Alfâ Ibrâhîm, *La femme, la vache, la foi*, Paris, Classiques africains 5, 1966.

— *Chroniques et récits du Foûta-Djalon*, Paris Klincksieck, 1968.

— *Le Filon du bonheur éternel* par Tierno Mouhammadou-Samba Mombéyâ, Paris, Classiques africains 10, 1971.

SPERL S. and SHACKLE C., *Qasida : the litterary heritage of an Arab poetic form in Islamic Africa and Asia*, Leiden, Brill, 1996.

TYAM Mohammadou Aliou, *La Vie d'El Hadj Omar. Qacida en poular*. Traduit par Henri Gaden, Paris, Institut d'Ethnologie, 1935.

TABLE DES MATIÈRES

449

Baa Hamma dit *Maabal*

ÉDITIONS KARTHALA

Collection *Méridiens*

Collection *Contes et légendes*

Collection *Études littéraires*

Aux sources du roman colonial, *Seillan J.-M.*
Coran et Tradition islamique dans la littérature maghrébine, *Bourget C.*
Culture française vue d'ici et d'ailleurs (La), *Spear T. C. (éd.)*
De la Guyane à la diaspora africaine, *Martin F. et Favre I.*
De la littérature coloniale à la littérature africaine, *János Riesz*
Dictionnaire littéraire des femmes de langue française, *Mackward C. P.*
Discours de voyages : Afrique-Antilles (Les), *Fonkoua R. (éd.)*
Écrivain antillais au miroir de sa littérature (L'), *Moudileno L.*
Écrivain francophone à la croisée des langues (L'), *Gauvin L. (éd.)*
Édouard Glissant : un « traité du déparler », *Chancé D.*
Épopée : unité et diversité d'un genre (L'), *Derive J. (dir.)*
Esclave fugitif dans la littérature antillaise (L'), *Rochmann M.-C.*
Essais sur les cultures en contact, *Mudimbe-Boyi E.*
Francophonie et identités culturelles, *Albert C. (dir.)*
Habib Tengour ou l'ancre et la vague, *Yelles M. (éd.)*
Histoire de la littérature négro-africaine, *Kesteloot L.*
Imaginaire de l'archipel (L'), *Voisset G. (éd.)*
Insularité et littérature aux îles du Cap-Vert, *Veiga M. (dir.)*
Littérature africaine et sa critique (La), *Mateso L.*
Littérature africaine moderne au sud du Sahara (La), *Coussy D.*
Littérature et identité créole aux Antilles, *Rosello M.*
Littérature féminine de langue française au Maghreb (La), *Déjeux J.*
Littérature franco-antillaise (La), *Antoine R.*
Littérature ivoirienne (La), *Gnaoulé-Oupoh B.*
Littératures caribéennes comparées, *Maximin C.*
Littératures d'Afrique noire, *Ricard A.*
Littératures de la péninsule indochinoise, *Hue B. (dir.)*
Le métissage dans la littérature des Antilles fr., *Maignan-Claverie Ch.*
Mouloud Feraoun, *Elbaz R. et Mathieu-Job M.*
Nadine Gordimer, *Brahimi D.*
Parades postcoloniales, *Moudileno L.*
Poétique baroque de la Caraïbe, *Chancé D.*
Roman ouest-africain de langue française (Le), *Gandonou A.*
Trilogie caribéenne de Daniel Maximin (La), *Chaulet-Achour C.*

Collection *Tradition orale*

Amadou Hampâté Bâ, Homme de science et de sagesse, *Touré A. et Mariko T. I. (dir.)*

Approches littéraires de l'oralité, *Baumgardt U. et Ugochukwu (dir.)*

Arbre-mémoire (L'), *Ndoricimpa L. et Guillet C.*

Contes arabes de Mauritanie (bilingue), *Tauzin A.*

Contes de l'inceste, de la parenté et de l'alliance chez les Bemba (République démocratique du Congo), *Verbeek L.*

Contes maghrébins en situation interculturelle, *Decourt N. et al.*

Conteuse peule et son répertoire (Une), *Baumgardt U.*

Contes peuls du Mali, *Seydou Ch.*

Critique de la raison orale. Les pratiques discursives en Afrique noire, *Diagne M.*

Discours du griot généalogiste chez les Zarma du Niger (Le), *Bornand S.*

Empire de Ghana (L'), *Dieterlen G.*

Épopée, histoire, société, *Jansen J.*

Épopées d'Afrique noire (Les), *Kesteloot L. et Dieng B.*

Fantang. Poèmes mythiques des bergers peuls (Le), *Ndongo S.M.*

Gens de la parole. Essai sur la condition et le rôle des griots dans la société malinké, *Camara S.*

Histoire d'une chefferie kanak. Le pays de Koohne (Nouvelle-Calédonie), *Bensa A. et Goromido A. A.*

Légendes historiques du Burundi, *Guillet C.*

Littérature orale quechua de la région de Cuzco – Pérou (La), *Itier C.*

Mariage dans les contes africains (Le), *Görög-Karady V. (éd.)*

Noms et des hommes (Des), *Ntahombaye P.*

Oralité africaine et création, *Dauphin-Tinturier A.-M. et Derive J.*

Paroles nomades. Écrits d'ethnolinguistique africaine, *Baumgardt U. et Derive J.*

Proverbe chez les Bwa du Mali (Le), *Leguy C.*

Proverbes jóola de Casamance, *Diatta N.*

Proverbes yaka du Zaïre, *Van der Beken A.*

Sombre destinée (Une). Théâtre yoruba, *Isola A.*

Traditions des Songhay de Tera, *Soumalia H. et al.*

Achevé d'imprimer en juin 2008
sur les presses de la Nouvelle Imprimerie Laballery
58500 Clamecy
Dépôt légal : juin 2008
Numéro d'impression : 805206

Imprimé en France

La Nouvelle Imprimerie Laballery est titulaire du label Imprim'Vert®